JN114499

変容するインドネシア

小川忠
Tadashi Ogawa

めこん

●目次

第2章 インドネシア社会のデジタル化と民主主義

第2部　社会・文化変容から見たインドネシア各地

第3章　西部ジャワ——アートとデジタル化で変貌を遂げるバンドン

第8章 中部スラウェシ、ポソ――「宗教」紛争の負の遺産をどう乗り越えていくか……225

第9章 パプア諸州――パプアが問う国民国家のかたち……243

第3部 コロナ禍後の世界におけるインドネシア

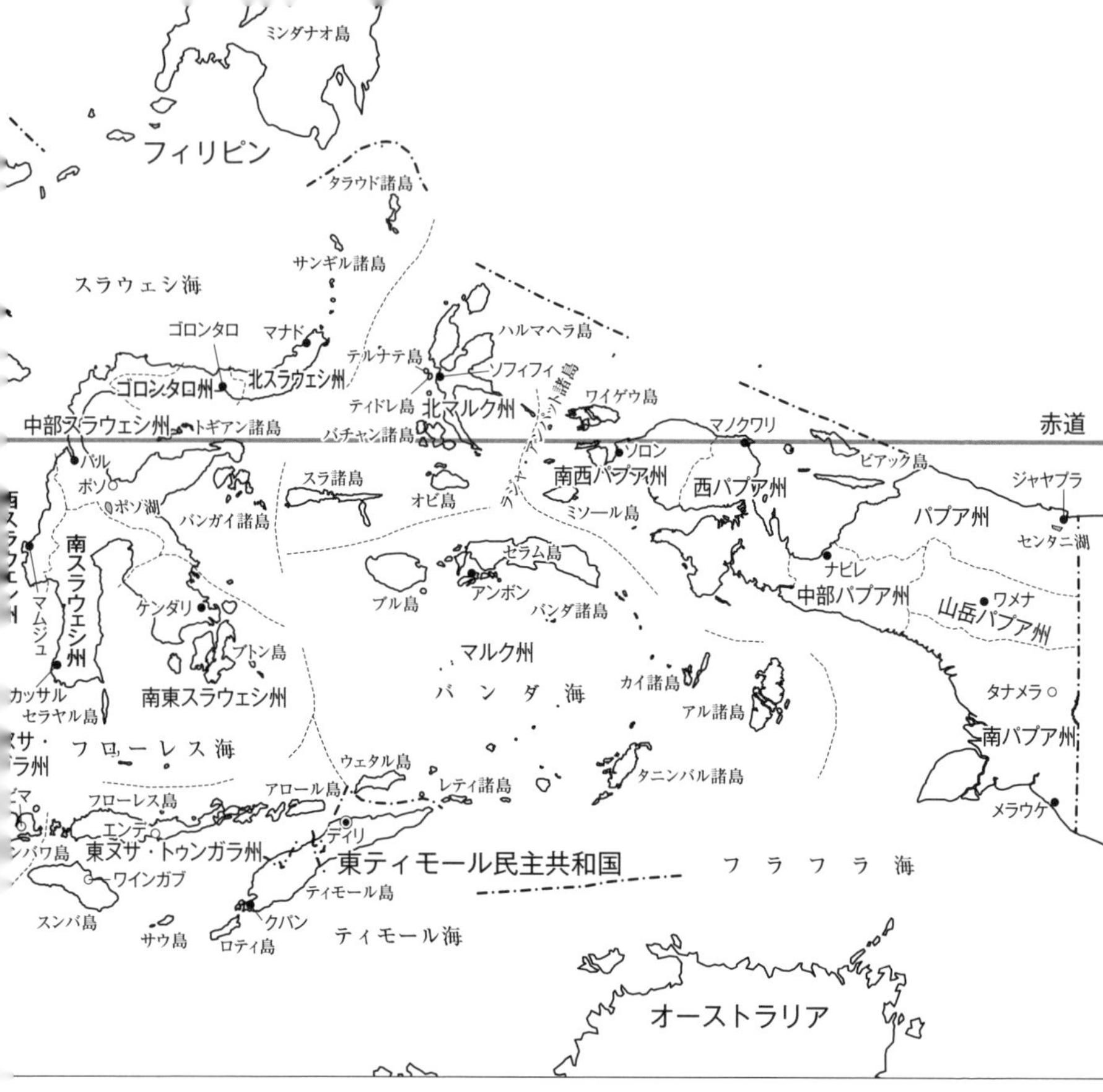

貧困を脱し、消費が拡大する1つの指標とされる1人あたりGNI（国民総所得）1026ドルを、2004年中に突破、2019年は4070ドルに達し、上位中所得国に仲間入りした。2020年現在4580ドル。（世界銀行統計）

民族（エスニック集団）：エスニック集団数は諸説あるが、少なくともマレー系を中心に、300を超えるエスニック集団が存在する。代表的なものとして、ジャワ人、バリ人、スンダ人、アチェ人、マレー人、バタック人、ミナンカバウ人、トラジャ人、ブギス人など。最大多数は、全国民の40%を占めるジャワ人（2010年国勢調査）。

言語：マレー語の一種ムラユ語が、「インドネシア語」として憲法によって「国語」と規定されている。国内に300～500の言語が存在する多言語国家である。

宗教：イスラーム教86.8%、キリスト教10.5%、ヒンドゥー教1.7%、仏教0.25%、儒教0.03%

インドネシアの基本情報

国土：192万平方キロ（日本の５倍）。東西距離5000キロは、ほぼ米国と同じ。世界最大の列島国家である。

人口：２億7200万人（2020年、インドネシア国勢調査）。インド、中国、米国に次ぐ世界第４位。国民の平均年齢は29歳（日本は48歳）。

政治：大統領制、共和制。1997年～98年のアジア通貨危機により、30年に及ぶ長期支配を続けた軍出身のスハルト大統領による強権体制が崩壊し、民主化された。2004年から大統領は国民の直接投票により選出。

経済：上記アジア通貨危機以降、経済改革を断行し、政治社会情勢および金融の安定化、個人消費の拡大によって2005年以降、５-６％台の経済成長を達成した。コロナ禍の2020年はマイナス2.1％となったが、翌年から盛り返し2021年6.9％、22年9.8％の高い成長となった。

インドネシアの州

州名	州都	人口　（2020年）	面積　（㎢）
アチェ	バンダ・アチェ	5,274,871	57,956
北スマトラ	メダン	14,799,361	72,981
西スマトラ	パダン	5,534,472	42,013
リアウ	プカンバル	6,394,087	87,024
リアウ諸島	タンジュン・ピナン	2,064,564	8,202
ジャンビ	ジャンビ	3,548,228	50,058
ブンクル	ブンクル	2,010,670	19,919
南スマトラ	パレンバン	8,467,432	91,592
バンカ・ブリトゥン	バンカルピナン	1,455,678	16,424
ランプン	バンダルランプン	9,007,848	34,624
ジャカルタ首都特別州	中央ジャカルタ	10,562,088	664
バンテン	セラン	11,904,562	9,663
西ジャワ	バンドン	48,274,162	35,378
中部ジャワ	スマラン	36,516,035	32,801
ジョクジャカルタ特別州	ジョクジャカルタ	3,668,719	3,133
東ジャワ	スラバヤ	40,665,696	47,800
バリ	デンパサール	4,317,404	5,780
西ヌサ・トゥンガラ	マタラム	5,320,092	18,572
東ヌサ・トゥンガラ	クパン	5,325,566	48,718
西カリマンタン	ポンティアナック	5,414,390	147,307
中部カリマンタン	パランカラヤ	2,669,969	153,565
南カリマンタン	バンジャルマシン	4,073,584	38,744
東カリマンタン	サマリンダ	3,766,039	129,067
北カリマンタン	タンジュン・セロル	701,814	75,468
北スラウェシ	マナド	2,621,923	13,852
ゴロンタロ	ゴロンタロ	1,171,681	11,257
中部スラウェシ	パル	2,985,734	61,841
南東スラウェシ	ケンダリ	2,624,875	38,068
南スラウェシ	マカッサル	9,073,509	46,717
西スラウェシ	マムジュ	1,419,229	16,787
マルク	アンボン	1,848,923	46,914
北マルク	ソフィフィ	1,282,937	31,983
パプア	ジャヤプラ	1,008,086	78,346
中部パプア	ナビレ	1,391,123	61,012
山岳パプア	ワメナ	1,390,881	52,397
南パプア	メラウケ	513,617	127,281
西パプア	マノクワリ	542,999	66,330
南西パプア	ソロン	591,069	30,695

インドネシア歴代大統領 一覧（2023年11月現在）

代	氏名	在任期間	副大統領
1	スカルノ	1945/8/18－1967/3/12	モハマド・ハッタ
2	スハルト	1967/3/12－1998/5/21 ＊1967/3/12－68/3/27は大統領代行、68/3/27第２代大統領に就任。	３期：ハメンクブウォノ９世 ４期：アダム・マリク ５期：ウマール・ウィラハディクスマ ６期：スダルモノ ７期：トリ・ストリスノ ８期：ユスフ・ハビビ
3	ユスフ・ハビビ	1998/5/21－1999/10/20	不在
4	アブドゥルラフマン・ワヒッド	1999/10/20－2001/7/23	メガワティ・スティアワティ・スカルノプトゥリ
5	メガワティ・スティアワティ・スカルノプトゥリ	2001/7/23－2004/10/20	ハムザ・ハズ
6	スシロ・バンバン・ユドヨノ	2004/10/20－2014/10/20	１期：モハマッド・ユスフ・カラー ２期：ブディオノ
7	ジョコ・ウィドド	2014/10/20－現在	１期：モハマッド・ユスフ・カラー ２期：マアルフ・アミン

1 スカルノ

2 スハルト

3 ハビビ

4 ワヒッド

5 メガワティ

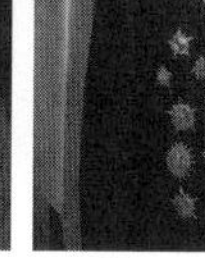

6 ユドヨノ

7 ジョコ・ウイドド

序章　なぜインドネシアに注目する必要があるのか

台頭するインドネシア

「インドネシア経済が日本を凌駕する」

今から三〇有余年程前、私が初めて国際交流基金の駐在員としてインドネシアに赴任した一九八九年に、そんなことを言ったら、「なにをバカな」と一笑に付されただろう。世界銀行統計によれば、この年の日本の名目GDPは三・〇五兆米ドル、インドネシアのそれは九四四億米ドルである。当時世界最強と呼ばれた八〇年代末の日本経済は、インドネシアの三二倍の規模で躍動していた。それがコロナ危機直前の二〇一九年のGDP値では、日本五・〇六兆米ドルに対して、インドネシア一・一九兆億ドルとなり、その隔たりは四・二倍程度まで縮小している。

これから三〇年先はどうなるだろうか。三〇年先といえば現在大学生の若者が四〇代から五〇代の働き盛りとなって社会を動かしている頃である。一世代のサイクルが回るぐらいで、さほど遠い未来ではない。

少なからぬ経済専門家が、三〇年先インドネシア経済は世界トップ一〇に仲間入りしていると予測している。中でもロンドンに本拠を置く国際コンサルティングのＰｗＣ（Pricewaterhouse Coopers）は、二〇五〇年インドネシアのＧＤＰは、一〇・五兆米ドルで中国、インド、米国に次いで世界四位に躍進すると予測する。世界第四位の二億七二二三万人の人口を擁し（二〇二〇年国勢調査）、国民の平均年齢は二九歳と若く、消費意欲も旺盛で国内市場は拡大し、経済成長に有利な勤労世代の人口増が続く「人口ボーナス」のある国として、インドネシア経済の実力を評価する。

他方ＰｗＣによると、二〇五〇年日本のＧＤＰは六・七七兆米ドルで、世界ランキングを現在の三位から八位にまで落としている。前述の四ヵ国に加えて新興国ブラジル、ロシア、メキシコにも抜かれるという見立てだ。

三〇年前の絵空事は、三〇年後には現実のものとなるかも知れない。

このような未来予測は、世界経済の主軸が近代以来長く続いてきた欧米（プラス日本）からアジアを中心とする新興国へと移行しつつある、という二〇世紀後半から始まった世界史的潮流に基づくものである。

「インド太平洋」という地政学的観点からも、国際社会においてインドネシアへの関心が高まっている。中国の海洋進出、一帯一路構想に対抗する形で、日米両国は「インド太平洋」戦略を強化してきた。日本の安倍晋三首相は二〇一六年八月に「自由で開かれたインド太平洋戦略」を提唱し、法の支配に基づく自由で開かれた海洋秩序の維持、強化を訴え、米国トランプ政権は海軍の「アメリカ太平洋軍」の名称を「アメリカインド太平洋軍」と改称し、中国に対抗する姿勢を鮮明にした。日米の「インド太平洋戦略」のカギを握るのが、インド洋と太平洋の結節点に位置し、東西五〇〇〇キロと米国大陸部に匹敵する長大な海域を持つインドネシアなのである。二〇二一年四月にインドネシアを訪問した岸田文雄首相は、日本が推進する「自由で開かれたインド太平洋」とインドネシアが主導策定した「インド太平洋に関するASEANアウトルック」の実現に向けて、「戦略的パートナー」として協力を強化していくことを、ジョコ・ウィドド大統領と確認した。

かくして世界的に存在感を高めるインドネシアについて、国際政治や国際経済の専門家はその重要性について、従来の「東南アジアの大国」という認識を超えた評価を与えつつある。曰く「世界の行方を左右する国（global swing state）」「アジア第三の巨人」「インド太平洋で台頭する海洋パワー」「民主主義を定着させた初めてのイスラーム大国」等々。

このような国際的なインドネシア再評価の高まりに、インドネシアの指導者たちが自信を深めたことは確かだ。ジョコ大統領が政権発足直後の二〇一四年一一月ASEAN首脳会議で表明した外交ドクトリンも、その自信の表れであろう、海洋防衛、海洋外交、海洋資源開発、海洋インフラ整備、海洋文化の五分野からなる外交戦略は、インド太平洋の海洋パワーとしてこの地域の安全と安定に主体的な役割を果たしていくという意思を表明したものである。

一九五〇年代初代大統領スカルノは、冷戦時代のインドネシア外交の基軸として非同盟主義に力を入れ、第一回アジア・アフリカ会議（バンドン会議）をホストした後、反米色の強い外交を展開した。六五年には国連を脱退するなどして世界を引っ掻き回したが、六五年の九月三〇日事件を契機に失脚した。スカルノから権力を奪った第二代大統領スハルトは、スカルノの派手な反帝反植民地主義路線を改め、自国の国家開発に重きを置く外交に転換する。深謀遠慮の人スハルトは、国際問題に自ら首を突っ込み、自身の存在をアピールする風雲児スカルノのような姿勢は採らなかった。

外交より内政を優先させるスハルトの時代は三〇年続き、さらにスハルト後の政権も、強権体制から民主主義社会へという体制転換の不安定な状況が続いた。外交に力を振り向けようという議論への支持は拡がらなかったのである。

ところがここに来て目覚ましい経済発展が、これまでASEANのリーダーを自認するも域外への発信はさほどでもなかったインドネシア外交を、積極的に外に向かって発信し、関与する方向へと変化させているのである。

日本社会の身近な隣人として

インドネシアが存在感を増しつつあるのは、国際社会だけではなく、日本国内においても同様だ。出入国在留管理庁によれば、二〇二二年六月末時点で、日本に在留するインドネシア人数は八万三一六九人である。国・地域で見ると、上位七位に位置し、一位中国七八万六〇〇〇人、二位ベトナム四七万六〇〇〇人、三位韓国四万二〇〇〇人と比べるとまだ規模は小さいが、二〇一〇年代の伸びは注目に値するもので、ベトナム八倍、ネパール三・九倍、台湾二・六倍と並んで、近年在留人口が大きく伸びている国の一つである。特に二〇二二年度は前年度比三九％増を記録し、在留外国人数上位一〇ヵ国の中で最も伸び率が高かった。インドネシア人がコロナ禍の日本社会の中で、より身近な隣人となりつつあるということだ。

在留インドネシア人の半数以上は、技能実習生である（二〇二二年六月時点で三万九一七七人）。その数としては、ベトナム（一八万一九五七人）に次いで二番目に多い。彼らは、建設・食品製造・機械金属・溶接・農業・漁業等の職種で日本の技術を「学ぶ」建前で日本に滞在していることになっているが、実際には人口減、少子高齢化によって人手不足が深刻化する中で、貴重な戦力とみなされており、彼らの助けなしに、われわれ日本人の今の暮らしは成り立たない現状がある。建前と現実のはざまで過酷な労働の温床になっているという批判の高まりに、二〇一八年一二月、日本政府は入国管理法を改正し、いわゆる単純労働分野での就労を認める在留資格「特定技能」が新設された。二〇一九年四月から就労が始まった。こちらの資格でも、インドネシアは二〇二二年六月末時点で、ベトナム五万二七四八人に次いで二位であり九四八一人が日本で働いている。

日本の暮らしを支える外国人の中に、インドネシア人看護師・介護福祉士候補者もいる。経済連携協定（EPA＝Economic Partnership Agreement）に基づき二〇〇八年〜二〇二二年に、七二二人の看護師候補者、二六二七人の介護福祉士候補者が来日し、「労働力不足への対応として行なうものではない」（厚生労働省）と言いつつも、現実には医療・介護の現場を支える人材として活躍している。

人口減、少子高齢化、それに伴う人手不足が加速する中で、日本で就労するインドネシア人はさらに増えるだろう。

二〇二三年四月、政府の有識者会議は技能実習制度の廃止、新制度への移行を求めるたたき台を提示した。本格的移民政策の確立を求める日本国際交流センターの毛受敏浩理事は、移民政策の柱の一つとして、アジア人に対する偏見、使い捨て意識を捨て、交流を通じた相互理解の拡大、強化を主張している。後述の通り、インドネシア国民の九割はイスラーム教徒である。つまり在留インドネシア人の多くがイスラーム教徒であることから、彼らとの交流は、これまでイスラーム教徒と接する機会がなかった多くの日本国民にとって、初めてのイスラーム教徒との出会いの場となる。イスラーム教に対する固定観念、先入観に捉われず、ありのままのイスラーム教徒を理解する努力が必要となる。

日本は、政治、安全保障、テロ対策、投資・貿易、インフラ整備、環境、防災、高齢化への対応、文化創造等、様々な分野で、インドネシアとパートナーシップを磨いてゆくことで、未来を切り拓いてゆける。そのためには、パートナーについてもっと知り、理解することが求められているのだ。

インドネシア理解の要諦——多様性と変化

ところが「台頭するインドネシア」「身近になるインドネシア」の現実に、日本社会の一般的なインドネシア認識はついて行けていない。

経済・社会に関して言えば、かつての日本が圧倒的な経済力を持ち、日本・インドネシア間の経済格差が大きかった時代の認識から、日本・インドネシア双方が抜けきれていない。現在のインドネシアは、ごく一握りの富裕層と圧倒的多数の貧困層からなる社会ではなく、中間層が多数派を占める社会へと、社会構造が変わっている。かつてジャカルタに駐在していた日本企業の元駐在員OBには、「家にはお手伝いさんが数人いて、門番がいて、運転手がいて…」と昔を懐かしむ人もいるが、今のジャカルタで住み込みのお手伝いさんがいる駐在員家庭はめっきり減っている。他方、インドネシア国民にも未だ「日本は世界トップレベルの経済を持つ先進国なのだから、途上国インドネシアを援助してほしい」と旧態依然たる日本認識を持ち続ける人もいる。

「先進国」「途上国」関係をめぐる認識の根は深い。歴史家後藤乾一が、「民衆レベルの南に向ける目線は、基本的には国家のそれと同じく上から下を見下すものであった」「大衆オリエンタリズムともいうべき目線が第一次世界大戦以降の日本の南方進出を下支えした一面も見逃せないであろう」と指摘している（後藤乾一『東南アジアから見た近現代日本』）。「上から目線」と「異国情緒」をミックスした「大衆オリエンタリズム」は、敗戦後の日本社会においても根強く残っていた。一九五〇年代から六〇年代に製作された東宝の一連の怪獣映画の中からも、大衆オリエンタリズムを見出すことができる。近年ネット上でも話題になるが、映画「モスラ」（一九六一年公開）の劇中歌「モスラの歌」の歌詞は、インドネシア語である。

Mothra, ya, Mothra, Dengan kesaktian Indukmu, restuilah do'a hamba-hambamu yang rendah, Bangunlah dan Tunjukkanlah Kesaktiamu

（モスラよ、モスラ、あなたの母なる神秘力で、あなたの賤しきしもべの祈りをかなえたまえ、さあ、起き上がり、その神秘の力をお示しください）

文芸評論家の小野俊太郎によれば、「モスラの歌」作詞者は、この映画製作に関わった田中友幸（プロデューサー）・本多猪四郎（監督）・関沢新一（脚本）の三人で、関沢が中心となって日本語の歌詞をまとめた。関沢は戦時中に、ニューブリテン島、ブーゲンビル島といった南方戦線の従軍経験がある。この南方戦線での従軍体験から、「怪獣は南の島から日本を襲う」という関沢の着想が生み出た。本多がこの日本語歌詞を、東大留学中のインドネシア人学生にインドネシア語へ翻訳してもらった、と証言しているが、「なぜインドネシア語だったのか」という点については、日本人の南方イメージを刺激する言語であれば何でもよかったようだ。小野は、当時のインドネシアからの日本留学状況からして、このインドネシア人学生を日本の戦後賠償を財資とする「インドネシア賠償留学生」ではないか、と推測しているが、その可能性はかなり高い。「モスラの歌」に関する、「広い地政学的な幻想をまとめ、しかも、日本文化の基底層にある神話から軍政支配までの歴史を圧縮している」という小野の評は、当時の怪獣映画が包含していた大衆オリエンタリズムの本質を的確に見抜いたものと言えよう（小野俊太郎『モスラの精神史』）。

ジャングルに覆われた「南の島」は、大自然が猛威をふるう未開の世界で、そこで暮らす人々は近代文明の恩恵を受けず呪術にすがって生きている。モスラが生息する島の名前が「インファント島」（英語infantは「幼児」の意味）なのが象徴的で、「近代文明に汚染されない無邪気な子どものような人々を、文明人たる日本人は教え導かなければならない」という大衆オリエンタリズムが、映画を作る側と観客の側双方に、暗黙の了解として存在してきた。

一九七七年に「心と心のふれあい」「対等のパートナーシップ」を掲げた、対東南アジア外交原則「福田ドクトリン」は、日本にとっては、近代日本が東南アジアに対して抱いてきた家父長的優越意識と近代前の時代へのノスタルジー・畏怖が交錯する内なるオリエンタリズムの克服という意味合いも含まれていたのである。

ところで「日本の対外認識は欧米偏重」「もっとアジアに目を向ける必要がある」とアジア理解の必要性が指摘されて久しいが、そこで真っ先に想起される「アジア」とは、中国・台湾、韓国、北朝鮮といった近隣の東アジアであって、例えば書店の書棚にアジア本として並んでいるのは主に東アジアの国・地域である。近年ではIT企業を先頭に躍進著しいインドへの注目も高まってきた。インドネシアへの関心は「その次」「その次の次」といったところで、しかも「東南アジアの親日的な国」「インドネシア国民が親日なのは、日本のおかげで独立できたから」という程度に留まっているのが実情だ。

しかし時として「親日」であるはずのインドネシアから思いもよらぬ反応がかえってくることもある。一九七四年に田中角栄首相がジャカルタ訪問した時に発生した激しい反日デモ・暴動、二〇〇〇年にイスラームの食品禁忌に触れたとして日本企業の現地法人社長が逮捕された事件、二〇〇一五年ジャカルタ～バンドン間高速鉄道計画に関する日中の競争入札で、当初日本が有利とされたにもかかわらず入札が白紙化され、その直後に中国が採用された決定等々。二〇二二年のウクライナ侵略をめぐる対ロシア非難・制裁に関しても、インドネシアは欧米・日本とは一定の距離を置く独自のスタンスをとった。「親日国」インドネシアは、なかなか一筋縄ではいかない「戦略的パートナー」（日本・インドネシア首脳会談で頻繁に言及される二ヵ国関係の表現）なのである。

だからこそインドネシアについて、もっと深く知る必要がある。インドネシアを理解する上でのキーワードは二つ、「多様性」と「変化」だ。

多様性については、インドネシアの国家スローガン「多様性の中の統一」（Bhinneka Tunggal Ika ビネカ・トゥンガル・イカ）が示す通り。国章となっている神鷲ガルーダが両足で掴んでいるのが、この言葉だ。「インドネシア国民」を構成するのは、ジャワ人、スンダ人、バリ人、アチェ人、ブギス人など三〇〇を超えるエスニック集団である。言語については、マレー語の一種ムラユ語が「インドネシア語」として憲法で国語と位置付けられているが、実際には三〇〇～五〇〇の言語が存在すると言われる。

宗教も国民の約九割がイスラーム教徒であるが、それ以外にキリスト教徒、ヒンドゥー教徒、仏教徒他がいる多宗教国家なのである。インドネシアの住民証（KTP＝Kartu Tanda Penduduk）には、信仰欄があり、イスラーム、カソリック、プロスタント、ヒンドゥー、仏教、儒教の記載が示されていて、以前はこの六つから選ばなければならなかった。いわばこれらは、国家公認の宗教である。二〇一六年には憲法裁判所は、信仰欄にこれら以外の宗教を「信仰」と記載することを認める判決

インドネシア国民の宗派別人口（2021年6月）

宗教	宗派人口	比率
イスラーム	2億3653万人	86.88%
キリスト教（カソリック、プロテスタント	2882万人	10.58%
ヒンドゥー	467万人	1.71%
仏教	204万人	0.25%
儒教	7.3万人	0.03%
その他	10.2万人	0.04%

を下した。インドネシア内務省発表に基づく、二〇二一年六月時点での国民の宗派別人口と比率は上の表の通りである。

　オランダに支配されてきた諸エスニック集団が結集して「ひとつの国民」となり、植民地体制を打破し独立を勝ち取り「ひとつの国」を樹立するのだ、という運動の末に二〇世紀に新しく誕生したのが、「インドネシア国家」、「インドネシア国民」にほかならない。国家、国民の歴史としては比較的若く、今青年期を迎えている。

　地理的にも、世界最大の列島国家インドネシアは多様だ。グローバリゼーションで世界とつながるジャカルタ、スラバヤのような大都市は東京やニューヨークと変わらぬ中間層の消費文化が定着している反面、ジャワ島外のパプアやスマトラ、カリマンタン島の熱帯雨林奥地には近代前の習慣、文化が今も残されている。ジョコ政権の海洋戦略は、海洋高速道路、港湾といった海洋インフラを整備し、多様なインドネシアの島々を繋ぐ連結性の向上を目指すものである。

　一口に「インドネシア」「インドネシア国民」と言っても、その中にこうした多様性を内包していることを再認識すべきである。

豊かになるとは

インドネシア理解のもう一つのキーワードが「変化」である。インドネシアに限らずアジアは、この三〇年間で大きく変化した。固定観念で捉えていると、大きな誤解が生じてしまう。私が実感している近頃のインドネシアの変化の一側面を例示しよう。コロナウイルス危機前の二〇一九年三月、大統領選挙直前のジャカルタを歩いた時のことである。

その時点でインドネシア経済は二〇一四年から一九年の第一次ジョコ政権下にあって、五％台の安定成長を続けていた。前任のユドヨノ政権時代の二〇一一～一二年は六％前後であったのと比べると、ややその成長は鈍化したが、それでも世界の主要新興国（BRICS）の中で、インドネシア経済の安定ぶりは特筆に値する。経済成長著しいとはいえ、中国やインドを含め新興国の多くは成長率の上下振れ幅が大きく、成長率を示すグラフの線も波動形となっている。ロシア、ブラジル、南アフリカに関しては、二一世紀以降マイナス経済成長だった年もある。これに対してインドネシアは新型コロナウイルス危機の直撃を受けるまでは、経済成長率の上下振れ幅は小さく、成長率のグラフは安定した高原形を示していた。

堅実なインドネシア経済成長の特徴は、内需主導型であり、個人消費は人口増加や賃金の大幅上昇を追い風として年々拡大した。二〇一八年のインドネシア経済の個人消費の伸びは、五・一％で前年の四・六％から加速し、二〇一三年以来五年ぶりに五％台となった。

二〇年間の経済成長の結果、何が起きたか。インドネシアの一人当たり国民総所得（GNI）は、二〇〇〇年五七〇ドルから二〇一八年三八五〇ドル、二〇一九年四〇七〇ドルへと上昇した（世界銀行統計）。世界銀行は二〇一九年時点で一人当たりGNIを基準に、一〇二六ドル未満を低所得国、一〇二六〜三九九五ドルを下位中所得国、三九九六〜一二三七五ドルを上位中所得国、一二三七六ドル以上を高所得国と分類していた。すなわちインドネシアは世紀の変わり目時点で低所得国だったのが、二〇一九年には上位中所得国に仲間入りしたのである。

インドネシア国内の地域格差や貧富格差を考えると、「上位中所得国」というカテゴリーがそのまま同国国民の実体を表す訳ではないが、総じて貧しかったこの国が豊かになったことは確かである。ジョコ政権は、失業率、貧困率、ジニ係数も低下させ、再分配政策に力を入れている。

豊かになるとはどういうことか。そんなことに思いを巡らせながら、二〇一九年三月ジャカルタを歩いて気づいたのは、背の高い立派な体格の若者が増えたことである。私の身長は一七五センチであるが、九〇年代初めの頃は自分より背の高い若者に出くわすことはほとんどなかった。しかし今では、どこのショッピングモールを歩いても自分より背の高い若者はいるし、見上げるような大男、筋骨隆々の体育会系男子も珍しくない。

増大する肥満人口

「豊かになる」とは、今まで「食えなかった」人々が「食える」ようになるということである。「食えなかった」人が「食える」ようになるとどうなるのか。十文字女子大学山本茂教授らが行なった「インドネシア・ジャカルタの家庭の実態調査」報告書が興味深い。

インドネシア保健省は、体格指数（BMI）二五以上二七未満を「体重過多」、二七以上を「肥満」と定義している。同省が二〇一八年に行なった調査結果によれば、一八歳以上のインドネシア国民の中で「体重過多」者の比率は、〇七年八・六%から一八年一三・六%へ、「肥満者」比率は、〇七年一〇・五%から二一・八%、になっていて、一八年の「体重過多」「肥満」者の比率は三五・四%に達し、この一〇年間で八五%という急激な伸びを示している。すなわち、現在のインドネシアにおいて三人に一人の大人が「体重過多」「肥満」状態にあるのだ。

また同省は腹囲を基準に用いて、女性八〇センチ以上、男性九〇センチ以上をメタボと判定しているが、一五歳以上の成人国民でメタボリック・シンドロームの疑いありとされた人の比率は、〇七年一八・八%から一八年三一%へと急拡大している。

州別統計を見ると、ジャカルタはBMI値による肥満比率三〇・二%（全国平均二一・八%）、腹囲値によるメタボ比率四二・五%（全国平均三一%）となっており、首都ジャカルタは全国でトップレベルの肥満・メタボ比率となっている。

「体重過多」「肥満」者が増えると、脳卒中、心臓病、糖尿病など生活習慣病の発症リスクは高まる。インドネシアの生活習慣病死亡率は一九九〇年三七％であったのが、二〇一五年には五七％に増加している。生活習慣病が増える要因として、エネルギー、脂質、糖類などの過剰摂取等を、医療専門家は指摘している。

概してインドネシア国民は、甘い物、脂っこい料理が大好きである。コーヒーにはたっぷりと砂糖を入れるし、インドネシアの国民食ナシ・ゴレン（焼き飯）、ミー・ゴレン（焼きそば）は炭水化物系炒め物である。それでも腹いっぱい食べることが切ない夢であった貧しかった時代には、栄養過多という恐れはなかった。今では、望めば食べたいだけ食べられるようになった。

前述「インドネシア・ジャカルタの家庭の実態調査」によれば、主食のコメはココナッツミルクやパームオイルで料理したものが多く、インドネシアの栄養推奨量を一〇〇％とすると脂質は一五五％ととびぬけて高く、エネルギー摂取量が推奨量よりもかなり高かった。同調査はまた、食物繊維が三五％と低いのは、野菜摂取が少ないためであり、血糖調節の困難を指摘している。現在の食生活をこのまま放置しておくと、将来の糖尿病患者拡大の危険性がますます高まるのは明らかだ。ちなみに国際糖尿病連合の二〇一九年調査によれば、二〇～七九歳成人の全世界糖尿病人口は四億六二九六万人、インドネシアの糖尿病人口は一〇六八万人で世界七位、日本は上位一〇ヵ国圏外の七三九万人で、この時点で既に日本よりもインドネシアの方が多くの糖尿病患者を抱えている。

健康ブームのインドネシア

食生活と健康の関係性については、次第にインドネシア国民の意識も変わりつつある。ジャカルタ市内の映画館に入ると、上映前の予告篇とともに「健康のために砂糖の取り過ぎに注意しましょう」という公共広告がスクリーンに映し出される。一〇年前にはなかった光景だ。

豊かさは、宗教の社会的機能も微妙に変えつつある。国民の九割を占めるイスラーム教徒は、年一回断食月（ラマダーン）に夜明けから日没まで断食の行を実践する。この期間、イスラーム教徒の宗教意識は高まり、「イスラーム教徒として自分は何を為すべきか」等々の議論が盛んにメディアの場で交わされる。「イスラーム教徒が断食する意義は何か」という点も、ラマダーン期間中の社会的議論の主要テーマであるが、ある大学教師がジャカルタで発行されている英字新聞「ジャカルタ・ポスト」（二〇一三年七月一二日）に、興味深い見解を寄稿していた。

彼は、ラマダーンの意義について、自己欲望との戦い、貧困者への憐憫の情を育むこと等従来から言われてきたことに加えて、現代的な意義を付け加えている。すなわち、栄養過多から健康を害する人々が増えている中で、宗祖ムハンマドや現代医療研究者の言を引用しながら「断食はダイエット効果がある」と言うのである。

私の知る限りでは日中の断食が終わった後、夜に大食するので、かえって断食月に太る人もいて、

日曜朝のスディルマン通りでダイエット体操に取り組む人々。(著者撮影)

ダイエット効果があるというのは、はなはだ疑問である。ともあれ、インドネシアの経済成長がもたらした「肥満を気にする中間層」の出現という、これまでこの国の歴史になかった変化の中で、新しい社会要請に応えるように、イスラーム教徒である投稿者は、宗教教義を能動的に解釈しているのである。

毎週日曜日の朝、ジャカルタの目抜き通りであるスディルマン通りは、歩行者天国となり、多くのジャカルタ市民で賑わう。ジョギング、ウォーキング、ダイエット体操に取り組む人々のカラフルなスポーツウェアで華やかだ。その中には相撲力士のような巨漢の若者もいる。

かつての「庶民」はどこへ?

こうした風景を観察していると、この国の社会が経済成長によって大きく変貌を遂げ、そこに生きる人々の意識や身体も急速に変わりつつあることを実感する。平成の日本が経験した健康ブームは、確実にこの国にもやって来るに違いない。既に首都ジャカルタでは到来している。かつてジャカルタの路地裏で見かけた「カキ・リマ」と呼ばれた行商人・露店商やそのまわりにたむろしていた「庶民」はどこへ行ったのだろう。彼らも豊かになったということなのだろうか。

そんな感慨を抱いた矢先、運命のいたずらか、健康志向の高まるインドネシアに襲来したのが、新型コロナウイルス危機である。

二〇二〇年三月にこの国でも感染が確認された新型ウイルスによる危機的な状況は、インドネシア社会を根底から揺さぶる強い衝撃をもたらしている。経済に関して言えば、二〇二〇年の経済成長率は一九九八年のマイナス一三・一%以来のマイナス二・一%となり、二一年間続いた成長を途切れさせた。雇用状況が悪化して二〇年八月時点で既存の七〇〇万人失業者に加え、二六〇万人の労働者が職を失い、二四〇〇万人の労働時間と賃金がカットされた。この結果、二〇一九年に上位中所得国の仲間入りを果たしていたのが、二〇二〇年にはわずか一年で下位中所得国に逆戻りした。再び貧困が拡大したのである。

インドネシア中央統計局（BPS＝Badan Pusat Statistik）によれば、二二年九月時点で貧困線以下の生活水準にある国民の数は、二六三六万人である。内訳は都市部一一九八万人、農村部一四三八万人で、全人口の九・五%にあたる人々が、一日一人二一〇〇キロカロリーの食糧と住まい、衣服など必要生活必需品を揃えるのに必要な支出水準以下の生活を送っているのだ。そして貧困は地域的なばらつきがあり、首都ジャカルタの貧困率は四・五％でバリや東カリマンタンと並んで貧困率が低い地域であるが、パプア二六・六％や東ヌサ・トゥンガラ二〇・九％と、ジャカルタの五倍以上も貧困率が高い。首都の目抜き通りを歩くだけではこの国の貧困実態は見えにくくなっているのである。ごくわずかな富裕層と圧倒的多数の貧困層によって構成されていた過去とは違って、中間層主流の社会になったとはいえ、依然として膨大な数の貧困層は存在するのだ。新型コロナウイルス危機は、改めて社会格差という課題をこの国が抱えていることを浮き彫りにした。

なお二〇二一年にインドネシアは再び上位中所得国に戻っている。コロナ・ショックをものともせず一年で盛り返したことは、育ち盛りのインドネシア経済の力強さを示すものとも言えるだろう。

前述した通り、世界銀行は一人当たり国民総所得（ＧＮＩ）によって世界を「低所得国」「下位中所得国」「上位中所得国」「高所得国」の四つに分類しているが、その数値を毎年見直している。インドネシアの場合、二〇一九年四〇七〇米ドル（上位中所得国）→二〇二〇年三九〇〇米ドル（下位中所得国）→二〇二一年四一七〇米ドル（上位中所得国）と推移している。おおよそ四〇〇〇米ドルあたりが下位中所得国と上位中所得国の境界線なのだ。

豊かになったとはいえ、現在のインドネシアの豊かさは、総じて、下位中所得層との境界線すれすれレベルで上位中所得層の豊かさを享受している人々が、主流なのである。

二〇一三年に出版された『消費するインドネシア』において、インドネシア史研究者の倉沢愛子は、「実際には経済力を伴わないが消費行動においてそれに類似している人々」を「疑似中間層」と呼んだが、現在のインドネシアは「疑似中間層」から「疑似」という形容詞がとれるか否か、ぎりぎりの状況なのである。

本書の構成

経済成長によって、貧富格差が激しかったインドネシアで中間層が拡大し、中間層が主役となる社会が誕生した。中間層が購買意欲をそそらせ消費活動を行なうことによって経済が回る消費社会化が進んだ。中間層の親は、子どもに自分たちよりも高い社会的地位を得させようと教育に熱心で、その結果、社会全体の高学歴化も進む。高学歴の若者は母語のみならず、外国語能力にも長け、海外情報に敏感だ。グローバリゼーションの申し子たる彼らは、最新のＩＣＴ技術を使いこなす。彼らにとってＩＣＴはなくてはならない存在だ。二〇一〇年代、日本以上に急速に、インドネシア社会のデジタル化が進んだ。

このように彼ら中間層が社会構造や国民意識を変えつつある中で発生した新型コロナウイルスのパンデミックは、この国の未来にどのような影響を及ぼしていくのだろうか。

本書が意図するのは、現在のインドネシアで起きている変化と多様性に焦点を当て、今後のこの国の方向性を考える材料を読者に提供することである。

本書は、第1部「インドネシア社会——変化の潮流と多様性」、第2部「社会・文化変容から見たインドネシア各地」、第3部「コロナ禍後の世界におけるインドネシア」の三部構成となっている。

第1部は、現代インドネシア社会の変化の二大潮流である宗教復興とデジタル化について論じる。宗教復興（イスラーム教徒国民の宗教意識活性化現象）が生んでいる一つの懸念、すなわち信仰心の高揚に伴いインドネシア・イスラームが従来備えていた美風（少数派への寛容性）を失いつつあるのではないか、という点について検討する（第1章）。またグローバリゼーションに乗り遅れまいと、この国においてもICTを活用した社会変革が進行中だ。新型コロナウイルス危機は、さらにこの変革を加速させた。デジタル技術が脚光を浴び始めたとき、双方向コミュニケーションを可能とするデジタル技術は民主化のツールと目されていたが、それは本当か。デジタル化がインドネシアの民主主義にもたらしている光と影とは何か、を論じる（第2章）。

第2部では、第1部で紹介した宗教復興とデジタル化が、具体的にはどのような変化をもたらしつつあるのか、インドネシア各地において、それぞれの歴史と特性も踏まえて、つぶさに見てみたい。インドネシアの地理的多様性と社会的特性を考慮して、ジャワ島とジャワ島外の重要な都市、州に焦点を当てる（第3〜12章）。

第3部では、第1部、第2部で分析したインドネシア社会内部の変化および新型コロナウイルス危機が、国際社会におけるインドネシアの自らの位置取り、対外関係構築にもたらしているインパクトについて考える（第13〜15章）。そして第3部の締めくくりとして、第16章でコロナ禍を契機に自らの原点を再確認しようという機運が高まっているインドネシア・ナショナリズムについて論じ、終章では日本とインドネシアの未来を考えた提言を行ないたい。

なお本書で引用した英語もしくはインドネシア語文献は断りがないものを除いて著者の訳である。

クルアーン日本語訳は、日本ムスリム協会発行『日亜対訳・注解　聖クルアーン第七刷』を参照した。

本書のベースとなっているのは、毎日新聞社・毎日アジアビジネス研究所が会員向けに発行していたウェブマガジン『毎日アジアビジネスレポート』に二〇一八年から二三年まで連載した「小川忠のインドネシア目線」である。これに最新状況を踏まえて加筆・削除・修正した。

第1部

インドネシア社会

——変化の潮流と多様性

第1章

インドネシア・イスラームは「非寛容」へ向かうのか

暗雲が立ちこめ始めた「多様性の中の統一」

まずインドネシアの宗教復興現象である「イスラーム化」について説明しておきたい。現代インドネシアの一大潮流とも言うべき社会の「イスラーム化」とは、国民の約九割を占めるイスラーム教徒のあいだで、より一層イスラームの教えを、自分の生き方においてあるべき姿を示してくれる大切なものと意識し、日常生活の中でその教えを実践していこうという宗教意識の覚醒が高まっていること、そうした個人レベルでの意識変化の社会的集積を指す。

この国のイスラームは、土着信仰、ヒンドゥー教、仏教等と重層的に混交してきた歴史があり、それゆえに他宗教に対して柔軟、寛容な特徴を有していると言われる。この点を欧米諸国も評価し、イスラーム圏の国造りのモデルになる国と賞賛する。国際社会において、インドネシアの存在感が高まる重要な要因だ。しかし、この社会の伝統的な習合力が衰弱しているのではないかと感じざるをえない状況が近ごろ目につく。

インドネシア社会の主流であるイスラーム教徒が柔軟性を失い、状況にきめ細かく対応する解釈力を失った形で「非寛容化」していくと、ごく一握りの武力闘争を辞さない組織によるテロ以上に、この国の社会統合を衰弱させ、国際社会からの信頼を失う恐れがある。この章では、インドネシア・イスラームの「非寛容化」について考えてみたい。

インドネシア大統領選挙は、二〇〇四年から二億人規模の有権者が直接自分たちの国の最高指導者を選ぶようになった。世界でも有数の規模の民主選挙である。大統領の任期は五年、再選は一回のみで任期の上限は一〇年ということになる。大統領選挙では、総選挙で一定の議席を獲得した政党および政党の連合から候補者を選出することになっている。有権者は大統領候補と副大統領候補のペアを選ぶのだが、第一回投票で全国五〇％を超える票を得る候補者がいない場合、上位二候補が決戦投票に進むこととなっている。

二〇一九年四月一七日に行なわれた、国民の直接投票となって四回目の大統領選挙は、結果の確定まで一ヵ月以上かかった。結局五月二一日インドネシア選挙管理委員会が最終的な公式集計結果を発表し、現職ジョコ・ウィドド（通称ジョコウィ）大統領組が対立候補のプラボウォ・スビアント組に勝利した。得票率はジョコ組五五・五％、プラボウォ組四五・五％で、一〇％の差があった。

プラボウォはスハルト政権末期、陸軍戦略予備軍司令官として諜報活動に手を染め、一部イスラーム勢力を排外主義的に利用しようとした前歴がある。

この一九年大統領選挙・議会選挙においては、プラボウォ、ジョコ両陣営とも、政策論争よりも、人種、民族、宗教などをキャンペーンの道具に使って有権者を糾合し、多数派形成を図り、対抗陣営を攻撃するアイデンティティー政治の手法が目立った。せっかく民主主義が定着してきたというのにもかかわらず、この国が建国以来の理想として掲げてきた国民統合の理想「多様性の中の統一」に暗雲が立ちこめ始めたのである。

アイデンティティー政治を、インドネシア政治の文脈で捉え直すと、イスラームという宗教の存在感が拡大し、政治に対するイスラーム組織の影響力拡大が顕著なものになりつつある、ということでもある。これは、まさに「イスラーム化」の政治面での帰結と言えよう。

そもそも国民の大多数がイスラーム教徒で、世界最多のムスリム人口を有するインドネシアであるが、建国時の政治指導者、イスラーム指導者は少数派宗教にも目配りして、あえてイスラームを国教とせず、信教の自由を認める国是を定め、「多様性の中の統一」の理想を磨いてきた。

とはいえ過去にもイスラームを政治利用する試みはあった。二〇一二年、当時新進気鋭の地方都市ソロ市長だったジョコがジャカルタ知事選に立候補した時、副知事候補として指名したのは華人系クリスチャンのバスキ・プルナマ（通称アホック）だった。その際、対立陣営はアホックが華人・クリスチャンであることを攻撃した。しかし、そのようなネガティブ・キャンペーンをジャカルタ市民はよしとせず、ジョコ・アホック組が当選した。良識が差別的扇動に打ち勝ったと言える。

潮目が変わったのは二〇一六年だ。ジョコが大統領に就任したのに伴い、ジャカルタ知事に昇格したアホックは、行動力・決断力ある知事として人気があった。翌年予定されていた知事選では当選確実と考えられていた。そんな彼が選挙期間中に選挙民に向かって「あなたたちはクルアーンの一部章句に惑わされている」とクルアーンの神聖性を冒瀆する発言をしたとして、排外的主張を繰りかえす「イスラーム防衛戦線」（FPI＝Front Pembela Islam）等イスラーム勢力が一〇万人を超える抗議集会をジャカルタで決行し、アホックの人気は急落した。翌年の知事選に敗れた彼は宗教冒瀆の罪で有罪判決を受け失脚する。この件は本章および第2章において後述する。

二〇一九年大統領選挙において、かつてアホックを知事選パートナーとして指名したジョコに対し、「ジョコウィは反イスラーム」「ジョコウィは実は華人」といった中傷が流され、それを打ち消すことにジョコは多大な労力を使うことを強いられた。この選挙で、これまで若々しさ、リベラル色を前面に出してきた彼が、今回、保守的な宗教見解を連発してきた老イスラーム指導者マアルフ・アミンを副大統領候補として指名したのは、「反イスラーム」というレッテル貼りを封じ込めるために熟慮した末の苦渋の選択だったのだろう。一方で「これもまた政治による宗教利用ではないか」というモヤモヤした感情が、政教分離・世俗ナショナリズム志向の強いジョコ大統領支持層一部に渦巻いたのも事実なのである。

「イスラームが勝者」なのか

このようにインドネシア政治のイスラーム化が進行する中で、「二〇一九年大統領選挙の真の勝者はイスラーム」という論評も見かける。大統領選の雌雄を決したのは、イスラーム教徒の投票行動、という意味だが、これは誤解を生みやすい表現である。というのは、この表現は「イスラームは一枚岩」という印象を与えるが、実はイスラーム内部において政治と宗教の関わり方については多様な見解が存在し、一九年大統領選挙を通じてそうした見解の相違・対立がさらに深まり、亀裂が生じているからだ。

もう少し細かく投票結果を見てみよう。選挙管理委員会が発表した全三四州（当時）の州別の両陣営得票率に関し、バリ・ヒンドゥー教徒が多数を占めるバリ州九一・六八％を筆頭に、パプア州九〇・六六％、東ヌサ・トゥンガラ州八八・五七％、西パプア州七九・八一％、北スラウェシ州七七・二四％など非イスラーム系住民比率の高い州で、ジョコ組は圧倒的な勝利を収めている。他方、西スマトラ州八五・九二％、イスラーム法を州条例にしているアチェ州八五・五九％、西ヌサ・トゥンガラ州六七・八九％など厳格なイスラーム信仰の強い州は、プラボウォに票を投じた。概して非イスラームはジョコ、厳格なイスラームはプラボウォを支持した、と言える。前回二〇一四年選挙と同じ投票パターンである。

二〇一九年大統領選挙でキャスティング・ボートを握ったのは、大票田ジャワ島の各州である。習合的なイスラーム色が強い東ジャワ、ジョクジャカルタ、中部ジャワ州でジョコが勝利し、スマトラ島に近く厳格なイスラーム教徒の多い西ジャワ、バンテン州でプラボウォが勝利した。これも二〇一四年選挙と同じパターンなのだが、東ジャワ（二〇一四年五三・一七％→二〇一九年六五・七九％）、ジョクジャカルタ（二〇一四年五五・八一％→二〇一九年六九・〇三％）、中部ジャワ（二〇一四年六六・六五％→二〇一九年七七・二九％）と、ジョコ支持率が格段とあがった。首都ジャカルタは、ジョコ五一・六八％、プラボウォ四八・三二％と接戦だった。典型的なジャワ・イスラーム地域の東・中部ジャワで地滑り的勝利を得たことで、ジョコウィは再選を果たすことができたのである。

激しかった「ジャワの戦い」については、選挙期間中に発行された、この国のジャーナリズムを牽引する報道週刊誌「テンポ」（二〇一九年二月二六日）が次のように報じている。

東ジャワは、インドネシア最大のイスラーム組織ナフダトゥル・ウラマー（NU＝Nahdlatul Ulama）の牙城として知られている。NUは公式的には政治的中立を宣言しているが、同組織の有力指導者（キアイ）の多くは実質的にジョコ支持を表明していた。彼らは、伝統的なイスラーム寄宿舎（プサントレン）を運営し、青年たちや地域住民の尊敬を集めており、地域における影響力は大きい。

NU宗教指導者の多くはプラボウォを支持するイスラーム一派を強く警戒した。巨大組織NUは、宗教と政治の関係について様々な見解を持つ指導者を内部に抱えるが、そもそも近代改革派に対抗して、伝統保守派を糾合する目的から創設された組織であるため、ジャワで育まれた習合的伝統を重視する気風が強い。プラボウォを取り巻くイスラーム勢力のことを「インドネシアで長い年月をかけて根付いてきた、他宗教と共存する習合的・寛容な伝統を否定し、聖者信仰などを『不純な多神教的慣行』と峻拒する『ワッハーブ主義』や現状を改め初期イスラームの純粋な信仰へ回帰せよと説く『サラフィー主義』を、中東からインドネシアに持ちこもうとしている」と考えているのである。

一九年大統領選挙の中部・東ジャワにおけるジョコウィの圧勝は、伝統保守・寛容派イスラームが結束して急進・非寛容派イスラームの浸透を阻止した、イスラーム内部の路線対立の帰結でもあった。イスラームは、決して一枚岩の存在ではない。

サウジアラビア帰りのイスラーム社会運動リーダー

インドネシアでは、民主化の退行現象が見られる二〇一〇年代の東南アジアの中で、まがりなりにも選挙民の投票により自分たちの代表を選ぶという民主主義制度が維持されていた。しかし選挙によって、ライバルよりも多くの票を得た者が大統領、知事、議員に選出され、権力を握るという民主主義制度が定着するにつれて、前述の通り多数派糾合の手段として宗教票、すなわちイスラーム票の獲得に注目が集まるようになった。

インドネシアの政党の中には、福祉正義党（PKS＝Partai Keadilan Sejahtera）等イスラーム組織を母体とするイスラーム政党が存在する。イスラームを統制管理しようとしたスハルト強権体制崩壊後の民主化当初においてイスラーム政党は躍進したが、今は頭打ち状態にある。

ところが、独立運動を担ったインドネシア国民党を起源とする中道左派色の強い闘争民主党や、スハルト政権期に翼賛与党の役割を果たしたゴルカル、といった本来宗教色の薄いはずの世俗政党の側が、選挙において宗教意識を覚醒させた市民にアピールしようと腐心しており、その結果としてインドネシア政治全体がイスラーム化の方向に向かっているという見方もある。こうした状況にあって、激戦区の立候補者には、「対立候補は反イスラーム的だ」と指弾する攻撃的な選挙キャンペーンが手っ取り早く多数票を獲得する手段と映る。

つまり政治領域における「イスラーム化」とは、政治が宗教を利用しているという側面のみならず、直接選挙という民主的政治制度が、政党による宗教利用を刺激している要素もあるのだ。

他方、宗教側からの政治への働きかけという面も見落とせない。この観点から、政治の領域において、非イスラームに対して非寛容な方向へと「イスラーム化」を押し進めた、大変気になる人物をとりあげたい。ラーマン・クルアーン学習センター指導者のバクティアル・ナシルである。

再選確実と見られていたアホック・ジャカルタ特別州知事を失脚させた、二〇一六年の大規模な大衆デモの中心にいたのが、彼だ。数万人におよぶデモ隊がジャカルタ中心部で放出するエネルギーの凄まじさを誰も予期できず、政治家やメディアを震撼させた。

同年一一月四日の反アホック・デモには数万人が参加し、一部が暴徒化して首都を混乱に陥れたのに続き、一二月二日のデモでは三五万人が集まったとされる。金曜日の集団礼拝を名目に集まったこの日の集会（後に「212運動」、もしくは「イスラーム擁護運動」と呼ばれる）には、ジョコ大統領も正面から敵対することなく、デモ参加者とともに雨の中、神への祈りを捧げた。翌年断食月の初日、大統領はバクティアルらデモを主導してきた「212運動」幹部を大統領宮殿に招待し、対話を呼びかけた。バクティアルらが持ち始めた政治力を、もはや大統領さえ無視できないことを示す光景であった。

サウジアラビア留学体験がもたらしたイスラーム理解の変容

「212運動」以降、注目を集めるようになったバクティアルについて、ジャカルタの研究機関「紛争政治分析研究所」が、彼の来歴、思想、政治との関わり等について分析している。

これによれば、バクティアルは一九六七年生まれ、ジャカルタ北部の港湾地区ルアル・バタンで育った。父親は、スラウェシ島南部ボネ出身の漁師であった。両親は優秀な息子を、エリート・イスラーム指導者を輩出する名門イスラーム寄宿舎プサントレン・ゴントール（第5章で詳述）に送り出した。一九八八年に同校を卒業すると、両親とともにボネに渡り、クルアーン暗記と研究に取り組んだ。そこでの師匠は、五〇年代、イスラーム国家樹立を目指す分離独立運動活動の前歴があるイスラーム教育者であったという。勉学を終えて、一九九〇年から九四年まで聖地、サウジアラビアのメディナ大学に留学し、イスラーム法を学んでいる。

時あたかも第一次湾岸戦争の時期にあたる。米軍のイスラーム聖地進駐、これに頼るサウジアラビア政府の姿に、イスラーム教徒の一部は憤激する。アル・カーイダを立ちあげたウサーマ・ビン・ラーディンもその一人だ。かくして「イスラーム覚醒」運動という抗議の波が、サウジアラビアの大学キャンパスに拡がっていった。欧米の政治的・軍事的・文化的侵略に抗し、イスラーム初期の原点回帰をはかることで現状を改革して行こうとする、原理主義的かつ攘夷的な「サラフィー主義」の性格を帯びた「イスラーム覚醒」運動は、サウジアラビアに留学していたバクティアル青年の心を捉え、彼の世界観形成に大きな影響を及ぼした。欧米発のグローバリゼーションは神の存在を否定し、イスラームを弱体化させる世俗主義者の陰謀であり、これに抗して教徒は団結し、共同体建設のための社会・政治運動を興していくことが重要であると彼は確信するようになった。

「サラフィー主義」あるいは「ワッハーブ主義」という現代イスラーム世界の思想潮流が、イスラームと土着の信仰が習合するインドネシア・イスラームの特性を揺さぶっているという言説を耳にするが、バクティアルの留学体験に、その典型を見ることができる。

バクティアル・ナシルの既存イスラーム機関批判

一九九四年にサウジアラビア留学を終えて帰国したバクティアルは、短期間ビジネスの世界に身を置いた後、イスラーム教育者として活動するようになった。二〇〇一年にジャカルタで近隣の青年を集めてアラビア語の読解力を強化しイスラームの教えを学ぶ集いを組織し、二〇〇九年にラーマン・クルアーン学習センター（AQL＝Al Quran Learning Center of Ar-Rahman）を設立した。
イスラーム教徒といえども、アラビア語で書かれた聖典クルアーンの章句を理解できるインドネシア人は少ない。「AQLでは、クルアーンが意味するところを理解しこの真理を日常生活の中に実践していくイスラーム教徒の育成をめざしている」と、AQL設立の意図を説明している。

中東のサラフィー主義の影響を受けた彼は、インドネシアの既存イスラーム教育機関のあり方に批判的だ。「現代インドネシアの日常生活は、クルアーンが許容することを許容せず、禁止することを許容している」として、その原因は、既存のイスラーム専門家が正しくクルアーンを理解していないからだ、と言う。イスラーム専門家、すなわち大学でイスラームを教える教育者たちは西洋近代科学に基づく専門用語や方法論を好み、クルアーンから逸脱した彼らの主観、思考に基づいて誤ったクルアーン解釈を広めている、というのだ。

バクティアルは、こうした母国のイスラーム教育の現状を憂い、これを変えるための社会運動を重視する。ジャカルタのテベット地区にあるAQLで週に三度行なわれる彼の講義に集まる数百人の聴衆の大半は、都市部中間層の青年男女である。AQLには一五〇〇人の聴講生が在籍するほか、附属寄宿舎では五〇〇人の一〇代の若者がバクティアルの教えを学んでいる。さらに彼はソーシャル・メディアによる宣教に積極的に取り組み、フェイスブックに三五万人、インスタグラムに五七万人、ツィッターに一四万人のフォロワーがいる。こうしたソーシャル・メディアの活用こそ、デジタル宣教師と呼ばれる新世代イスラーム指導者の特徴の一つと言えよう。

そもそもバクティアルが社会的知名度を高めることになったきっかけは、既存メディアでの自らの露出に積極的に取り組んだことにある。民間テレビ局ＲＣＴＩ（＝Rajawali Citra Televisi Indonesia）が断食月に放送する子ども向けクルアーン朗唱コンテストへの審査員出演等を通じて、彼の顔は視聴者に慣れ親しんだものになっていった。このクルアーン暗記コンテストは同局人気番組の一つで、四〇〇〇万人が視聴するという。

教育、メディアを通じて次第に社会的影響力を強めたバクティアルが政治の世界で大きな役回りを演じたのが、二〇一六年のジャカルタ知事追い落とし運動だった。

西洋近代を拒否しつつ、メディア活用に見られるように、西洋近代が産んだ科学技術を巧みに取り入れ、自らの勢力拡大に利用していくという、原理主義の特質をバクティアルも共有している。

非寛容なイスラーム指導者に潜む怨念

私は、バクティアルがジャカルタの港湾地区ルアル・バタン育ちという点が気になっている。八〇年代のルアル・バタンは、この国の貧困を集約したかのようなスラム地域であった。一九九三年に上梓した拙著『インドネシア　多民族国家の模索』（岩波新書）において、ジャカルタ中の汚水が集まるルアル・バタンで水俣病に酷似した公害病が発生し、乱開発が進む劣悪な環境の中、寄る辺なき民衆が政治から放置されている状況を報告した。都市のスラム化、雇用不安、犯罪・暴力の横行など、当時のスハルト軍部強権体制が推進していた開発独裁政策の矛盾がすべて露わになっている地域、それがルアル・バタンであった。

そうしたルアル・バタンで育ったバクティアル少年は、どのような想いで自分を取り巻く世界を見つめていたのだろう。

ルアル・バタンに立ち並んでいた貧困層の違法建築を強制的に撤去したのが、バクティアルが追い落としたアホック・ジャカルタ特別州知事である。果断な決断と実行力を売り物とするアホック知事は、二〇一六年四月一一日に重機を持ちこんで住宅を次々と解体し、警官も動員して反対派の住民を抑えこんだ。

その翌月に現場を訪問したバクティアルは、「自分もルアル・バタンの住民の一人。立ち退きを余儀なくされた人々の心の痛みを感じる。これは地獄の責め苦よりも残酷な行為だ」と憤慨した。

スハルト政権は、華人系財閥と組んで、ルアル・バタンに近接するプルイット地区に代表されるジャカルタ湾岸部の都市開発を進めた。その過程では、住民の立ち退きなど強権的手法が用いられた。華人系のアホック知事が警察力を動員してルアル・バタンの区画整理を進める姿に、バクティアルはかつての世俗国家主義スハルト政権によるイスラーム教徒貧困層への弾圧が二重写しになり、「許せない」とアホック打倒を誓ったのではないだろうか。

ルアル・バタン訪問の後、バクティアルは「三世紀前からルアル・バタンにはモスクがあった。それはインドネシア国家、ジャカルタという都市が存在する前からの話だ」と語っている。

さらにメディアとのインタビューの中で（ロイター電二〇一七年五月一七日）、バクティアルは彼の運動は宗教活動であり、政治活動ではないと言明しつつも、「インドネシア国民の人口比五％に満たない華人系国民に富が偏在し、彼らがこの国の経済をコントロールしている」ことを問題視し、また「海外からの投資、特に中国からの投資はインドネシアの役に立っていない」と述べ、イスラーム系国民への富の再配分を主張している。

こうしたバクティアル・ナシルの言動から見えてくるのは何だろうか。今日の非寛容なイスラーム台頭の背景には、海外からの「サラフィー主義」「ワッハーブ主義」の流入、影響拡大という対外要因と、経済発展が進み膨大な中間層が形成される一方で、経済発展から取り残された人々との格差が広がっている社会的不公正への怒り、という国内要因が存在している。

キャンパス過激化への懸念

本章冒頭に記した通り、二〇一九年インドネシア大統領選挙は、排外的なイスラーム姿勢を有権者にアピールしていたプラボウォ候補を破って、現職ジョコ・ウィドド大統領が再選を果たしたのだったが、「テンポ」誌（二〇一九年四月二三日）掲載の民間調査機関が行なった出口調査によると、「大統領選挙・議会選挙において、どれくらい宗教・宗教的価値を考えて投票したか」という質問に対して、「意識した」と回答した人が二五・六%、「ある程度意識した」が三三・五%だった。独立以来政教分離的な国是「パンチャシラ」を掲げてきたインドネシアにおいて、この選挙では六割近くの人々が宗教的要因を意識しながら票を投じていたのである。

世代別の投票傾向で言うと、三九歳以上の過半数がジョコ大統領支持だったのに対して、二八歳以下となると、ジョコ、プラボウォの戦いはほぼ互角だ。さらに学歴別の投票傾向を見ると、小学校卒の層ではジョコが優勢なのに対し、高卒ではほぼ互角、大卒では若干であるがプラボウォ優勢となっており、学歴が高いほど、プラボウォ支持の比率が上がっている。

つまりインドネシア政治において、宗教がますます存在感を高めており、世代が若いほど、かつ学歴が高いほど、宗教感情と結び付けて排外的ナショナリズムを煽った候補者への支持が強まっているのである。これは近年、大学キャンパスへのイスラーム過激思想の浸透を危惧する発言が、政府当局から繰り返しなされていることとも符合する。

一八年四月、国家情報庁（BIN＝Badan Intelijen Negara）ブディ・グナワン長官は、インドネシア全土三九％の大学生が過激思想にさらされており、「大学キャンパスは過激組織が新メンバーをリクルートする草刈り場になっている」と述べた。BINの調べでは、二四％の大学生、二三・三％の高校生がカリフ制国家を樹立するためのジハード（「IS」の主張）を支持している。また国家テロ対策庁（BNPT＝Badan Nasional Penanggulangan Terorisme）はイスラーム過激組織が浸透している大学として、インドネシア大学、バンドン工科大学、ボゴール農科大学、ディポネゴロ大学、スプル・ノーペムブル工科大学、アイルランガ大学、ブラウィジャヤ大学の七大学を名指して、警鐘を鳴らした。いずれもジャワ島に所在し、インドネシアの高等教育を代表する名門大学であるがゆえに驚きの声があがった。

少数派へ非寛容な「Z世代」

「テンポ」誌（二〇一八年五月二八日）が、大学キャンパスにおける過激思想の浸透に関する特集を組み、その中で国家警察機動隊本部を襲撃しようとして身柄を拘束された一八歳と二一歳の女学生への留置所内インタビュー記事を掲載している。そのうちの一人シスカは、名門国立大学インドネシア教育大学の学生である。もう一人のディタは中部ジャワのイスラーム教育機関の卒業を控えた学生で、小学校の代用教師をつとめていた。

ディタは、民主主義を、人間が作った掟であるがゆえに、神の掟に背くハラーム（イスラーム教徒にとっての禁止行為）であり、「イスラームを攻撃し、イスラーム法に従わない輩は処刑すべきだ」と公言してはばからない。彼女たちはインスタグラムやWhatsAppを通じて、こうした思想を吸収したという。「もし機会があるなら、ISの戦闘に加わり、イスラーム国家をインドネシアのみならず全世界に樹立したい」とも述べている。

まだ幼い面影の残るうら若き女学生の、このようなイスラーム主義への確信に満ちた発言は、インドネシア社会にとって衝撃的だったようで、「テンポ」誌は彼女たちの出現を「教育体制の破綻」と報じた。

しかし真の問題は、ごく一部の極端な過激学生の言動ではない。これまで長くインドネシア・イスラームの美風とされてきた、他の宗教、価値に対して柔軟に接し、平和裏に共存してきた寛容性・柔軟性が、若い世代全体において退潮傾向にあることが問題なのである。インドネシア国立イスラーム大学ジャカルタ校社会・イスラム研究センター（PPIM＝Pusat Pengkajian Islam dan Masyarakat）が一八年にまとめた「Z世代：宗教アイデンティティーの混乱」という調査報告を読んで、強くそう感じた。

「Z世代」とは、PPIMの定義によれば、一九九五年から二〇〇〇年までに生まれた一八歳から二三歳までの、（調査時点で）大学学部学生にあたる世代を指す。いわゆるミレニアム世代、Y世代の後の世代である。民主化され、経済成長の恩恵を受け、内外の情報に自由にアクセスし発信できる、要するにグローバリゼーションが進行するインドネシアで育ってきた世代である。

PPIMは、一七年一〇月にインドネシア全州、イスラーム教徒の高校生一五二二名、大学生三三七名、学校教員二六四名、宗教学校教員五八名、合計二一八一名を対象にアンケート調査を行なった。これによれば、学生の大多数がイスラーム内部の少数派（シーア派、アハマディア派）に対して非寛容で、回答者八六・五％が「政府はイスラームの教えを歪める少数派の存在を禁止すべき」と答えている。また五三・七％が「ユダヤ教徒はイスラームの敵」と回答している。「非イスラームが自分の住む地域の自治体首長になることを認めるか」という質問に対して、六七・七％の学生が認めないと答えている。

学生の九一・二％、教員の六九・二％が「イスラーム法（シャリーア）をインドネシア国家へ導入すべきである」、学生の一九・二％が「（イスラーム法を導入しない）政府は背教者である」とISシンパのような回答をしているのも、政府当局にとって驚きの数字であろう。

なぜ学生は非寛容化するのか

ふりかえってみると、イスラームと大学生の結びつきは今に始まったことではない。これまでイスラームを思想的基盤とする学生運動は、大学キャンパスを越えてインドネシアを変革する大きなうねりを作り出してきた。

一九七〇年代スハルト強権体制下、政府がキャンパス内の学生による政治活動を厳しい管理下に置く中で、ダアワ・カンプスと称する、個人のイスラーム覚醒とこれに基づく社会運動（福祉・教育・農村開発など多岐に及ぶ）は、バンドン工科大学等の有力国立大学から全国の大学に拡大していった。これが後にスハルト政権を崩壊させる市民運動の一翼を担ったのである。

当初は穏健リベラル指向の強かったイスラーム学生運動であるが、八〇年代以降、その中からより急進的なイスラーム主義組織が登場するようになる。九八年に結成され、スハルト政権打倒に大きな役割を果たしたインドネシア・ムスリム学生行動連盟（KAMMI＝Kesatuan Aksi Mahasiswa Muslim Indonesia）がその代表格だ。同連盟は、インドネシアの政党の中でも最もイスラーム主義的色彩の強い福祉正義党（PKS）と深い関係にある。一七年に政府によって非合法化されたヒズブ・タフリール・インドネシア（HTI＝Hizbut Tahrir Indonesia）も、ダアワ・カンプスを通じて八〇年代からじわじわと影響力を拡大させていた。

季刊の外交・国際関係評論誌「ストラテジック・レビュー（戦略評論）」（二〇一九年四月号）掲載、危機管理専門家ナタリア・ラスコウゥカの論文によれば、現在では大学キャンパスにおいて学生の支持を獲得しているのは穏健な学生ではなく、急進的なKAMMIやHTIである。非合法化されたHTIメンバーは今、友人や家族を通じメンバーを勧誘している。

それにしてもなぜ今、大学生たちの意識が非寛容化するのだろうか。

キャンパス内の急進イスラーム主義台頭には、八〇年代以降豊富なオイルマネーとともに、クルアーンへの原点回帰と異物排除による信仰の純化をめざすサラフィー主義イデオロギーが中東から流入したことがその背景にある。そういう懸念の声が、インドネシアのイスラーム伝統を重んじる有識者から発せられている。

かつて世界の学生運動のバックボーンとなってきたのが、マルクス・レーニン主義である。しかしソ連・東欧社会主義体制の崩壊によって、その思想的破綻が八〇年代末に明らかになった。これに代わってイスラームに基づく世直しを説くイスラーム主義が、中東や南アジアにおいて注目されるようになった。

「脱過激化」に取り組むジャーナリストのヌール・フダ・イスマイルなど、大学キャンパスの実情を知る少なからぬ識者が指摘するのは、若者のアイデンティティーをめぐる問題だ。

高い経済成長によって社会が豊かになっても、依然として成長に取り残される貧困層がこの国には存在する。政治は民主化され、自由にものを言えるようになったが、政治家や官僚の汚職が後を絶たない。欧米発のグローバリゼーション、新自由主義が、社会的弱者を切り捨て、自分の身近な世界を解体に向かわせている。そうした状況の中で、お偉方が説く「多様性の中の統一」や「パンチャシラ」は、嘘っぽい。許せない不正義がインドネシア社会に存在する。そんな今の世の中で生きる意味は何か、自分は何ができるか。

責任感強く、社会を良くしたいと理想を抱く若者ほど、こうしたアイデンティティー不安に揺れる。複雑な現代世界の有り様について、イスラーム主義は、「敵／味方」「正義／不正義」をはっきりさせて意味づけを行ない、若者に歩むべき道を説くのである。前述のバクティアル・ナシルは、まさにこうした半生を歩んできたのではないか。

ヌール・フダ・イスマイルは、イスラーム主義になびく青年の心には、政治イデオロギーのみならず、不正を許さない正義感、弱者を助けたいという社会奉仕・福祉への志という利他的感情という側面もあり、彼らの思想を一概に危険視し、取り締まるべきではないと主張する。さらに言えば、思想が過激であっても、行動が必ずしも暴力を伴う過激なものとは限らない。

ヌールのような知識人は、主に治安当局サイドから流される「過激化するキャンパス」発言に対して、一部の極端な事例をもとに大学生全般が過激化していると断じるのは尚早、と釘をさす。過激化防止対策として、警察や軍がキャンパスにスパイを放ち、学生の言論を操作しようとすることの危険性を挙げ、それこそが民主主義の危機を招く、というのである。

確かに学生が過激主義に感化を受けたとしても、そうした学生が即テロ等の非合法活動を始める訳でなく、やみくもに思想を取り締まるのは民主主義の自殺行為とも言える。

SNSに夢中な女学生たち。国立イスラーム大学ジャカルタ校キャンパスで。（著者撮影）

私は国際交流基金ジャカルタ日本文化センターに勤務していた二〇一一年から一六年当時、日本語や日本文化を学ぶ多くの大学生たちと接してきた。その実感からすると、自分が知る日本との交流やNGO活動に積極的で、明るく開放的で、国際社会とともに歩もうという意思を持った若者たちは、治安当局が取り上げる大学生の非寛容化から全くかけ離れた存在としか考えられない。

イスラーム主義派と国際協調派の二極化が、学生たちのあいだで起きているのだろうか。しかし、イスラーム主義になびく学生の中にもヌールが言うように社会貢献意識、利他主義感情が流れているとしたら、国際協調派とイスラーム主義派の距離はさほど離れているわけではなく、急速に変わる社会の中での「若者のアイデンティティー模索」という硬貨の表裏なのかもしれない。

「文明の衝突」にあらずして「文明内の分断」

インドネシアの新たなテロ・リスク、あるいはそれ以上に深刻なインドネシア・イスラーム全体の非寛容化の傾斜について書いてきた。こうしたことから、ポスト・パンデミックの世界を、イスラーム対反イスラームが対立する「文明の衝突」の世界と考える人がいるかもしれない。

二〇世紀末、半世紀にわたって続いた冷戦が終わった頃、米国の政治学者ハンティントンが「文明の衝突」論を発表した。冷戦後の世界において、それまでのイデオロギー対立に代わって、文明の違い、文化の違いが衝突をもたらす、というのである。ハンティントンは、「紛争の主な源となり政治的不安をもたらすのは、中国の台頭とイスラームの復興であろう。欧米と中国・イスラーム文明の関係は対立的なものになる」という、今日の国際情勢を彷彿させる未来像を二〇年前に示唆していた。

二〇二〇年一〇月フランスで、イスラームの宗祖ムハンマドの風刺画を授業に使用した中学教員が、イスラーム過激思想に感化されたと見られるチェチェン出身の男によって惨殺される事件が発生した。被害者の国民葬が執り行なわれ、マクロン仏大統領が被害者を「表現の自由の擁護者」と讃えて、風刺画を含めた表現の自由をフランスは堅持していくと述べたことに、イスラーム諸国は一斉に反発、世界中が大騒ぎとなった。

このような事態をまのあたりにすると、ハンティントンの「西洋とイスラームが対立する」という「文明の衝突」予測は正しいように見える。

しかし、本当にそうだろうか。

ハンティントンは、冷戦後の世界で「重要かつ危険な対立は、社会の階層や貧富の差などをはじめとする経済的な身分の異なる者同士のあいだで起こるのではなく、異なる文化的な統一体に属する人々のあいだで起こるだろう」と述べているが、二〇二〇年米国大統領選挙で露わになったのは、同じアメリカ国民間の分断であり、対立の背景にあるのはグローバリゼーション経済から取り残され、零落した者たちの行き場のない怒りであった。経済格差がアメリカ社会に「文明内の分断」をもたらしている、とも言えるのではないか。今世界が直面している問題は「異なる文明間の衝突」よりも「同一文明内部の亀裂、分断」ではないだろうか。

違った観点から考えてみたい。フランス大統領発言に怒るイスラーム側も、その内部の主張に耳を澄ませてみると、一枚岩ではないこと明白だ。世界最大のムスリム人口を擁するインドネシアにおいて、主要イスラーム組織は、マクロン発言を非難すると同時に、過激分子の「テロ」行為をも批判している。ナフダトゥル・ウラマー（NU）中央役員会アーマッド・ヘルミー事務局長はマクロン発言を「偏向的でイスラーム嫌悪感情を惹き起こし世界平和に深刻な悪影響を及ぼす」と述べ、「イスラームは急進的で過激な宗教というプロパガンダは真実とかけ離れている」という声明を発した。ヘルミーは続けて「イスラームを暴力的と見るのは誤り。イスラームは慈悲と平和の宗教」であるとして、欧米に蔓延するイスラーム嫌悪感情に釘をさしつつ、国内のイスラーム教徒、NU

同胞に冷静を保ち扇動にのらないよう呼びかけた。

ＮＵ等主流イスラームとの関係を重視するジョコ・ウィドド大統領もイスラーム指導者との会談後に、マクロン発言を「イスラーム教を侮辱し、世界中のイスラーム教徒を傷つけた」と非難しつつ、「宗教とテロを結びつけるのは誤り。テロはテロ、いかなる宗教とも関係ない」と断じ、テロ行為への批判も忘れていない。二億人のイスラーム教徒国民に冷静な対応を求めたのである。暴力は否定、しかし「表現の自由」にも限度がある。こういう考え方は、日本社会の常識的な考え方とさほど離れたものではないだろう。

西洋の「表現の自由」とイスラームの「イスラームへの風刺画拒否（根本にある偶像崇拝禁止）」は、いずれもそれぞれの文明の根幹に関わる重要な原理であり、両者の原理対立は妥協の余地なき宿命のように思える。しかし実際には原理をどう受けとめ、その原理を奉じて現実の世の中でどう生きていくのかとなると、解釈が幾通りもありうるし、その解釈は時代とともに変遷してきたのである。一見すると衝突が発生しそうな、相反する原理を共存させる工夫、調整努力も重ねられてきた。

啓蒙主義者ヴォルテールのムハンマド風刺

そもそも二〇二〇年のフランス教師殺害事件のことの発端は、二〇一五年一月にパリで発生した風刺紙編集部襲撃事件である。

イスラーム宗祖ムハンマドの風刺画を掲載した週刊紙「シャルリー・エブド」編集部に、過激組織の使嗾をうけた移民出身の犯人が乱入し、編集長や有名漫画家ら一二人を殺害した衝撃的な事件だった。事件直後は、イスラーム諸国もテロ行為を非難していた。しかし、同紙が再びムハンマド風刺画を表紙として掲載したことから、同紙およびフランスへの同情は一挙に反発へと変わった。事件発生時、私は国際交流基金の駐在員としてジャカルタに居住しており、インドネシア社会のこの事件に対する反応をつぶさに観察していた。有力イスラーム組織の幹部が、「これはどれだけ我慢できるか、試験を受けているようなものだ。アナキーな行動をとってはいけない」と自制を促していたのが記憶に残っている。

二〇二〇年一〇月フランスの教師殺害事件に先立つ一ヵ月前に、ムハンマド風刺画再掲載について「シャルリー・エブド」編集部襲撃事件の裁判が始まるのにあわせて、同紙はムハンマド風刺画を再々掲載している。執拗な扇動的態度ともとれる。

二〇一五年ジャカルタでの見聞から、「文明の衝突」論で意味付けできるような単純なものでないことを直感する。以下、インドネシアを代表する言論人がシャルリー・エブド事件の際にどのような議論をしていたのか紹介し、この事件を考える一助としたい。

君の意見に反対だ。しかし君がそれを口にする権利を、私は命をかけて守る。

「シャルリー・エブド」事件の際、どれだけ多くの人々がこの言葉を口にしたことだろう。フランスの啓蒙思想家ヴォルテールの名言だ。実は今から二七〇年以上前に、「表現の自由」の象徴的存在とも言えるこの啓蒙思想家は、かなり激烈な反イスラーム劇の戯曲を書いたことがある。この事実を知る人は少ないだろう。啓蒙主義を代表する人物の脳裏に、「表現の自由」と「反イスラーム」が同居していたとすると、二〇一五年「シャルリー・エブド」事件と二〇二〇年フランス中学教員殺害事件も、かなり根の深い問題と考えざるをえない。

ヴォルテールが反イスラーム劇を書いているのを知ったのは、インドネシア言論人グナワン・モハマド*のエッセイを読んだ時だった。インドネシア・ジャーナリズム界のレジェンド、グナワン・モハマドは、「テンポ」誌に連載を持っていた。

*グナワン・モハマドは一九四一年中部ジャワ生まれ、インドネシア大学在学時にベルギーに留学。一九六七年帰国後、言論・創作活動を開始、一九七一年に「テンポ」誌を創刊し、編集長として同誌をインドネシアで最も信頼されている報道週刊誌に育てあげた。スハルト政権下、二回発禁処分を受けたが、屈することなく復刊させ政権批判を貫いた。一九九七年国際交流基金と国際文化会館が共催する「アジア・リーダーシップ・フェロー・プログラム」で日本に二ヵ月滞在している。二〇二二年国際交流基金は、彼の東西南北にまたがる知的対話への貢献を評価して国際交流基金賞を授与した。

そのグナワンが「シャルリー・エブド」事件直後、「テンポ」誌（二〇一五年一月一九日）に寄稿した「マホメット」と題するエッセイは、示唆に富むものだった。

といってもこのエッセイには「シャルリー・エブド」事件に関する言及は、全くない。それは、ヴォルテールの戯曲『マホメットあるいは狂信』に関するものである。ヴォルテールはこの悲劇戯曲を一七三九年に書き始めた。一七四二年にはパリで公演が行なわれている。

この戯曲の中でヴォルテールが描いたムハンマド（マホメット）は、残忍、狡猾な策略家である。物語は、ムハンマドがかつて追われたメッカを大軍で包囲し、メッカの執政官ゾピールを倒そうとしているところから始まる。ムハンマドの指令に絶対服従する狂信的な青年セイードは、実はゾピールの息子なのだ。幼少の頃にさらわれ、ムハンマドの奴隷として育てられ、完全に洗脳されていた。セイードが、実父ゾピールを暗殺するのがドラマの後半である。ムハンマドは、セイードとともに連れ去られたゾピールの娘パルミールを恋慕するが、パルミールはこれを拒否し、自らの命を断つ。ヴォルテールが造形した劇中のムハンマドの人物像は、イスラーム教徒が信仰する有徳の預言者とは全く正反対である。

ヴォルテールは研究を続け、後年そのイスラーム認識を肯定的な方向へと変化させるのだが、イスラーム世界を激怒させた「シャルリー・エブド」のムハンマド戯画化を一度は、やっていたのだ。

ムハンマドを評価していたナポレオン、ゲーテ

無論イスラーム教徒であるグナワンのヴォルテール戯曲への評価は低い。

ヴォルテールの『マホメットあるいは狂信』は浅薄だし、イスラームへの偏見が存在することは容易に推測できる。その主人公は徹底して一面的だ。つまりこれはメロドラマのような代物、あるいはプロパガンダと言ってよいかもしれない。

（前述「テンポ」誌）

ここでグナワンは、自分と同じ、ヴォルテールに批判的な二人の偉人を登場させている。フランスの軍人・皇帝ナポレオン・ボナパルトとドイツの文学者ヨハン・ウォルフガング・フォン・ゲーテである。ヴォルテール、ナポレオン、ゲーテ。意外な組み合わせだ。

一八〇八年一〇月二日朝、ナポレオンとゲーテは会見した。これに先立つ二年前の一八〇六年、フランスはゲーテが宰相をつとめたワイマール公国に侵攻した。神聖ローマ帝国は滅亡、ドイツはナポレオン権力の下に置かれた。そうした状況にあってナポレオンとゲーテは出会う。この時、ゲーテ五九歳、ナポレオン三九歳。二人が出会った時、まさにナポレオンは欧州を支配し、権力の絶頂にあった。

ナポレオンの命令によりヨーロッパの諸侯が集められたエアフルトで、ワイマール公国の主君とともに会議に出席したゲーテは、ナポレオンの宿舎に招かれ、皇帝ナポレオンの謁見が行なわれた。ゲーテの『若きウェルテルの悩み』を熟読していたナポレオンは、その素晴らしさについて詳細に語った。

そこで陪臣がゲーテによってヴォルテールの『マホメットあるいは狂信』ドイツ語訳が行なわれ

たと言及すると、ナポレオンは「あれは駄作だ」と切り捨てた。「世界征服者ムハンマドがあのような愚劣な言葉を述べるわけがない」と、その不適切さを長々と語ったという会見記録が残されている。エジプトで戦闘を指揮したこともある軍人にしてリアリストのナポレオンには、生のイスラーム教徒と接した経験から、ヴォルテールが描くムハンマド像は多分に夢想的で悪意に満ちたものと映ったのだろう。

ゲーテの反イスラーム劇翻訳の真意は狂信批判？

ここでグナワンはナポレオンからゲーテに話題を移す。この記述が興味深い。ゲーテはヴォルテールに敬意を感じていたが、同時にイスラームに対しても共感を抱いていた。確かにゲーテは青年時代に「マホメットの歌」というイスラーム宗祖を賛美する詩を書いているし、聖典クルアーンを何度も読んだという。反イスラーム感情を持たなかったゲーテは、ヴォルテールの『マホメットあるいは狂信』をドイツ語翻訳するにあたって、ヴォルテールがこめた毒素を除去することも試みていた、とグナワンは指摘する。

イスラームの教義そのものに暴力性がある、とはゲーテは考えなかった。イスラームの歴史において登場する暴力は、宗教教義とは別の要因に起因するとし、同時に、（イスラームも含め）宗教の中に非寛容が胚胎することの危惧を感じ、物理的権力に頼る宗教を拒否する姿勢をゲーテは示したのだ。

『マホメットあるいは狂信』の劇中、主人公は「純正な信仰により普遍的な世界帝国を建設するのだ」というセリフを口にする。ゲーテは、イスラームの好戦性を浮かび上がらせる、反イスラーム的意図を持つように聞こえるこのセリフを、欧州において当時絶大な権力を握り啓蒙思想に敵対していたカソリック教会に対する批判というふうに受けとめた。であるがゆえに、イスラームに対して好感情を持つにもかかわらず、反イスラーム的な戯曲『マホメットあるいは狂信』をゲーテはあえてドイツ語に翻訳し、宗教やイデオロギーに狂信する危険性を訴えようとしたのだ。つまりゲーテが否定したのは、「自らの信仰、基本価値を絶対視し、自らを疑うことをせず、性急に普遍性を言い立てる思想傾向」ということだ。キリスト教も、イスラーム教も、共産主義も、自由主義も同じ誤謬を犯す危険性はある。グナワンはゲーテをこう理解した。

グナワンのエッセイに深みがあるのは、ヴォルテールの反イスラーム戯曲についてゲーテの解釈を紹介することで、暴力性、狂信性の芽はすべての宗教や思想にあるという面をあぶりだしてみせたことだ。「シャルリー・エブド」の挑発的とも言える姿勢にイスラーム側は憤り、「売り言葉に買い言葉」で感情的対立に陥りがちだが、そこからの脱却をグナワンは模索しているように思える。ゲーテが『マホメットあるいは狂信』に事寄せてキリスト教会の非寛容を批判したように、グナワンはこのゲーテの思想的営為を紹介することで、自国イスラーム教徒の狂信や非寛容への傾斜に対しても自制を訴えているのである。

東南アジアのイスラーム世界において、西洋近代の教養を深く身につけたグナワンのような知識人たちがこうした知的かつ冷静な議論を展開していることを知っておくのは意義あるものと思う。「表現の自由」と「イスラーム嫌悪」は数世紀にわたって、西洋啓蒙主義の中に隣り合わせに存在していた。その一方で単純なイスラーム嫌悪論への傾斜を戒めるとともに、宗教やイデオロギーに狂信的に身を委ねることへの危険を説く主張も存在した。そして、そういう西洋文明が持つ自己批判能力に注目するグナワン・ムハマドのような知識人がイスラーム世界に存在する。世界は、「西洋」VS「イスラーム」という単純な図式では割り切れないのである。

そして、インドネシア一国の中のイスラームにも、「寛容なイスラーム」と「非寛容なイスラーム」のいずれもが存在する。これまで私は、米国同時多発テロ事件以降の「イスラーム＝暴力的・狂信的」というイスラーム嫌悪感情の世界的な蔓延に抗するために、インドネシアの「イスラーム化」を論じる時は、どちらかといえば「寛容なイスラーム」に力点を置く論考を発信してきた。

しかし、インドネシアのイスラームが伝統的「寛容」の美風を失いつつある、と危惧する声が内外から発せられているのも事実である。そこで、中庸を重んじるインドネシア・イスラームの復元力に期待をこめつつ、現状に警鐘を鳴らす観点から、あえて本章は「非寛容化」現象にスポットライトをあてた。とはいえ、この国のイスラーム教徒の中には、「非寛容化」に抗する人々も少なくないことも留意しておきたい。

第2章
インドネシア社会のデジタル化と民主主義

デジタル化が進むインドネシア

新型コロナウイルス危機は、現代インドネシア社会で「イスラーム化」と並んで進行中の巨大な変化の潮流「デジタル化」を、さらに加速させた。

「デジタル化」とは、情報通信技術（ICT＝Information and Communication Technology）が社会の多方面に浸透し、その影響が経済のみならず、政治・社会・文化にまで変化をもたらしている現象を指す。「デジタル化」はグローバリゼーションの一側面であり普遍的な現象であるが、同時にデジタル化される社会の特質と結びつき、その特質を増幅させるという要素もある。インドネシアの「デジタル化」はどのような点がユニークなのだろうか。

本章では、「デジタル化」がインドネシア民主主義にとってどのような意味を持つのか、それに新型ウイルス危機はどう絡んでいるのか、前章で述べた「イスラーム化」との関係性はどうか、といった点について、政府の視点、メディアの視点、市民の視点からそれぞれ考えてみたい。

まずパンデミック以前から、インドネシアは既にSNS大国であったことを踏まえておこう。シンガポールの広告代理店「We are social」社が毎年発表している世界のソーシャルメディア普及状況報告「デジタル二〇二〇」(二〇二〇年一月)によれば、世界で最も人気あるSNSプラットフォームであり、利用者数約二四・五億人規模のフェイスブックに関し、インドネシアの利用数は一億三〇〇〇万人でインド、米国に次いで世界三位である。インスタグラム利用者数も世界四位六三〇〇万人、リンクトイン利用者数世界八位一五〇〇万人、ツイッター(現X)世界八位一〇六四万人と、軒並み世界一〇位以内に入っていた。

インドネシア国内のインターネット利用者数は前年二〇一九年比一七%増の一億七五五四万人(人口比六四%)、ソーシャルメディアの頻繁利用者数は八%増の一億六〇〇〇万人(人口比五九%)となっていた。また一六歳から六四歳までのインターネット利用者のうち、携帯電話利用率は九六%、スマートフォン利用率九四%、パソコン利用率六六%だった。

つまりインドネシアでウイルス危機が顕在化する直前の時点で、インターネットは国民の三分の二にとって生活の一部であり、そのインターネット利用者の九割以上がスマホを使って社会とつながっていた。そして突然ふってわいたウイルス危機は、インドネシア社会のさらなるデジタル化をプッシュする要因となった。

危機発生の翌年「デジタル二〇二一」（二一年一月）は、インターネット利用者数は前年比一五・五％増で、ついに二億人の大台に達し（人口比七四％）、ソーシャルメディア頻繁利用者数は六％増の一億七〇〇〇万人（人口比六一％）と報じている。

デジタル経済振興を目論んだジョコ政権

ウイルス危機発生に数ヵ月先立つ二〇一九年一〇月二〇日、ジョコ・ウィドド大統領二期目の就任式が行なわれた。就任演説において大統領は、建国一〇〇年目にあたる二〇四五年の一人当たりGDPを三億二〇〇〇万ルピア（約三二〇万円）まで引き上げて先進国の一員になるとともに、国の名目GDPを七兆ドルまで成長させ世界五大経済大国に仲間入りさせるという長期目標を示した。その時には国民の貧困率ゼロにするというのである。

ジョコ政権は、デジタル経済をインドネシア発展の牽引車に据えようとしている。この国においては都市部中間層を中心にインターネット、ソーシャルメディアの利用は急速に広がり、日本の総人口を超える世界有数規模のICTコミュニティーが形成されており、そこに新たな産業が興りつつある。

パンデミック発生前にグーグル他が行なった調査報告「e-Conomy SEA 2019」によれば、一九年インドネシア・デジタル経済の規模は、前年度比三〇%強の四〇〇億米ドルである。これはアセアン主要国の中でも最も大きな規模で、一五年と比べて五倍となった。

折しも高速通信網「パラパ・リング」が本格的に稼働を始めた。ジョコ政権は、第一期から全国的な情報インフラの整備と情報インフラの活用促進を重点政策に掲げてきた。第一期政権にとって情報インフラ整備の目玉が「パラパ・リング」高速通信網の全国導入の達成だった。パラパ・リングは、インドネシア全土の陸上と海底に光ファイバーケーブルを張り巡らし、世界最大の列島国家インドネシアの連結性を強化しようというものである。ユドヨノ政権時代にプロジェクトはスタートしていたが、一九年八月末に最後まで未開通地域として残っていた東部が開通し、一〇月に本格的稼働を開始した。これですべての州が光通信ネットワークで結ばれたことになる。記念式典でジョコ大統領は、デジタル経済、特にeコマースの発展、各地の連結性強化、地域格差是正とともに、政府の説明責任の強化、行政サービスの効率化への期待を語っている。

こうした状況で発生したのが、新型コロナウイルス危機である。感染防止対策として取られた都市部ショッピング・モールの閉鎖、市場営業時間の短縮、公共交通機関の制限などの措置は、eコマース市場拡大を加速させる要因となった。「e-Conomy SEA 2020」によれば、インドネシアのeコマース市場は一九年の二一〇億ドルから二〇年三二〇億ドルへと前年の一・五倍に急拡大した。

デジタル化は民主主義を強化するか

ところで、デジタル化はインドネシア民主主義を強化することにつながっているのだろうか。つまり「より高い学歴を持つようになった国民は、ICTを駆使して、必要な情報・知識を取得すると同時に情報の正誤を見分ける判断力を獲得する、いわゆるデジタル・リテラシーを身につける」「そうした国民が健全な民主主義を発展させる」という認識は、正しいのだろうか。

一九年一一月にインドネシア社会科学院のイブヌ・ナジール研究員らがシンガポール東南アジア研究所で「インドネシアのニセ情報、意図的誤報」と題する気になる分析報告を発表した。大統領選挙戦が始まっていた一八年七〜八月、彼らはインドネシア全土九つの州で、各州二〇〇人の成人男女にアンケート形式で意識調査を行なった。イブヌらは、この時期にインドネシア社会に流れていたニセ情報、意図的誤報の主なものとして、「(現政権によって長く非合法化されている)インドネシア共産党が復活する」「政府はイスラーム指導者を犯罪者扱いしている」を挙げている。

この調査報告によれば、「インドネシア共産党が復活する」と信じていた者の比率は、中卒四〇%、大卒(学士)四二%、大卒(修士・博士)五二%と学歴が高くなるほどニセ情報を信じる割合が高くなっていたのである。また「政府はイスラーム指導者を犯罪者扱いしている」というデマについても、中卒五五%、大卒(学士)四五%、大学院卒(修士・博士)六二%という割合で、大学院修了者の方が中卒者よりもデマ情報を信じているという結果が出た。

イブヌらは、高学歴でIT情報へのアクセスが高いほど、ニセ情報に惑わされずデジタル・リテラシーも高いという前提は成立しないと指摘している。高学歴化、ITアクセス能力のスキルアップは、必ずしも民主主義の足腰強化につながるとは限らないのだ。

ウイルス危機を契機に加速する社会のデジタル化は、中長期的にインドネシアの国民統合に少なからぬ影響をもたらすに違いない。それが吉と出るのか、凶と出るのか、注意深く見守っていく必要がある。

第一期ジョコ政権が目指した電子ガバナンスによる民主主義強化

加速するデジタル化がインドネシアの国民統合、民主主義にプラスなのかマイナスなのかは、ウイルス危機発生以前から議論となってきた点だ。

ジョコ・ウィドドが二〇一四年に大統領に就任した時、彼は九八年スハルト政権崩壊から始まった新しい時代を体現する、インドネシア民主主義の期待の星とも言うべき存在だった。オバマ米国大統領と似た風貌から「インドネシアのオバマ」と呼ばれた。

ちなみにオバマは、母親の再婚相手がインドネシア人だったことから、幼少期の四年間（一九六七〜七一年）、ジャカルタで暮らした経験を持つ。こういう縁もあり、インドネシアでは人気が高い。

ジョコ・ウィドドは、〇八年米国大統領選時のオバマ同様に、ソーシャルメディアを駆使して有権者との対話を重ね、それを支持獲得の原動力とした。それまでこの国の政治風土になかった斬新な手法は、若い世代の政治感覚、メディア感覚ともマッチし、まぎれもなく一四年の「ジョコウィ」（ジョコ大統領の愛称）は若者のヒーローだった。

ふりかえってみると、ソーシャルメディアを味方につけて大統領に当選した第一期ジョコ・ウィドド政権がデジタル化政策によって意図していたのは、経済振興と並んで、いや経済振興以上に政治行政の民主化であった。

ジョコ大統領のデジタル政策ブレーンであるヤヌアル・ヌグロホとアグン・ヒクマットが"Digital Indonesia"（『デジタル・インドネシア』）の中で、デジタル政策をめぐるジョコウィ政権が目指した政策の核心を「e-governance」（電子ガバナンス）と明示し、政権内部の議論を紹介している。

彼らによれば、ジョコは激動の国際社会の中でインドネシア国家の競争力を高めることが自分の政権の最優先事項と考えており、その手段としてすべての行政サービスをオンライン化し、容易にアクセスできるようにすることと認識していた。「電子政府」の水平展開は、それまでインドネシアに蔓延してきた公職の汚職を減らし、行政の透明化と説明責任遂行力の向上をもたらすと考えたのである。その先にあるのは、単に行政サービス向上であるのみならず、政府に対する国民の信頼を獲得・強化することである。これこそがインドネシア国民統合の礎であり、国際競争力強化の源であると、新大統領と彼のブレーンは政策目標を定めた。そのカギを握るのは、デジタル技術を利用した以下のような「連結性」の強化である。

- タコつぼ行政を打破し、官僚組織間を横断する連結性（連携思考の強化）
- 政府とＮＧＯ／市民間の連結性（行政の説明責任力の向上）
- 行政とビジネス／市民間の連結性（行政サービスの向上）
- ＮＧＯ内部およびＮＧＯ間の連結性（ＮＧＯ同士の情報交換と連携支援）
- 地域社会内部および地域社会間の連結性（社会経済開発の強化）

デジタル化社会の負の側面

第一期ジョコ政権五年の時を経て、確かに高速通信網でインドネシア全土はつながり、情報インフラの整備は進んだが、地域格差は解消されたとは言い難い。国際情報化協力センター「インドネシア最新ＩＴ事情」によれば、二〇二二年時点のインターネット普及率に関し、ジャワ七八％とパプア六八％とでは一〇％の隔たりがあり、全般的に西高東低、都市部集中傾向がある。

他にもインドネシアの民主主義の行方を考える時、気になる分析がある。デジタル・メディアの広告内容を分析した、オーストラリアの研究者エンマ・ボルーチによれば、都市部中間層、富裕層はスマホからインターネットにアクセスしフェイスブック、インスタグラム、ツイッターなどを利用している一方、経済的な余裕がない貧困層および下流中間層や村落部住民はプリペイド式携帯電話のＳＭＳを使う傾向があるという。メディアの利用形態に階級差が認められるというのだ。そこで流される広告が含むメッセージやイメージも、ターゲットにする消費者によって異なり、例えばフェイスブック上の広告では自立したキャリア・ウーマンの躍動する姿が強調されるのに対して、SMSではよりシンプルで、直接的な売り込みメッセージが流れているという。こうしたメディア文化の違いは、国民の格差意識を高め、社会包摂の障害となる可能性もある。デジタル経済の発展は必ずしも社会の民主化を約束するものではない。

そしてジョコ政権が目論んだ電子ガバナンスを梃子にした民主主義の強化が、必ずしも思惑通りに進んでいないのは明らかだ。彼が大統領に就任した二〇一四年からの五年間、ソーシャルメディアが有する負の側面が次第に目立ち始めた。転機となったのは、これまでにも触れた彼の盟友、ジャカルタ特別州アホック知事が一六年のジャカルタ知事選挙中、ソーシャルメディアを用いた中傷で当初有利と言われた選挙戦に敗れ、その直後宗教冒瀆罪で有罪判決を受け収監された事件である。

SNSが主戦場となった二〇一九年大統領選挙

二〇一九年大統領選では選挙期間中、ジョコ・ウィドド大統領対プラボウォ・スビアント候補の公開討論会の論戦は概して低調であったのに対して、両陣営のソーシャルメディア・キャンペーンが熱かった。〇四年に導入された国民による大統領直接選挙は回を重ねるに連れて、メディア、特にソーシャルメディアの影響が強くなってきたが、今やソーシャルメディアは、選挙の主戦場となった観がある。

「テンポ」誌（二〇一八年一二月四日）が、両陣営のソーシャルメディア・キャンペーンの舞台裏を紹介している。これによれば、プロボウォ派が流した「#大統領交代」ハッシュタグ拡がりに危機感を抱いたジョコ陣営は、対立候補陣営がどのようなハッシュタグを流しているのか、常時携帯でチェックし、対策を練り、それに対抗する新たなハッシュタグを流した。「#大統領交代」ハッシュタグが流行ると、すぐに「#第一候補ジョコウィ再び」というハッシュタグ拡散で対抗したのである。二〇人のスタッフが広報対策本部につめてソーシャルメディアでのキャンペーン活動に携わった。

ジョコ陣営には、選挙対策本部のソーシャルメディア対策チーム以外に、全国に八〇〇〇人の「ソーシャルメディア兵士」がいて、ジョコ陣営のメッセージ発信を担った。プラボウォ陣営も同様に一〇〇〇人のボランティアがハッシュタグの拡散、既存メディアへのリンク貼り付け作業に従事している、とテンポ誌は報じている。

私は、この国がまだスハルト強権支配の時代、九二年国政選挙を見る機会があった。与党が勝つようあらかじめ仕組まれていた選挙において、野党インドネシア民主党を支持する若者は「メタルな選挙」というスローガンを叫びながら街頭に繰り出していた。「メタル」とは「メラ（赤、民主党のシンボルカラー）」＋「トータル」の合成で、「メタル」を連呼しながらジャカルタ中を自分たちのシンボルカラーで埋め尽くして、自由に政治を語れない鬱屈を晴らそうとしたのだ。政策をめぐる理性的・具体的論争のない、ワンフレーズ標語があふれる二〇一九年のハッシュタグ選挙キャンペーンからは、何やらあの時代に逆戻りしたかのような奇妙な感慨が湧いた。

デジタル社会化に伴う選挙の変質

両陣営がソーシャルメディア選挙に力を入れた背景にあるのは、一〇年代にソーシャルメディア人口が急速に拡大したことだ。「We are social」によれば、二〇一八年一月時点で活発なソーシャルメディア利用者数は一億三〇〇〇万人だった。インターネット利用人口は前年とほぼ変わらず横ばいであるのに対して、ソーシャルメディア利用人口は二三%の伸びを示していた。

インドネシアの一日あたりソーシャルメディア利用時間は三時間二三分で、米国二時間一分、英国一時間五四分といった先進国と比べても長い。インドネシア国民がいかに熱心にソーシャルメディアを使っているかわかる。

こうした統計からも、一四年大統領選挙と比べて、一九年大統領選挙ではソーシャルメディアの影響力が増大したことがうかがえる。

当初ジョコが優勢と見られたが、中盤ではプラボウォが差を縮め、両陣営は浮動票の取りこみに躍起となった。ここで危惧された通り、浮動票狙いのワンフレーズ政治、誹謗中傷合戦が起こり、ソーシャルメディアを舞台にこうしたネガティブ・キャンペーンが激化した。

ジョコ政権は、選挙期間中にソーシャルメディア空間に流される誹謗中傷のたぐいを気にして、七〇人のスタッフが二四時間体制でインターネット上のフェイクニュースの流通を監視する「作戦司令本部」を通信情報省内に立ち上げた。ネット上のデマを特定し、同省のサイトにおいて「これはニセ情報」と公表した。

ジョコ大統領のジレンマは、ソーシャルメディアを最大限活用した草の根選挙を展開して地方政治家から大統領の座を射止めた彼が、ソーシャルメディアにおける表現の自由を取り締まらなければならない立場にあることだ。公権力による過度な規制は、彼を支えてきたリベラルな市民層の離反を招く。従来リベラル派と見られてきた知識人・文化人が、現政権批判からプラボウォ支持に回るという事例も出て、大統領は難しい舵取りを強いられた。

「ストラテジック・レビュー」誌（二〇一九年一〇月）掲載イダ・アユ・プラサスティディの論文によれば、七ヵ月の選挙期間中に、ツイッター二〇〇万、フェイスブック三〇万、インスタグラム三万七〇〇〇の意見表示があり、ソーシャルメディア上で大統領候補者や彼らの政策をめぐって様々な意見交換が行なわれた。これ自体は、民主主義の前提となる有権者の自由で活発な議論という政治参加を示すものであって、選挙のデジタル化は民主主義の足腰強化に貢献していると言えよう。

しかしインドネシア政府当局の統計では、二〇一八年フェイスブックとインスタグラムにおいて八九〇三件、ツイッターにおいて四九八五件のネガティブな書き込みがなされたという。当局が判断する「ネガティブ」の基準は何か、さらに詳しい説明が必要であるが、そうした点を考慮に入れても相当の中傷合戦が繰り広げられたことは想像に難くない。選挙戦の終盤、非難・中傷の矛先は選挙管理委員会にも向かい、情勢不利と伝えられた陣営から「選挙管理委員会が買収されている」

といった情報が流された。選挙最終日、投票当日に、選挙管理委員会に対して約五二万のネガティブ・ツイートがあったという。大統領選挙制度そのものの信頼性が、政治的に作りだされたソーシャルメディア言説によって揺さぶられた。

電子情報・商取引法の呪縛

二〇一九年大統領選挙を例にとって社会の「デジタル化」がもたらした光と影を見たが、東南アジアのみならず世界的に民主主義の退行現象が近年目立つ中、インドネシアでも宗教、民族的少数派への不寛容など不吉な兆候が、二〇一〇年代に入ってから「デジタル化」と絡んで争点化し始めていた。

「九〇年代のインターネット普及と二〇〇〇年代のソーシャルメディア登場は、インドネシア社会の民主化にとって福音となるであろう」との楽観的な見方が、語られてきた。インドネシア政治におけるICTが果たす役割にいち早く注目した研究者ディビッド・ヒルとクリスナ・センは、「一九九八年のスハルト強権体制崩壊において、インターネットは、民主化を要求する学生や市民にとって、当局の規制をかいくぐり情報を発信し、デモ参加者の動員を成功させる有力な武器となった」と評価した。

しかし、「ICTの社会への浸透⇓民主化」という見方は楽観的すぎる、と感じさせる出来事が相次いだ。その中で問題視されているのが、二〇〇八年に施行された電子情報・商取引法（ＩＴＥ法）である。ＩＴＥ法（Law No. 11/2008 on Information and Electronic Transactions）は、政府にソーシャルメディア上の言説を取り締まる権限を付与している。サイバー犯罪を取り締まる目的で制定された同法は、オンライン上のポルノ画像、詐欺、マネーロンダリング、ギャンブルを禁じているが、これに加えて第二七条三項に名誉毀損、第二八条二項に宗教冒瀆、第二九条に脅迫を禁じる条項がある。これらに違反すると最大六年の懲役、一〇億ルピアの罰金が科せられる。

この法律が社会的論議を呼んでいるのは、同法によって本来被害者の立場にある人が加害者として訴えられる事件が発生しているからである。たとえば、公立高校の非常勤教師であったバイク・ヌリル・マクナンは、一四年に校長から電話でホテルに誘われるなどのセクハラを受けた。彼女はセクハラの証拠を残し自らを守るために、校長からの電話を自分の携帯に録音しておいた。その携帯を兄に預けたところ、兄は校長から妹を守りたい一心で、ヌリルの同僚に音声データを送った。このデータが他の同僚たちにも転送され、校長の知るところとなった。ちなみにヌリル自身は、兄から同僚へのデータ転送を知らされておらず、データ拡散に関与していない。

校長がセクハラで処罰されるのかと思いきや、逆に、彼は、わいせつな音声の録音と配布が電子情報・商取引法違反にあたるとして、ヌリルを同法違反で告訴したのである。一八年九月最高裁がヌリルに実刑六ヵ月と五億ルピアの罰金の有罪判決を下したところ、抗議が殺到し、検察は収監二日前に刑の執行留保を決めた。結局一九年八月ジョコ大統領がヌリルに恩赦を与え、彼女を大統領宮殿に招いた。法務人権大臣はその場で、電子情報・商取引法改正の検討を言明せざるをえなかった。

ソーシャルメディアで自分の信条を述べたために、ITE法違反で罰せられた事例もある。西スマトラ州の公務員アレクサンダー・アーンのケースだ。厳格なイスラーム色が強い同州ダルマスラヤ県開発計画局に勤務していた彼は、「ミナンの無神論者」というフェイスブックのグループに二〇〇九年に入会し、同グループ内で活発に無神論の立場からイスラーム批判を展開するようになった。二〇一二年一月時点で、「フェイスブック友人」五〇〇人、「いいね」評価が一二〇〇人に達し、少なからぬ影響を持つようになっていた。

同月一八日、彼のフェイスブックでの言動を知った暴徒が職場を襲撃し、彼に暴行を加え、さらに保守色の強いインドネシア・ウラマー評議会（MUI＝Majelis Ulama Indonesia）指導者が警察に対してアーンを検挙するよう要求した。二日後、暴力の被害者であるはずのアーンは、ITE法二八条二項宗教冒瀆罪等に問われて逮捕されてしまった。検察はインターネット上で無神論を公言することは許されないと主張し、その後、地方裁判所は二年六ヵ月の有罪判決をアーンに言い渡した。

ヌリルやアーンのケースに見られる通り、ITE法は、権力者にとって弱者の口をふさぐ都合のいい法律となった。政治家や支配層、宗教非寛容派は、わいせつ、名誉毀損、宗教冒瀆等、同法を盾に彼らへの批判、告発を封じ込めようとする。民主化時代に入って制定され、表現の自由をさらに拡大させると考えられてきたICTに関する法律が、市民の表現の自由を脅かす皮肉な状況を現出させたのである。さらにそのような状況に降りかかったのが、新型コロナウイルス危機である。

メディアの変容――活字からデジタルへ

新型コロナウイルス危機が民主主義を衰退させるのではないか。そういう懸念が世界各地で語られた。

曰く、権威主義体制の方が民主主義国よりも効果的にパンデミックに対応できるのではないか。感染防止のために私権を制限するのは民主主義の自壊を意味するのではないか。政府と市民のあいだの信頼関係が損なわれ、警察・軍等のハード・パワーへ傾斜しているのではないか。

言論の自由、表現の自由は、民主主義の根幹である。自由な言論空間を提供するメディアは、民主主義になくてはならない。インドネシア民主主義が劣化している、という声が内外からあがっている。その背後にあるのは、新聞・雑誌など既存の活字メディアが活力を失い、民主主義を支える役割を果たせていないという現実だ。

新型コロナウイルス危機は、新興国インドネシアの経済発展に急ブレーキをかけた。二〇二〇年九月には総人口に占める貧困率が三年ぶりに一〇％を超えるなど社会全体に悪影響を及ぼしたが、メディア産業も例外ではない。国内四〇〇社が加盟しているインドネシア報道機関連合（SPS＝Serikat Perusahaan Pers）アスモト・ウィルカン事務局長によれば、メディア業界の雇用状況は深刻で、同連合加盟社の半数近くが人員削減したか、削減を検討した。

パンデミックがインドネシア・メディアにもたらした最大の変化は、デジタル化の加速である。インドネシア・デジタル・メディア協会の調査によれば、感染拡大に伴う社会規制が強化された二〇年四月二五日から五月五日までの期間において、デジタル・メディア購読者数が倍増した。

米国の調査会社PR Newswire刊「ニューズ・ランドスケープ」があげる以下の「二〇二〇年インドネシア・メディア業界：主な出来事」は、パンデミックによって加速される社会のデジタル化が、インドネシアのメディア環境を変えつつあることを告げた。

●テレビ視聴者数増

外出が規制され、多くの市民が在宅を余儀なくされる中、テレビ視聴者数は増加、インドネシア放送委員会（KPI＝Komisi Penyiaran Indonesia）によればテレビ視聴者数の伸びは五〇％以上である。

●オンライン・メディア利用層の拡大

民間コンサルティング会社調査によれば、ジャカルタ大都市圏の二五歳以下若年層の六五・四％が有料プラットフォームを通じてビデオ・コンテンツを視聴。四五歳以下の住民の八八・二％が活字メディアよりもオンライン・メディアを利用、と回答している。

●「TikTok」革命

中国製携帯向けショートビデオ・プラットフォームTikTokが爆発的人気を得る。きっかけはインドネシアのセレブやSNSインフルエンサーがこのアプリを使い始めたことである。同国内のTikTok利用者数は三〇〇〇万人で、TikTokにとってインドネシアは世界第四位の市場規模を持つ。

デジタル化潮流の中で苦境に立たされているのが活字メディア、活字ジャーナリズムである点も、インドネシアの状況は他国と同様だ。これまでこの国の民主主義を支えてきた「名門」活字メディアの苦境が伝えられている。

スハルト強権体制下で数度の発行禁止措置を受けながら、権力の闇を暴く報道を続け国際的に評価の高い週刊誌「テンポ」の英語版が二〇二〇年末で活字での発行を終了し、活字はインドネシア語版のみとなった。同誌の新聞「コラン・テンポ」も活字での発行を停止し、電子版となった。同誌経営者によると「コラン・テンポ」の電子版への切り替えは既定の経営方針であったが、ウイルス危機発生により購読数が半分以下となり、移行作業が加速したという。（共同通信、ジャカルタ発、二〇二一年六月一八日）

メディア産業のコングロマリット化と寡頭化

新型ウイルス危機がメディア産業のデジタル化を加速させたのだが、この潮流自体は、ソーシャルメディアがインドネシアに到来した二〇〇〇年代半ばから続いていたものである。

YouTubeは二〇〇五年、フェイスブックは二〇〇六年、ツイッターは二〇〇八年にインドネシアでサービスが開始された。既存メディアにとって、新しく登場したインターネットは、読者や広告主獲得の点で強力なライバルであり、熾烈な競争となることが予想された。過酷な生存競争を勝ち抜くための企業体質改善策として、既存メディア経営層が打った手は、同業種他社を吸収して巨大化する道（水平合併）とＩＴメディアを吸収してメディアツールを多角化する道（垂直合併）の二つである。こうしてメディア産業のコングロマリット化が進行する。インドネシアに存在する巨大デジタル・コングロマリットグループのオーナーたちは、グループ企業内で絶大な権力を有しており、時に報道現場の編集権に介入してくる。また彼らの子息が系列デジタル企業ＣＥＯや編集長のポストを占めている。政界にも進出しており、例えばＣＴコープ・グループの総帥ハイルル・タンジョンはユドヨノ政権下で経済調整大臣を務め、他方メディア・グループのボス、スルヤ・パロはナスデム党総裁である。

メディアのオーナーたちは二〇〇〇年代半ばからメディア企業のデジタル化、コングロマリット化とともに企業支配を強め、彼らの傘下にあるメディアの報道論調もオーナーの政治的立場を反映したものとなった。党派色の濃い報道が目立つようになり、二〇一四年大統領選挙で頂点に達した。投票日の夜、「ジョコ・ウィドド候補当確」を各テレビ局が続々と報道する中、プラボウォ候補を推すゴルカル党・党主のアブリザル・バクリ率いるＴＶＯｎｅのみが「プラボウォ候補勝利」のニュースを流し続け、同局番組内でプラボウォは「真の勝利者は自分だ。票の不正操作が行なわれている。有権者よ、怒れ！」と扇動的に宣言したのである。二〇二〇年米国大統領選挙におけるトランプの反応には、二〇一四年プラボウォのＴＶＯｎｅ「勝利宣言」が重なって見えた。特定政党の指導者がメディアのオーナーであることは、全く不適切であって、ここまで来ると、もはや客観報道とは言いがたい。

デジタル化、コングロマリット化、寡頭制への傾斜とともに、二〇二一年に名門新聞「スアラ・プンバルアン」が活字出版を停止する等、大手メディアのジャーナリズムは衰退した。

デジタル市民運動の盛り上がり

ここで視点を変えてみたい。インドネシア政治について、日本ではまだあまり知られていない側面がある。現在のインドネシア民主主義を支えているのは、裾野の広い活発な市民運動という点だ。数多くの市民活動の中には民主主義の成熟を感じさせるものもある。

創意工夫あふれる市民のイニシャティブによる公益活動がなければ、長く続いた強権体制の後にせっかく手に入れた民主主義も立ち枯れてしまうかもしれない。特に既存のメディア産業が衰退局面にある状況では、なおさら市民運動の権力監視・チェック機能が重要となる。

図らずもインドネシアは東南アジアにおける民主主義の砦となっており、この砦を支えているのが、都市部中間層の青年市民である。彼らはＩＣＴに強く、ＩＣＴを駆使した市民運動を展開している。

以下では、インドネシア社会のデジタル化に伴い新たに台頭している市民活動の多様な姿を紹介したい。

国際的な「デジタル市民運動（Digital Activism）」に連動し、インドネシアにおいても権力によるＩ

SNS上の「プリタを救え」募金の呼びかけ（COCONUTS Jakarta）

TE法の恣意的運用をチェックしていこうという動きが出てきている。彼らは、ICTを駆使して体制側の情報規制に対抗し表現の自由拡張と民主主義の活性化をめざす。

インドネシアのデジタル市民運動の嚆矢と言うべきは、二〇〇九年の「プリタに自由を！」キャンペーンであろう。銀行員で主婦のプリタ・ムルヤサリは、〇八年ジャカルタの病院でデング熱の治療を受けたが、後におたふく風邪であることが判明した。この誤診と病院の対応への不満をプリタが友人たちに電子メールで送ったところ、彼女の関知しないところでメールが拡散し、病院側はプリタの電子メールの存在を知った。病院はプリタをITE法二七条三項の名誉棄損罪で民事訴訟を起こし、プリタは警察に身柄を拘束された。地方裁判所は彼女に病院へ二億ルピアの賠償金支払いを命じた。さらに検察は刑事訴訟で六ヵ月の禁固を求刑した。

この裁判はITE法違反の初摘発ということで全国的に注目を集め、乳児から引き離されたプリタへの同情の声が高まった。社会的に影響力のあるブロガーたちが異議申し立てを始め、フェイスブック等のソーシャルメディアで「プリタを救え」という論調が拡がった。プリタに課せられた賠償金支払いのために各々が五〇〇ルピア硬貨を支援しよう、と呼びかけるフェイスブック支援サイトが開設され、「プリタに自由を！正義のための募金」キャンペーンが本格化した。またたく間に募金目標額が集まった時、インドネシア社会は改めてソーシャルメディアの社会的影響力が確実に増大していることを知ったのである。プリタへの支援がデジタル市民運動によって燎原の火のごとく拡がる中、最高裁は一二年に逆転無罪判決を出した。

当事者たちが予期しなかった運動の盛り上がりは、かつてのスハルト長期政権の権力乱用を目の当たりにしてきた都市部中間層が、社会的不公正に厳しい目を向けていることを意味するものだった。

デジタル市民運動のネットワーク

二〇一三年六月、デジタル市民運動リーダー、ブロガー、法律家が集まり、ジャカルタを拠点とする「東南アジア表現の自由ネットワーク（SAFENET セーフネット＝Southeast Asia Freedom of Expression Network）」が結成された。東南アジア全域における表現の自由をモニターし、相互連帯していくことを目的とするものである。これに加えてインドネシア国内のデジタル市民運動の連携の場として、「セーフネット」等主要団体が中心となって「デジタル民主主義フォーラム」も、一四年一二月に結成されている。

「セーフネット」によれば、一四年時点でITE法が原因の人権侵害件数は七八件で、そのうちの九二％が名誉毀損罪の告訴、五％が宗教冒瀆罪の告訴であったという。

それゆえに、デジタル民主主義フォーラムが取り組む主要テーマは、ITE法の改正である。「プリタに自由を！」キャンペーンによって、デジタル市民運動の語り部となったプリタ・ムルヤサリも「セーフネット」に加入し、同法二七条三項「名誉棄損」の撤廃を訴えるとともに、同法被害者を救援する活動を開始した。

一六年一一月には、ITE法は改正され、「乳児から母を引き離した」とプリタの事件で物議をかもした容疑者拘留は廃止され、懲役は最高六年から四年へ緩和され、罰金額も引き下げられた。同法違反について無罪となった場合、過去の報道の削除を求める権利、すなわち「忘れられる権利」も保証された。

しかしプリタが求めた二七条三項「名誉棄損」の撤廃は行なわれず、権力による同法の恣意的運用の可能性は残されたままである。また新たに盛り込まれた「忘れられる権利」についても、汚職政治家の経歴抹消への乱用を危惧する声もある。

ところで「多様性の中の統一」を国是とするインドネシアにおいて、「ＳＡＲＡ」に踏み込んだ発言はタブーとされる。「ＳＡＲＡ」とは、Suku（民族）、Agama（宗教）、Ras（人種）、Antargolongan（階層）

の頭文字をとった言葉だ。SARAを乱す情報がウェブサイト等で拡散された場合、政府はそのウェブサイトを遮断することも改正ITE法に規定されている。これについても、表現の自由の観点から問題を孕んでいる。

二〇一六年から一七年にかけてのアホック・ジャカルタ州知事の知事選での発言をめぐる混乱の後、同法を政治的に利用しようと目をつけた勢力が現れた。華人系のアホックが選挙中クルアーンを侮辱する発言をしたと主張して、バクティアル・ナシルらが大規模抗議デモを組織し、アホック知事を追い落とすことに成功したのである。知事選敗北後、アホックは宗教冒瀆罪で禁固刑を二〇一七年五月に言い渡されている。

非寛容イスラーム勢力はアホック失脚に味をしめて改正ITE法二八条二項「宗教冒瀆」を悪用し、「ソーシャルメディアでイスラームを侮辱する者たちがいる」と言い立てることによって、デジタル人権活動家狩りを行なっている。

なお、公平を期するため付言すると、知事選中、アホック知事が華人系であることを中傷するソーシャルメディア上の書き込みをやめさせるため、一部イスラーム勢力を取り締まる根拠となったのが、ITE法だったのも事実だ。

デジタル・リテラシーと選挙モニター

前述の通り、二〇一九年大統領選挙では、大統領支持派、プラボウォ候補支持派の両陣営からソーシャルメディアを通じてニセ情報、デマ、中傷が流され問題となった。この大統領選挙を通じてhoax（中傷、でっち上げ）という英語は、もはやインドネシア語の語彙「hoaks」となってしまったほどだ。

近年のデジタル市民運動の中で注目を集めているのが、デジタル情報の真偽を正しく判断できる能力、デジタル・リテラシー向上への取り組みである。その代表格が「健康的なインターネット利用」を訴える市民組織「ICTウォッチ」で、二〇〇二年に設立された。ICTウォッチは、インドネシア社会のデジタル・リテラシーを高めるためには、デジタル情報アクセスの不平等（デジタル・ディバイド）を解決することが不可欠と考えている。そのカギを握るのは学校教育である。

若い世代のデジタル・リテラシーを高めるためには、ICTの何たるかを知る教師によって支えられたカリキュラムが重要となってくる。しかし、この流れに逆行するように教育省が一三年に導入した新カリキュラムでは、ICT教育は必須科目から除外されてしまった。結果として多くの学校においてICT教育は教育現場から消えてしまった。これゆえにデジタル・ディバイドが悪化することを懸念する市民組織が、デジタル・リテラシー向上取り組みの主役となったのだった。

ＩＣＴウォッチは、子どもたちのデジタル・リテラシーを向上させるため、親や教師のトレーニング・プログラムや教材開発を行なっている。

民主主義の根幹をなすのは、公正な選挙プロセスと言ってもよいだろう。ＩＣＴによる選挙モニターも、デジタル市民活動の重要な活動領域である。一四年、一九年のいずれの大統領選挙においてもプロボウォ陣営は選挙に不正があったとして敗北を認めなかった。前述の通り、メディアは党派性があり、どの陣営側に立つかによって開票速報の数字も大きく異なり、プラボウォ候補の勝利を伝えるメディアもあった。プラボウォ支持者は容易に引き下がらず、インドネシア社会は分裂の危機に立たされた。

ここで重要な役割を果たしたのが、選挙をモニターするデジタル市民運動である。たとえば「選挙守護団（カワル・プミル）」は、一四年選挙においてネットを通じて七〇〇人の市民ボランティアを組織し、各投票所の投票を監視し、厳正中立な立場に立って投票用紙を確認するなどの作業を行なって、有権者の信用を得た。ＩＣＴによる選挙モニターが、選挙の信頼性をめぐる出口の見えない深刻な対立を収束させることに一役買ったのだ。

少数派の声を伝える

スハルト強権体制の時代、国内のテレビメディアは軍によって統制され、権力批判の映像を流すことは極めて困難であった。民主化されて軍の検閲は廃止されたが、組織改革によって世代交代した軍や警察であっても、新しく登場したＩＣＴに関し、治安対策という名目のもとに情報統制を拡大しようという組織的遺伝子を受け継いでいる。

警察や軍など治安当局の情報規制に対抗し、民主主義と社会正義を守るために、国際市民組織「エンゲージメディアEngageMedia」が、二〇〇五年にインドネシアとオーストラリアで設立された。既存メディアでは報道されない映像情報をインターネット上に流すというこの組織の看板プロジェクトが、二〇一一年から開始された「パプアの声（Papuan Voice）」である。米国フォード財団の支援を受ける同プロジェクトの目指すところは、プロフェッショナルなパプア人映像記録者の育成だ。分離独立運動が続いているパプアは、民主化後も厳しい治安当局の言論統制が存在する。報道機関の取材活動が制限されている現状にあって、この地域で何が起きているのかを、外部の人間が知る機会は限られている。そこでパプアの人々自身が「自らの物語」を語り外部世界に発信していくために、短編映像ドキュメンタリーを製作するパプア映像作家の創作力を磨こうというのである。

同サイトによれば、これまでパプア人八〇人以上の映像作家がトレーニングを受け、一〇〇本以上の短編映画、二巻のＤＶＤが製作された。これらの作品はパプアのみならずインドネシア国内やマレーシア、オーストラリア、米国等世界各地五〇ヵ所で上映されており、その中の一作「兵士へのラブレター」はインドネシアの映画祭において最優秀ドキュメンタリー作品賞を受賞している。

「パプアの声」は、インターネット検索サイトに「Papuan Voices EngageMedia」と入力すれば、さらに詳細情報の入手が可能だ。作品「兵士へのラブレター」も同様に、「EngageMedia Love Letter to the Soldier」と入力すれば、英語字幕付きの動画を日本でも視聴することができる。

しかし、既存メディアで報道されない情報をインターネットに流す市民ジャーナリズムを標榜する運動の一部に対して、ジャーナリズムと言えるのか疑問視する声があるのも事実である。パプアをめぐる「市民ジャーナリズム」でも、「パプアの声」は自制的であるが、中には、治安当局を現場で意図的に挑発し「暴行」場面のみを切り取って流すことによって、自分たちの運動に利そうという意図が透けて見える団体もある。これは明らかに禁じ手であり、信頼性、透明性を命とする市民ジャーナリズムの自傷行為と言えよう。

ICTは、民主主義にとって諸刃の剣であることが明らかになってきた。であるならば、その陽の部分を最大限に生かし、官を補完し、時に官と対抗して、社会的公益を増進させようというのが、インドネシアのデジタル市民運動である。彼らが、いかに内発的にインドネシア社会の市民意識を成熟させ、各層にそれを浸透させうるのか、その模索がこの国の民主主義の未来を担っている。

「四〇四エラー」落書きがもたらした波紋

コロナ禍という非常時にあって、「ステルス権威主義」懸念の声が、世界各地であがった。「ステルス権威主義」を造語したトルコ出身の政治学者オザン・ヴァロルによれば、ステルス権威主義下では、選挙で民主的に選ばれた指導者が、反民主的素顔を隠しながら、「合法的」に抑圧を推し進め権力強化を図る。たとえば名誉棄損罪、侮辱罪、テロ関連法などを使って、批判的言論を取り締まり、権力者にとって不都合な真実を封殺しようとする。

インドネシアにおいても、民主的な選挙によって選ばれて市民派政治家のチャンピオンと考えられてきたジョコ・ウィドド大統領の政権において、「ステルス権威主義」の兆候が現れた。本来はネット空間での憎悪表現、フェイクニュース拡散を抑止する趣旨から制定された情報電子商取引法(ITE法)を根拠に、市民の言論の自由を制限する当局の対応は、確かにステルス権威主義的に映る。

新型コロナウイルス危機発生から一年が過ぎた二〇二一年にも、ひと騒動があった。「ジャカルタ・ポスト」紙(二〇二一年八月二〇日)によれば、独立記念日(八月一七日)の数日前、首都ジャカルタの近郊タンゲラン市に現れた壁画が、コロナ禍対応での不手際が目立つジョコ・ウィドド政権に対する異議申し立てのシンボルになった。

このストリート・アートに描かれたジョコ大統領とおぼしき男性は、「404 : Not Found(四〇四エラー)」という言葉によって目隠しされていた。

風刺のきいた表現だ。「四〇四エラー」とは、ネット空間において、ユーザーが既に削除されたページや間違ったURLにアクセスした時に、サーバー側から送られてくるメッセージである。国民からの訴えがジョコ大統領に伝わらずコミュニケーションが遮断されている。SNSを駆使した選挙戦術でインドネシアの民主主義に新風を吹き込み、大統領の椅子を射止めたジョコ氏が、庶民の声を聞く姿勢を失ってしまっている。そんな現状に対するフラストレーションが、「四〇四エラー」という文字に凝縮されている。大統領はインドネシア社会が直面する現実が見えていない、と

話題となったストリート・アート「404：Not Found」(Detik.com)

訴えてくる。

二一年六月中旬から新型コロナウイルスの爆発的な感染拡大が社会を直撃し、都市部で医療崩壊が発生して、多くの人命が失われた。このパンデミック危機に対して、ジョコ政権当局の一部が権限・権益の拡大に走るなどして、国民の政府に対する信頼が大きく揺らいだことが、この壁画が登場した背景にある。

このストリート・アート（落書き）の画像や「#四〇四エラー」ハッシュタグがSNSを通じて広く拡散したことに、警察が目くじらを立てた。有無を言わせず壁画を塗りつぶし、「大統領を侮辱した犯人」を探し始めるとともに、この画像のプリントTシャツをネット上で販売しようとした男を検挙したのである。この警察の取り締まりは、為政者を批判する自由を認めた民主主義の原則を逸脱する過剰反応、とメディアや市民団体の更なる批判を招いた。

古今東西、落書きという表現手法は巧みな風刺や抽象化によって、規制の網をかいくぐり、権力者の偽善性や暴力性を暴き、白日の下に晒す民衆メディア的な役割を担ってきた。そもそもこの国の文化芸術には、社会批評をテーマとする作品が多い。そして、今日においても、ストリート・アートをはじめとする文化芸術は、権力に対する批判以外にも、市民社会の活性化、基盤強化に貢献している。インドネシア民主主義の質的低下が懸念される一方で、そのような潮流に抗しようと、個性あふれる文化人、芸術家たちが様々なやり方で民主主義を活性化させている側面にも留意しておきたい。

ここからは、二〇世紀末に新たに登場した表現ジャンルにして、創造的な創意工夫によって民主主義に活気をもたらしているデジタル・アートに焦点を当ててみたい。

民主化とともに台頭したデジタル・アート

新型コロナウイルス危機は、アートにも深刻な打撃をもたらした。二〇二〇年五月ユネスコの「コロナ禍に直面する世界の博物館・美術館」報告によれば、パンデミック発生以来、世界の博物館・美術館の九割が休館となった。

インドネシアでも一時、全国一六三のすべての博物館・美術館が休館に追い込まれた。表現・鑑賞・参加の機会が失われていく中、アーティストやアート・イベント企画者が活路を見出したのが、やはりデジタル技術の活用だった。次々と主なイベントが中止、延期へと追い込まれる中で、毎年ジョクジャカルタで開催されてきた国内最大級の現代アート・イベント「アートジョグ」は、メディアや協賛者など一部関係者への限定公開とオンラインによる一般公開を併用する方式で二〇二〇年も開催にこぎつけた。

ジャワ島の中央部、ボロブドゥール遺跡が近郊にあるジョクジャカルタは、京都と姉妹都市であり、京都と同様に、伝統と現代が交錯する学術と文化芸術の拠点都市だ。アートジョグ主宰者のヘリ・プマドはインドネシア社会の緊急事態に向き合い、インドネシアのアーティストが危機にあっても、しなやかで、頑強で、創造的であることを示す機会として、「アートジョグ二〇二〇」のメイン・テーマを「レジリエンス」にさしかえた。

この年、七八人の作家がアートジョグに出品する中で、「ムラカビ・ムーブメント」のインスタレーションがマスメディア等で取り上げられ、注目を集めたのは、パンデミックがもたらした危機的な状況とは無関係ではないように思われる。

ムラカビ・ムーブメントは、アーティスト、建築家、研究者、市民運動家などによって構成される制作者集団である。彼らが創りあげた薄暗い、ひたすら静かな空間は、観る人を瞑想の世界へと誘う。竹で囲まれた瞑想空間は、自然と人間が慎ましく共生していた村落の姿や、村人が農作業や祭祀を共同作業で行なった「ゴトンロヨン（相互扶助）」の記憶を惹起する。都市化され、共同体意識が薄れた現代社会にあってパンデミックに揺さぶられているインドネシアの個々人に、アイデンティティーを問い直す作品である。

「アートジョグ2020」に展示されたムラカビ・ムーブメント作品（Gudeg.net）

ムラカビ・ムーブメントが問う、個人と社会の有機的なつながり、市民の相互扶助は、民主主義の根幹をなす要素である。豪州メルボルン大学研究者のエドウィン・ユルゲンスは、九〇年代以降グローバリゼーションの影響下、インドネシアで発達したデジタル・アートと民主主義の関係性に注目している。デジタル・アートが、インターネット、携帯電話、SNSの普及とともに、ニュー・メディアとして機能することによって、九八年スハルト強権体制崩壊後の民主化時代において表現の自由を押し広げる役割を果たした、と彼は指摘する。ユルゲンスの論稿「デジタル・アート：ハックティビズムと社会関与」を参照しつつ、国際的に注目を集めるデジタル・アートの旗手たちに焦点を当ててみよう。

スハルト体制を崩壊させたアジア通貨危機の痛手から徐々に立ち直ったインドネシア経済と

並行するように、二〇〇〇年代に入ってインドネシアの現代アートへ、世界のコレクターが目を向け始めた。著名画家の作品に相次いで数百万円の高値がつくインドネシア・アート・ブームが到来したのだが、この動きを主導するのが欧米や香港の有力コレクターであることに、インドネシアの若手コレクターたちは不満を募らせつつあった。

その一人が、インドネシア生まれ、二〇数年間のドイツ留学経験を持つ華人系コレクターのウィユ・ワホノである。いわゆる大家の作品の取り扱いでは欧米画商と競争できない彼が目をつけたのが、デジタル・アートである。ワホノは、現代アートと社会のつながりに強い関心を示し、社会性を持ったデジタル・アートを世に出そうとした。

彼がキュレーションした企画展「時代精神」(二〇一二年)、「境界を超えて」(二〇一三年)、「今回は絵画なし」(二〇一四年)は、現代史に関する既成観念を問い直し、創り手が置き去りにされた世界の美術市場の現状を批判するものだった。

インドネシアのデジタル・アートを俯瞰すると、あらためてアートの概念が、現代において大きく変容していることを痛感する。変容の一つが、アートの作り手は誰か、という点だ。

インドネシアのデジタル・アートの有力な担い手の多くは、「アート・コレクティヴ」と呼ばれる組織化されたアーティスト集団である。アート・コレクティヴは、「アートとは、アーティスト個人が制作工房の中で孤独な制作過程を重ねて作りあげるもの」という一般的イメージを超えている。まず構成メンバーはアーティストに限らず様々な専門知識、背景を持った個人が含まれており、彼らはある価値、美的意識を共有しつつ、狭い工房から飛び出して、社会と関わり、交流の中で「アート」を創造する。その「アート」は造形物とは限らず、社会と関わる実践経験そのものを「アート」と理解するのである。インドネシアのアート・コレクティヴに関して、自身もアーティストとしてインドネシアのアート・シーンを内側から観察してきた廣田緑が、『協働と共生のネットワーク　インドネシア現代美術の民族誌』（グラムブックス）でその形成過程をつぶさに論じている。

こうした社会とアートの関係性を重視するアート・コレクティヴの考え方は、民主主義と親和性が高く、ジャーナリズムとも共鳴する部分が多いのも自然なことと言える。次に述べるのは、インドネシア民主主義に活気をもたらしているアート・コレクティヴの事例である。

アートと伝統知を活用して社会の絆を創造する「ルアンルパ」

インドネシアを代表するアート・コレクティヴと言えば、「ルアンルパ」（「造形空間」を意味する）であろう。二〇二二年開催の現代アートの国際フェスティバル「ドクメンタ」芸術監督に彼らが選ばれたことは、美術界を超えて大きな話題となった。現代アート展の世界最高峰と定評のあるドクメンタの芸術監督にアジア系が選出されるのは、史上初めてだからだ。

ルアンルパの活動は、美術展の開催、芸術活動拠点となるアート・スペースの運営、アートを通じた子どもや若者向けオルタナティブな教育機会の提供、都市問題の解決策に関する調査研究、出版、オンライン・アート雑誌の発刊など多岐にわたる。ジャカルタで隔年開催される国際的なビデオ・アートの祭典「OK. ビデオ　インドネシア・メディア・アーツ・フェスティバル」では、従来のアートの枠を超えた、デジタル技術を駆使した空間、若者たちの活発な意見交換、子ども家族向けの教育プログラムなど様々な企画が用意されていて賑やかだ。

ルアンルパは、人々の出会いの場を設けること自体を、一つの芸術表現と考えている。

民主化が始まって間もない二〇〇〇年ジャカルタで、オランダ留学から戻ったアデ・ダルマワン（ルアンルパ代表）ら六人の若者が結成した芸術家集団は、インドネシアの民主化と並行するように活動の幅を拡げてきた。現在は三〇人以上のメンバーが参加しているが、その構成はアーティストのみならず、建築家、映画関係者、研究者、ミュージシャン、報道関係者と多様だ。

ルアンルパが追求してきたのは、国民生活の隅々まで権力の監視の目が光ってきたスハルト強権体制の崩壊によって手に入れた民主主義が発展を遂げていくためには、人と人が自由に語り合い交流し絆を深める場所作りが重要、という理念だ。新しい自由な空間では商業主義の暴走、過剰な消費に流されない持続可能な発展のシステムを構築する必要がある。そのカギを握るのが、インドネシア社会に存在する昔ながらの知恵、前述（一〇七ページ）「ゴトンロヨン（相互扶助）」である。参加型アートを通じて、現代都市に伝統の村落共同体の相互扶助の精神を蘇らせ、人と人との有機的な結びつきを再構築しようというのである。

ルアンルパが主催するビデオ・アートの国際フェスティバル「OK. Video」2015
(ruangrupa)

アートとテクノロジーを融合させる「HONF」

前述ユルゲンスが民主主義のユニークな担い手として注目するのが、「ナチュラル・ファイバー・ハウスHouse of Natural Fiber（HONF）」である。テクノロジーとアートの融合が、HONFの特徴だ。

この団体を調べていて驚いた点がある。現代アートの世界では、「ハッカー」という単語が、マスメディアで使われているのとは、まったく異なる意味で使われているのだ。「ハッカー」、「ハッキング」といえば、専門的知識を悪用して政府や企業の情報システムに入り込み、システムを攪乱、破壊する悪意を持った人間、彼らの不法行為を指すもの、と私はこれまで理解していた。しかしアートの世界では、固定観念を超える自由な着想、発想で新たなプログラムを開発し、社会的不公正の是正、対立の解消、持続可能な発展へ貢献する人々と活動を指すのである。ユルゲンスは、デジタル技術とアートを組み合わせるHONFを「ハッキング行動主義Hacktivisim」と評し、社会運動としてメッセージ性の強い彼らの活動に注目している。

例えばユルゲンスがスポットライトを当てたのが、二〇一二年の「ミクロ国家?マクロ国家:食とエネルギーの民主化プロジェクト」だ。この当時ユドヨノ政権は、国家予算の大きな財政負担となっていた石油補助金を撤廃しようと試みたが、国民の激しい抵抗にあって断念せざるを得なかっ

HONF「ミクロ国家？マクロ国家：食とエネルギーの民主化プロジェクト」(HONF Foundation)

た。かつて石油輸出で潤ったインドネシアだが国内消費の拡大で石油輸入国に転落していた。政府は補助金を出して、国際価格で輸入した石油をそれより廉価で販売する政策を続けてきたが、この政策に持続可能性はないことが明らかだった。

HONFのプロジェクトは、エネルギー安全保障の観点からインドネシアの独立と庶民の生活を守るため、様々な専門分野を持つ人々が異業種交流を通じて知恵を出し合い、石油に代わる、より廉価で再生可能な代替エネルギーを探るというものだ。すなわちハッキング能力を駆使して気候に関する衛星データにアクセスし、高性能コンピューターで分析し、それをジョクジャカルタ近郊の農民たちに伝えつつ、彼らと干し草をエタノールに発酵させる技術を開発するのである。その過程は音声・映像で記録され、展覧会において「公開」され、ディスカッションが行なわれる。これが、HONFのアート作品なのだ。

新型コロナウイルス危機発生後には、「自宅からハック！」という新プロジェクトを始めた。これはパンデミックという非常事態に対して、「政府の対応は硬直的。機動性に欠け、経済優先で人命を軽視している」という不満から生まれたものだ。政府に頼るのではなく市民自身が自らのイニシャティブでウイルスの脅威から自らを防衛しようとHONFは提案する。「自宅からハック！」プロジェクトは、医療関係者、企業、デザイナー、科学者、NGO、ハッカーなどをデジタル上の共同体に結集し、互いにアイディアを出して意見交換しながら具体的な行動を起こそうというものである。具体的には、医療現場で不足している防護用具（ゴーグル、マスク、手袋）を、地元で利用可能な材料を活用して製作し、オンラインでのメンタルヘルスサポートのアクセス改善などを目指す。

ルアンルパやHONFの挑戦は、九〇年代以降現代美術の世界で語られる美術理論「関係性の美学」のインドネシア的実践と言えよう。三〇年間続いた息の詰まるようなスハルト強権体制の文化芸術統制政策、その間蓄積された自由な表現への希求が一挙にほとばしり出て、アートの域を超えて専門領域の境界を曖昧化し交流することによって、民主主義の土台となる「公共」を拡張させようというのである。

社会のデジタル化到来をいち早く論じたMITメディア・ラボ創設者ニコラス・ネグロポンテは、デジタル化の行方を以下の四点で予想した。

①より多くの情報がデジタル処理化。

②小型化による携帯可能なパソコンの出現であらゆるものがインテリジェント化。
③高度化したシステムを処理する人間に代わる「エージェント」の存在。
④ネット空間の検閲は不可、国境の意味が希薄化。

伊藤亜聖は、上記ネグロポンテの予想で唯一外れたのは④で、国家によるインターネット規制が強化されている状況を指摘している（伊藤亜聖『デジタル化する新興国──先進国を超えるか、監視社会の到来か』中公新書）。

インドネシアのデジタル化も、ネグロポンテの①〜③の普遍的特性を有するとともに、この国で進行中の宗教復興、市民社会の拡大とも共鳴し、独特の色彩を帯びるに至っている。デジタル化が進むインドネシア社会の政治面でステルス権威主義の色が濃くなり、非寛容なイスラーム一派のネット空間での「不信者狩り」が行なわれる一方で、逆バネが作動していることも、この国の行く先を考える上で見過ごせない。

第2部

社会・文化変容から見たインドネシア各地

第3章 西部ジャワ――アートとデジタル化で変貌を遂げるバンドン

本章から第12章までの第2部は、第1部で論じた「イスラーム化」、「デジタル化」、その他の現代インドネシアの変化が、どのような形をとって各地で現出しているのか、幾つかの州を選んで見ていきたい。

インドネシアの広大な領域には、三八の州が設けられている（二〇二三年八月現在）。このうち首都ジャカルタ、ジョクジャカルタ、アチェ、パプア諸州等九つの州には特別な地位が付与されている。たとえば後述する通り、ジョクジャカルタ特別州では世襲の王スルタンが知事をつとめ、アチェ特別州ではイスラーム法が施行されるという特例が認められている。第2部を通して読めば、インドネシアの地理的、社会的、文化的多様性を実感してもらえるのではないかと思う。まずは、インドネシアの中心であるジャワ島諸州から始めたい。

バンドンから始まる変革

西ジャワ州の州都バンドンは、ジャカルタから南東に一八〇キロ、タンクバンプラフ火山のふもとに広がる高原都市である。インドネシア中央統計局（BPS）によれば、二〇二〇年時点ではインドネシアにおいてジャカルタ、スラバヤ、ブカシに次いで四番目に人口が多い都会で、二四四万人が暮らす。二〇〇〇メートル級の山々に囲まれた盆地の標高は七〇〇〜八〇〇メートルあり、朝夕は熱帯と思えないほど肌寒いこともある。美しい自然に抱かれ、年中色とりどりの花が咲くこの街は、かつて「花の都」「ジャワのパリ」とも呼ばれたが、現在では人口増大に伴う居住環境の悪化、交通混雑、大気汚染等が深刻化している。

一九世紀、過ごしやすい気候に目をつけたオランダ植民者たちがこの地に移り住み始めた。コーヒー、茶、ゴム、薬草などのプランテーション農園が開かれ、これらの産品をジャカルタ港に運ぶための鉄道が一九世紀末には開通する。また軍の司令部がこの地に置かれたことは、後の軍需産業発達の萌芽となる。そして二〇世紀初めには蘭領東インド政庁はバンドンを行政都市として指定し、オランダ人専門家による都市計画に基づいて街づくりが始まった。この時期に繊維産業が興り、工場で働く職人、工員たちがこの地に集まってくる。

バンドンは、文教都市としても知られる。この国の最高学府バンドン工科大学をはじめとして、

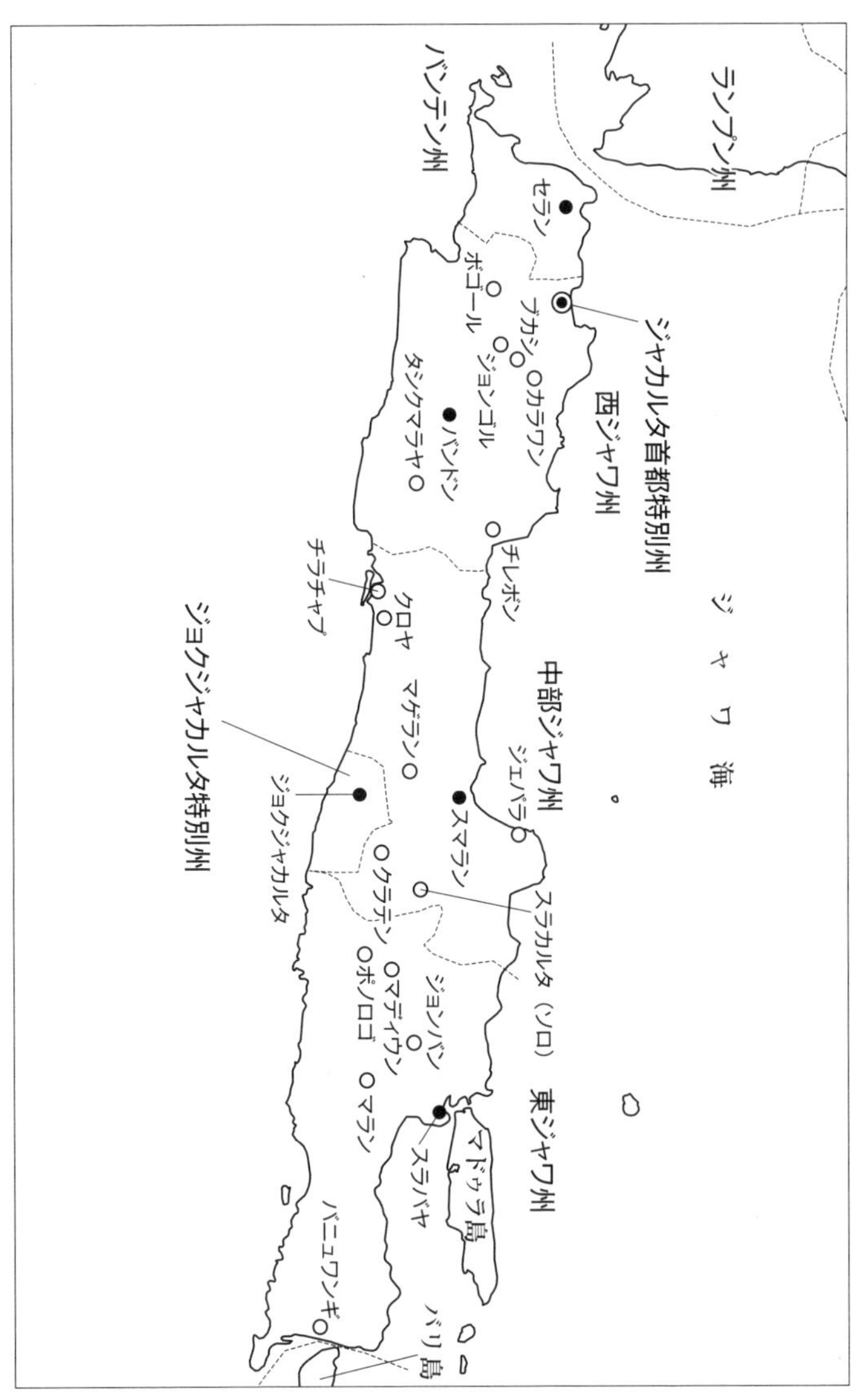
ランプン州
バンテン州
セラン
ジャカルタ首都特別州
ボゴール
ブカシ
ジョンゴル
カラワン
タシクマラヤ
バンドン
西ジャワ州
チレボン
チラチャプ
クロヤ
ジャワ海
中部ジャワ州
ジェパラ
マゲラン
スマラン
ジョグジャカルタ特別州
ジョグジャカルタ
クラテン
スラカルタ（ソロ）
ジョンバン
マディウン
ポノロゴ
マラン
東ジャワ州
スラバヤ
マドゥラ島
バニュワンギ
バリ島

パジャジャラン大学、バンドン教育大学、バンドン・イスラーム大学、パラヒアンガン・カソリック大学など二〇以上も大学があって、全国から若者が集まる。このような若者たちがこの国の新しい時代の扉を開くパイオニアの役割を果たしてきた。たとえばインドネシア独立の父スカルノは、バンドン工科大学を卒業するとすぐに反植民地運動を本格化させている。今日インドネシア社会に顕著なイスラーム化現象の起点とも言うべき、大学生たちによる宣教活動ダッワ・カンプスが、七〇年代後半に始まったのも、バンドン工科大学からである。同大学キャンパスに開設されたサルマン・モスクを拠点とするイスラーム主義的学生運動は、全国各地の大学に拡散し、後にスハルト強権体制を覆す民主化勢力の一翼を担うことになった。

そして今再びバンドンから、インドネシアの未来のあり様を変えるかも知れない社会変革の試みが始まっている。民主化、地方分権化、デジタル化の時代を生きる青年たちが、バンドンという大都市を従来にない手法を使って変革しようとしているのだ。その手法とは「創造都市」という文化政策である。

英国発の「創造都市」論

「創造都市」とは、衰退した都市を再活性化させるためには文化芸術の生み出す創造力が不可欠という考え方で、重厚長大産業が曲がり角を迎えていた二〇世紀末の欧州において実践が始まった政策論である。この概念を提唱した英国の都市計画者チャールズ・ランドリーは、都市の再生というとインフラ投資、産業誘致といった経済的側面に目を向けがちだが、人々に希望やインスピレーションを与える魅力的な「物語」こそ不可欠で、そうした魅力的な「物語」を作ることが都市の再生につながると論じた。かつて産業革命をリードした英国バーミンガムは産業構造の転換により工場の生産停止、失業者の増大、貧富格差の悪化等に悩んでいたが、これら産業施設を、アートの創造・発信・交流の場へと作りかえることでブランド・イメージを一新し、観光客を集め、新たな投資を呼び雇用増加につなげることに成功したのである。

この創造都市論は、二一世紀はじめ都市経済学者の佐々木雅幸によって日本にも紹介され、二〇〇二年一二月一七日、日本で初の「創造都市」に関する国際シンポジウムを国際交流基金が開催している。

佐々木は、「創造都市とは、市民の創造活動の自由な発揮に基づいて、文化と産業における創造性に富み、同時に、脱大量生産の革新的で柔軟な都市経済システムを備え、グローバルな環境問題や、あるいはローカルな地域社会の課題に対して、創造的問題解決を行なえるような『創造の場』に富んだ都市」と総括し、近代産業遺産を市民参加型の芸術センターに再生した「金沢市民芸術村」などをあげつつ、日本の風土にあった創造都市のあり方を論じた。

その後日本において、創造都市論を具体的な政策として取り上げる地方自治体が横浜や金沢、神戸など増えて、文化庁もこれに注目し、二〇〇四年から「創造都市ネットワーク」事業をスタートさせている。

バンドンのユネスコ創造都市ネットワーク加盟

二〇〇七年に横浜市で開催された国際会議に創造都市としてバンドンが招待されたことが一つの契機となって、インドネシアにおいて創造都市論への注目が高まった。

国連教育科学文化機関（ユネスコ）は、二〇〇四年に「ユネスコ創造都市ネットワーク」を創設し、創造性を核とした都市間の国際連携を進めている。九〇ヵ国以上の二九五都市が加盟し、七分野（文学、映画、音楽、クラフト＆フォークアート、デザイン、メディアアート、食文化）のいずれかに分類されるのだが、二〇一五年一二月バンドンはデザイン分野でこのネットワークへの加盟が認められた。ちなみに日本からは二〇二一年時点で、神戸市（デザイン）、金沢市（クラフト＆フォークアート）、札幌市（メディアアート）、鶴岡市（食文化）、浜松市（音楽）。山形市（映画）など一〇都市が加盟している。

ユネスコによれば、バンドン経済の五六％はデザイン関連産業であり、ファッション、グラフィック・デザイン、デジタル・メディアがこの地域の創造経済を牽引する主力産業である。ユネスコ創造都市ネットワーク加盟を契機に、バンドン市当局は創造都市政策を推進し、創造産業を育成し、また都市ブランドを高めて観光資源の開発、整備を進めている。近年新たな観光名所がバンドン市内に姿を現しつつある。いくつかの事例を示そう。

創造都市バンドンの象徴とも言うべき場所が、バンドン・クリエイティブ・ハブ（BCH＝Bandung

バンドン・クリエイティブ・ハブ（BCH）(Bagian Administrasi Pembangunan, Sekretariat Daerah, Kota Bandung)

Creative Hub）である。カラフルな緩い斜線を組み合わせた外観が街行く人の目を引くこの建物は、二〇一七年一二月に落成した。バンドンの創造を担う様々なセクターの人々が集い、交流し、新たな創作活動を行なう拠点となることが期待されている。中にはデザインショップ、映画館、ファッションスタジオもあり、ビルの最上階にはカフェテリアと自撮りスポットが設けられている。

バンドンの若者たちに創造的なアイディアを表現する場を提供しよう、とBCH建築のイニシャティブをとったのが、自らが建築家でもあるバンドン市長リドワン・カミルである。「クリエイティブは最終成果物よりも創作のプロセスが重要。成功もあれば失敗もある。失敗でもいいから、予想もしないような作品が出来上がることを期待している。インドネシアのみならず世界に通用するバンドン発の創造経済がここ

ダゴ・ポジョックの「創造カンポン運動」（Kampung Wisata Kreatif Dago Pojok）

から発信されていくことを期待している」と、若い市長は落成式でお祝いの言葉を述べた。

もう一つの事例は、もっとユニークだ。貧困層が暮らす劣悪な住環境地区を、アートな発想で、外から観光客がやってくるお洒落な場所に作り変えたのである。その場所とは、再開発によって都心部からはじき出された下層階層の人々が移り住んでいるダゴ・ポジョックのカンポンである。カンポンとは村や都市部の下町的情緒が残る地域を指す。二〇〇〇年代から、この町に目をつけた芸術家たちが、アートを使って生活環境を改善する「創造カンポン運動」を始めた。

芸術家ラフマット・ジャブリルは、このカンポン住民と話し合いながら、うらぶれたカンポンを、創作の活気があふれた「クリエイティブ・ビレッジ」（芸術村）へと変身させた。ここにやってきた観光客は、細い坂道を下って路地に入っていくと左右の家屋の外壁に描かれた壁画、落書きに目を奪われる（写真）。

建物の中を覗いてみると、絵画、彫刻などの創作活動が行なわれていて、完成した作品を販売するショップもある。希望すれば、スンダ地方の伝統舞踊ジャイポンや武芸プンチャク・シラット入門コースを受講するのも可能だ。

ダゴ・ポジョック・クリエイティブ・ビレッジは、地域住民が主体的に運営管理する草の根文化運動なのである。ラフマット・ジャブリルは、すべての人間は芸術的精神を宿しており、それを生かせばどんなカンポンにも付加価値をつけることができる、と信じている。創造都市を目指す行政当局は、ダゴ・ポジョック・クリエイティブ・ビレッジを、推奨する事例と認定し、他の三〇のクリエイティブ・ビレッジの取り組みに拡げようとしている。

辣腕大臣の創造経済論

コミュニケーション論研究者プラユディらによれば、インドネシアが創造都市政策に関心を持つ背景にあるのが、二〇〇四年地方統治法が定めた地方分権化の原則である。この法は、外交、防衛、通貨、宗教等の政府専管事項を除く、中央から地方政府への権限および財政の大幅な移譲を規定している。地方の首長は、自らの才覚で財源を捻出し、独自の政策を追求する自由を得たのだ。

いずれもバンドンで開催された二〇〇五年第三回アジア・ヨーロッパ・アート・キャンプおよび

〇六年アルテポリス会議において、創造都市論がインドネシアに持ちこまれて、議論された。

この政策論に対して、中央政界で敏感に反応し、地方自治体での政策導入の旗振り役をつとめたのが、ユドヨノ政権の商業大臣であったマリ・エルカ・パンゲストゥである。インドネシアを代表する外交・安全保障系の民間シンクタンク・戦略国際問題研究所（CSIS＝Centre for Strategic and International Studies）で国際経済を分析する研究員だった彼女は、〇四年に商業大臣に抜擢され、やり手の大臣として政界で力をつけていた。その彼女が、これからのインドネシア経済の牽引車となるのが創造経済であると主張し、ユドヨノ大統領は一一年内閣改造において、文化観光省を観光創造経済産業省に改編し、マリを担当大臣に据えた。インドネシアは英国に次いで世界で二番目に省の名称として「創造経済」を冠する行政機構を創設した国となった。

インドネシアの魅力を海外に発信するスポークス・パーソンたるマリ大臣は、「創造産業」を、「個人の創造性、技芸、才能を生かして創造力、刷新力を強化し、経済的価値を付加し、雇用を創出する産業」とみなし、インドネシアは創造産業振興において比較優位性あり、と主張した。

彼女が挙げる比較優位性とは次のような点だ。

豊富な文化・伝統、国民の五〇%が年齢二九歳以下であるという人口ボーナス、拡大する中間層、彼らのあいだに浸透するソーシャル・メディア。

このような優位性を生かして、「創造産業」を、①メディア、②アートと文化、③デザイン、④科学技術の四分野に分類し、それぞれの分野の特性に基づいた強化策をとる、とマリ大臣は宣言している。

なぜ、国が創造産業に関わるのか。彼女は①経済効果、②ビジネス風土、③国家ブランディング・アイデンティティー、④繰り返し使用可能な資源、⑤イノベーション、⑥社会的影響度をあげている。

例えば経済効果に関して、マリの試算では二〇一〇年時点で、創造産業は既にインドネシアGDPの七・三%、全雇用の七・八%、輸出の九%を占めている。「創造産業」は新しいアイディアや技術を持った人材を集積させ、新しい都市を生みだすとして、マリはシリコンバレーやインドのベンガルール（旧称＝バンガロール）を例にあげる。インドネシアでそのような創造都市になる潜在力を持っていると彼女が考えているのが、ジャカルタから高速道路で二時間、高原の文教都市バンドンである。ITに強い理工系大学生や芸術家の卵たちが多く集まるバンドンは、インドネシアの「ベンガルール」になりうる可能性がある。

創造都市を牽引する市民派建築家

マリの呼びかけに対して、地域の市民社会から呼応する地方リーダーがいた。そのうちの一人は、現在のインドネシア共和国大統領であるジョコ・ウィドドだ。政治家としてスタートを切ったソロ市長時代の業績としてあげられるのが、古都ソロの洗練された伝統文化イメージを前面に打ち立てて内外に発信し、次々と国際会議を誘致し、来訪者向けのホテル整備、街づくりや、新空港建設な

2015年、ブリティッシュ・カウンシル本部を訪問したリドワン・カミル市長（右）（Republika）

どの整備を進めたことである。また大方の予想を覆して当選を果たした二〇一二年ジャカルタ知事選挙では、ソーシャル・メディアを駆使した巧みな選挙戦で、若者・庶民層を味方につけることに成功した。文化芸術への政治的嗅覚とＩＴマインドを持つジョコ知事は「インドネシアのオバマ」と呼ばれた。二〇一四年の大統領選挙においても創造産業の強化を公約に掲げた。

もう一人、ソロ市長のジョコと並んで創造都市政策の地方の旗手となったのが、バンドンのリドワン・カミルだ。

ミレニアム世代のリーダー、リドワン・カミルは一九七一年にバンドンで生まれた。父はパジャジャラン大学、母はバンドン・イスラーム大学の教員という学者一家の次男である。この街で育ったカミルは、バンドン工科大学（ＩＴＢ＝Institut Teknologi Bandung）で建築工学を学んだ。前述した通り、バンドン工科大学は初代大統領スカルノも卒業した、インドネシアのトップエリートが学ぶ名門大学である。また創造都市政策の関連から重要なのは、この大学には美術学部が開設されていて、国立芸術院ジョクジャカルタ校（ISI＝Institut Seni Indonesia）と並んでインドネシアの美術界を担うアーティスト、評論家、キュレーター、教育者を輩出してきたことである。ITB在学中アートを身近なものと感じる環境で学んだことが、リドワンに創造都市論に目を向けさせた要因の一つと言えよう。

リドワンはさらに米国カリフォルニア州立大学カリフォルニア校で学び、二〇〇一年に修士号を取得して帰国した。卒業後数年間香港で建築家として働き、都市問題を解決するための都市計画の手法を学んだ。この時期に、創造都市論に大きな影響を与えたリチャード・フロリダの「クリエイティブ・クラス」論から大きな刺激を受けた、という。その後、〇四年にバンドンに戻り、仲間たちと建築事務所「ウルバン」を創設した。ウルバンの斬新な建築は内外で高く評価され注目を集めたが、中でも建築家としてのリドワンの代表作は、スマトラ島西北端バンダ・アチェ市にある津波博物館であろう。博物館であるのみならず、津波犠牲者への追悼と地域の防災拠点を兼ね備えた独創的な建築として国際的に知られている。

そしてリドワンの将来性に目を付けた英国の公的文化交流機関ブリティッシュ・カウンシルが、リドワンを創造都市論の本格的な実践へと誘った。ブリティッシュ・カウンシルは、日本の国際交流基金が創設の際に参考モデルの一つとした機関で、一九三四年に創設され、文化芸術、英語、教育交流を通じて、英国と世界をつなぐことを目的に活動している。政府からの補助金を予算の一部としているが、政府とは一定の距離を保っている。

二一世紀に入ってから、同カウンシルはランドリーらが提唱した創造都市論をアジア諸国との交流の重要テーマに位置付けていたが、〇六年にリドワン・カミルに「国際若手デザイン起業家」賞を授与、英国の創造都市実践を視察する機会を提供し、さらに〇七年にはバンドンを、ソロ、ジョクジャカルタとともにインドネシアの「創造都市」と認定して、担い手の育成、研修やネットワーク作り等を支援するプログラムを開始した。

ブリティッシュ・カウンシルがインドネシア諸都市の中からバンドンを創造都市に選んだ理由は、植民地時代から文化と教育の都として発展し、才能ある若者が集まってくること、繊維産業などの地場産業があり熟練の職人がいること、しかしながら貧富格差の拡大、乱開発による環境破壊などの問題を抱えており、これまでとは違ったアプローチでの取り組みが求められていること等からだった。ランドリーは、創造都市を形成する上で不可欠なのは当事者の危機意識、魅力的なリーダーの存在、様々な階層・専門分野を背景とする人々の主体的な参加、と論じているが、ブリティッシュ・カウンシルがリドワンに賞を与え、英国訪問の機会を提供したのは、彼がバンドンを創造都市に作り変えていくリーダーとなる可能性を見出したということを意味しよう。その期待に、リドワンは応えていく。

まずリドワンが仲間たちと取り組んだのが、バンドン市内の創造都市の担い手たちのネットワーク化であり、そのハブ機能を担うものとして〇八年に「バンドン・クリエイティブ・シティ・フォーラム」（BCCF＝Bandung Creative City Forum）を組織する。実際、BCCFには、ブリティッシュ・カウンシル、地元起業家、アーティスト、ミュージシャン、デザイナー、建築家、法律家、学者、メディア関係者、NGOなど多様な顔ぶれが集まり、創造的なアイディアを出し合い、これを共有し、具体的な実践に近づけた。BCCFは、創造都市コミュニティーのハブ機能を果たしたのである。

バンドン市当局のBCCFに対する評価は高く、二〇一八年にバンドン市創造経済委員会はBCCF一〇年の歩みをふりかえって、「BCCFはバンドン市民にバンドンが創造都市となる潜在力を持つことを自覚させ、行動を起こさせることによって、ユネスコがバンドンを創造都市に認定する成功への道を開いた。ユネスコの認定は、バンドンの中央政府に対する交渉力を高めたし、よしんば認定されなかったとしても、BCCFが集めたデータは我々に創造都市たりうる自信を与えてくれた」と評価している。

BCCFからは、様々なプロジェクトが起動した。BCCFが地元住民と始めた「ヒューマン・レギーナ・プロジェクト」は、人々に都市の森を身近に感じてもらうというもので、地元レストラン屋台の出店、写真コンテスト、ジャズバンドの野外演奏などが行なわれる。BCCFは、より大規模なイベント「ヘラルフェスト」を〇八年から毎年開催している。様々な創造活動の担い手が集結し、その活動を市民にアピールすることで、創造都市の取り組みを広くバンドン社会に普及することを目的とするものである。

金悠進はリドワンら新世代政治家の台頭を分析した論文「『創造都市』の創造」(『東南アジア研究』京都大学東南アジア地域研究研究所)の中で、二〇一二年に開催された「ヘラルフェスト」に注目している。このフェスティバルは、「公共空間」をテーマに、「森」「公園」「カンポン」「河」の四つの公共空間をめぐるプログラムを設定し、アートや音楽の様々なイベントが行なわれた。金はこの四つの公共空間に関して貧困層などもアクセスできる空間であることに注目し、リドワンらBCCFの「意識改革のターゲットが、中間層に限定されたものではなく、貧困層にまで波及していることを意味するもの」と指摘した。二〇一二年のフェスティバルが、翌年の市長選挙に立候補することを予定していたリドワンにとって、BCCFを通じて取り組んだ改革成果を市民にアピールする機会となったと、金は評している。

市民参画型政治を主導するバンドン市長

BCCFでの創造都市プロジェクトの成果により、従来の利権がらみの「政治屋」とはかけ離れた、市民の中から登場した清新な青年政治家像を前面に出した選挙戦を戦い、四五％の得票を得て、リドワン・カミルは二〇一三年九月にバンドン市長に就任した。ここでも創造都市政策の手法を駆使して成果をあげ、改革派の新世代政治家としてリドワンの名は全国区となった。その勢いに乗って、二〇一八年西ジャワ州知事選に勝利し、さらにキャリアをアップさせた。今や未来のインドネシア大統領候補として数えられるまでになっている。

バンドン市長時代、リドワンはBCCFで学んだ創造都市の手法を公共政策に取り込み、これを市政の目玉に据えることで市民からの支持獲得に成功した。前述したバンドン・クリエイティブ・ハブの創設は、彼の創造都市政策の総仕上げと言えるべきものであるが、上意下達型から双方向型

リドワン・カミルのインスタグラムに発表された「日曜敬老プログラム」（ANTARA）

へと行政と市民の関係性を変えたことも創造都市的な政策手法であった。転換のカギとなったのは、デジタル政策に他ならない。リドワンは、ジョコ・ウィドド同様にデジタル化の政治的含意をいち早く理解し、フェイスブック、インスタグラム、ツイッター、ユーチューブ等のソーシャル・メディアをコミュニケーションの道具として駆使して、改革を進めた。

リドワン市長がSNSを活用して始めた取り組みの事例を幾つか挙げたい。「日曜敬老プログラム」（写真）は、日曜に若者が身寄りのない老人を訪問し、彼らの話し相手となる青年ボランティア事業である。

リドワンはバンドンの若者たちに向けて「お年寄りは幸せに生きる権利がある。この国は社会を良くするために存在するのだ。若者よ、女性の地位向上、子どもの権利の保護、お年寄りの幸せ、地域社会の絆を強固なものにするために、週末の一日を割いてみないか」とSNSで呼びかけた。一三〇〇人を超えるボランティアがこの呼びかけに応じた。

市民参加型のごみ拾い運動の提唱もリドワンらしい。バンドンの廃棄物処理問題を解決するためには、市民の自覚、積極的行動が必要で、ポイ捨て文化を改めないといけないとして、SNSを通じて「毎週月、水、金の三〇分、皆でごみを拾いましょう。身のまわり、一〇〇〜三〇〇メートルです。バンドンの人々が自分たちの街を愛するために新たな行動を起こすことを願っています。簡単なことです」と市民に向かって呼びかけた。このように創造都市で培った市民参画型の運動組織化のノウハウがいかんなく発揮されている。

市役所の窓口で市民に応対する「待ちの行政」を改め、行政サイドが地域社会の中に足を踏み入れて行政サービスを提供するという、これまでのインドネシアのお役所文化を変えるような取り組みも進められた。たとえば、大病院の医療スタッフの配備を見直し、医師八七人、助産師一八四人含む一五九八人の医療スタッフを、より地域社会に近いバンドン市内八つの医療拠点に再配置し、電話一本で最寄りの拠点から救急患者の自宅へ医療チームがバイクにまたがって駆けつけるというシステムを作った。バイク救急車というアイディアは市民から出たものだ。

市民向け移動式お悩み相談所「KEKASIH（＝Kendaraan Konseling Silih Asih）」プログラムも同様の発想で、ピンク色の専用車に乗り込んだカウンセラーが移動しながら、市内の公園で市民の心のお悩み相談に応じるというもので、リドワン市長は、そもそも他都市と比較するとバンドン市内の自殺発生件数は少ないが、自殺発生ゼロを目指す、と打ち上げた。

他方、リドワンが打ち出した新機軸の市民参画型の政策には、バンドン市民のエスニック感情やイスラーム教徒としての宗教意識を高揚させるものもある。

西ジャワ州は、スンダ語をしゃべるスンダ人が居住する地域であり、バンドンはスンダ文化の中心都市である。スンダ人はジャワ人に次ぐインドネシア第二の人口規模のエスニック集団だ。リドワンが市長に就任して始めた「ルボ・ニュンダ」プログラムは、週に一日スンダ語でコミュニケーションを行なうことを奨励するプログラムで、市役所の公務員は毎週水曜にスンダ民族衣装の制服を着用することが義務付けられた。中央集権的なスハルト体制では考えられなかった、地方分権化が進んだことを感じさせるプログラムである。もしリドワンが将来大統領に就任することとなったら、スンダ人初のインドネシア大統領ということになる。こうした要因もバンドン市民のエスニック感情をくすぐるものと言えるだろう。

またリドワン市長が二〇一六年に立ち上げた「マグリブ・メンガジ（日没礼拝クルアーン学習）」プログラムは、市内の子どもたちに夕方になったら最寄りのモスクに行って日没礼拝し、クルアーンを学ぼうというものである。バンドンには夕方になったら日没礼拝をしてクルアーンを暗唱する文化があったが、多忙な現代にあってそうした美風が損なわれつつあるとリドワンは語り、「みんなでクルアーンを朗誦し、地域のモスクを繁栄させよう」と呼びかけた。言うまでもなく、元々イスラーム色が強いスンダ社会においても「イスラーム化」現象が進行していることが、このプログラム立ち上げの背景にある。

バンドンは人権都市足りうるか

双方向型コミュニケーション・ツールのSNSを使って市民の公益への貢献を促し、これを運動へ転嫁していくことによって、政治的実力を蓄え台頭してきたのが、新世代政治家リドワン・カミルであり、その原点にあるのが創造都市論との出会いであることを見てきた。追い風となったのは、九〇年代末からのインドネシアの民主化、地方分権化、デジタル化、グローバル化潮流なのだが、こうした潮流は今日世界各地に見られるように、ポピュリズムに堕し、他者に非寛容な社会に傾斜するリスクも含んでいる。バンドンにもその傾向が出てきていることを最後に付け加えておきたい。

二〇一五年一二月一〇日、バンドン市のリドワン・カミル市長はバンドン人権憲章に署名し、同市がすべての市民の人権を守るために行政は責任を果たしていくことを誓った。同憲章一一条は全市民の信教の自由を保障し、宗教に起因するあらゆる種類の非寛容、差別、憎悪は排除する、と規定している。続いて同一二条は、地方政府は前条に規定した信教の自由と守る義務を明示している。

しかし、バンドン人権憲章の精神に反するような事態が続発している。一六年一二月、キリスト教徒を敵視する集団がクリスマス礼拝を行なっている教会に乱入し、牧師の説教を妨害した。警察が彼らの狼藉を止めようとしなかった、という証言もある。一七年にはバンドンにあるインドネシア教育大学が入学生に対し、学内でLGBTに関連する学生活動を禁じる旨の通達を出した。イスラーム内部の少数派であるシーア派やアハマディア派に対するいやがらせ、暴力も報告されている。

前述したリドワン市長の「マグリブ・メンガジ」運動は、イスラーム覚醒が進行するバンドン主流派イスラーム市民の共感を誘い、一体感を演出するものであるが、その共感の輪の外にいる宗教少数派の人々の人権をいかに守るのか。この問題を解決するためにも、創造都市の創造力あふれるアイディアが求められている。

創造都市論を提唱したチャールズ・ランドリーは、多文化の共生を求めるコスモポリタンな展望が創造都市には必要と語っている。まさにこの観点から、リドワン・カミルの創造都市ビジョンが本物か否か、問われているのである。

第4章　中部ジャワ——ジャワ文化本場のイスラーム女性組織に見る多様なジェンダー言説

ジャワ・アイデンティティーの退潮

私は、軍を中心に強権体制を敷いたスハルト第二代大統領政権の絶頂期、一九八九年から九三年まで、国際交流基金ジャカルタ日本文化センター職員としてインドネシアに駐在し、この国と日本との文化交流の最前線にいた。そして二〇一一年から一六年まで同センター所長として二度目の駐在を経験した。初回と二回目の駐在を比較して、一八年の時間経過の中で大きな変動がインドネシア社会の中に生じていることを実感する。

まず政治面では、一九九八年にアジア通貨危機が引き金となった混乱の中で、盤石と考えられていたスハルト体制が崩壊し、民主化が始まったことはよく知られている。個人的感覚なので数量統計的に立証することは難しいのだが、この政治体制転換と連動する変化が文化面でも起きているように思われる。すなわちジャワ文化を庇護するとともに政治利用したスハルト大統領の退陣に伴い、インドネシアの国民意識の中でジャワ文化の存在感が減じ、代わってイスラームの存在感が高まっている、第1章に記した社会の「イスラーム化」という変化だ。

そもそも多様性大国インドネシアの中でエスニック集団的にはジャワ人(四〇%)、宗派的にはイスラーム教徒(八七%)が最大多数の主流集団をなす。他の多民族・多宗教国家の国家設計を眺めてみると、主流集団のアイデンティティー源(言語や宗教)を国語や国教と定める例が少なくない。しかしインドネシア独立の父たちはあえてジャワ語を「国語」、イスラームを「国教」とする選択肢をとらなかった。すなわち、ジャワ語ではなく誰もが学びやすいマレー語を「インドネシア語」と呼び「国語」と定め、国教を定めず個人の信教の自由を保証する世俗主義的な国家原則「パンチャシラ」を立てることにした。絶妙のバランス感覚だ。

とはいえ、独立後の新国家においてジャワ文化の存在感は大きかった。ジャワ文化は、土着の信仰と外来の仏教・ヒンドゥー教、さらにイスラーム教が融合した複雑な習合文化である。発達した敬語法、秘儀の世界として形成された文芸、優雅な礼儀作法、ガムラン音楽・影絵芝居(ワヤン・クリット)などインド文明の影響下で発達した高度な宮廷文化がイスラームとも習合し独特の世界を形成しているのが、ジャワ文化の特色である。マタラム王国の王都があったジョクジャカルタやソロが、ジャワ宮廷文化の中心地で、日本人はこの二都市を「インドネシアの京都」と呼ぶ。

首都ジャカルタでも一九八〇年代頃には、どこかの街角にガムランの音色が流れていたし、財力ある一家の邸宅では、彼らの勧進のもとに生の「ワヤン・クリット」が上演されていた。八〇年代ジャカルタにおいて、ジャワ文化の確かな存在感を感じられたのは、時の権力者の庇護があったことも大きい。スハルト大統領は、ジャワ文化の色濃い中部ジャワ、ジョクジャカルタ近郊の農村出身である。貧しい村の水利役人の息子として生まれた彼は、生涯ジョクジャカルタやソロの王侯貴族にコンプレックスを持ち続けつつ、ジャワ文化を自身の統治にも最大限活用した。この時代は、①ジャワ人、②イスラーム教徒、③軍人、という三要素を満たしていないと大統領にはなれない、と言われていた。かつて米国で、大統領はＷＡＳＰ（白人・アングロサクソン・プロテスト）からという暗黙の了解が存在していたのと同じだ。

ジャワ的価値観からすると、目下が目上に率直な物言いをするのは失礼、粗野とみなされ、ジャワ人の対人関係では敬語、婉曲表現、相手の心を読むことが奨励される。こうした文化的特性は、上下関係の厳しい軍が社会の隅々まで管理・支配するスハルト体制において、少なからぬ利用価値があるものと考えられた。かくしてジャワ文化はインドネシア文化の中心の位置に据え付けられ、インドネシア国民文化を代表するものとして内外に発信されていた。

統治の後期になるとイスラームへの傾斜を強めたスハルト大統領だが、その前半は彼自身ジャワ神秘主義の影響を受けていた。スハルトは各所で演説する際に、しきりにジャワ哲学を引用し、「目上の人を敬え」と説いていた。

しかし、スハルト政権が倒れた後、民主改革が進んだ二度目のインドネシア駐在時代、私がジャカルタで感じたのは、ジャワ文化は後景に退いた、ということである。市内をぶらぶら歩いても、ガムランやワヤンなど「ジャワ的なるもの」に出会う機会がめっきり減ってしまった。

階級意識の強いタテ型社会である軍が国民生活を監視していたスハルト時代の強権支配から、率直な議論、雄弁が好まれる民主主義体制へと転換したことが、「ジャワ的なるもの」が存在感を弱めた要因の一つであろう。独立後七〇年間の国造りのプロセスで、教育やメディアを通じた国民意識の醸成によってインドネシア語が国民の間に浸透し、それと反比例するようにジャワ語空間が縮小したこともあげられよう。

さらに今日、大衆社会の出現、お手軽なもの、理解されやすい文化が重宝される風潮の中で、受容する側の理解力、感応性の高さが求められるジャワ文化は時代の流れに合わなくなっていることも、退潮の理由と言えるかもしれない。

ジャワ・アイデンティティー退潮の今世紀初頭二〇年間は、大量のヒト・モノ・金・情報が国境を越えて移動するグローバリゼーションが進展した時代でもあった。グローバリゼーションの出発点である米国文明への同化圧力が増すと、これに反発するように独自性、異化を求めるベクトルが強まることも明らかになってきた。インドネシアにおいても、同化と異化の作用がせめぎ合っている。

欧米近代文化への画一化にいかに抗していくか。ジャワは陰影深く、玄人好みの文化であるが、その深奥性ゆえに万人にわかりやすいとは言えない。それゆえに、ジャワ文化は、ジャワ人以外の国内他エスニック集団（たとえばアチェ人、ミナンカバウ人）にとってみれば、グローバリゼーションへの対抗軸としてのアイデンティティーの源泉には採用しにくい。他方、イスラームは世界宗教であると同時に、一つの普遍的な文明でもあるので、インドネシアの諸エスニック集団が自らのアイデンティティーに吸収しやすい性質を持っている。

ジャワ・アイデンティティーの退潮、イスラーム・アイデンティティーの前景化現象は、このようにグローバリゼーションの帰結という観点から説明できるかもしれない。

ここで留意するべきは、一口に「イスラーム・アイデンティティー前景化」と言っても、その意味するところは実に多様であり、かつダイナミックに変化している、という点である。

そこでここからは、ジャワ文化の中心地である中部ジャワのイスラームに注目し、イスラーム女性組織の言説を例に、その多様性と変化をスケッチしてみたい。

インドネシア女性ウラマー会議の創設

ジャワ世界におけるインドネシア・イスラームのダイナミックな変化を感じさせる出来事として、二〇一七年四月二五日から二七日まで西ジャワ州チレボンで開催された第一回「インドネシア女性ウラマー会議（KUPI＝Kongres Ulama Perempuan Indonesia）」を挙げうる。非イスラーム圏にあっては、イスラーム教徒の女性に関して「旧態依然たる男尊女卑のイスラーム教によって自由を奪われている可哀そうな人々」というステレオタイプ・イメージがついてまわる。インドネシアの世論を動かす実力を持つKUPIの創設は、この種のステレオタイプを変えるインパクトを孕んでいる。

この会議設立の背景や意義について、インドネシア・イスラム研究者の見市建が論考「インドネシア女性ウラマー会議（ＫＵＰＩ）『公式資料：過程と結果』―解題と抄訳」で詳しく解説している。（『アジア太平洋討究』40、早稲田大学アジア太平洋研究センター）

設立総会には、インドネシアのイスラーム女性組織メンバー、研究者、教育者、ＮＧＯリーダーが出席したほか、マレーシア、パキスタン、サウジアラビア、ケニヤ、ナイジェリアなど一五ヵ国の女性イスラーム指導者も出席した。インドネシアに駐在するアフガニスタン大使の姿もあった。

「イスラーム教義は女性差別的」という従来の議論を否定し、「イスラームこそ人間解放の宗教」と捉え直し、イスラーム教義に基づいてジェンダー平等を達成しようと主張する女性のウラマー（イスラーム指導者）が結集し、ネットワークを強化することで、インドネシア政府や既存のイスラーム権威への働きかけを強めよう、という狙いからＫＵＰＩは設立された。ＫＵＰＩは以下の四点を目標に掲げている。

①イスラームとインドネシア国家の歴史における女性ウラマーの存在と役割を社会に認知させること。
②イスラーム的・民族的・人道的価値を促進するために、内外の女性ウラマーが女性のエンパワーメントと社会正義に関する経験を共有する場を設けること。
③女性と人類文明の発展に関する女性ウラマーの経験と貢献を共有すること。
④イスラームの人類愛の精神に基づき、現代の諸問題に対するインドネシア女性ウラマーの宗教見

インドネシア女性ウラマー会議（KUPI）第2回総会（KUPI）

解を形成すること。

KUPI第一回総会はさっそくインドネシア社会を動かす成果を出した。たとえば、女性の結婚最低年齢を一六歳と定めた一九七四年の婚姻法の改訂を提案したところ、憲法裁判所が一九七四年婚姻法を違憲とする判決を下し、女性の結婚最低年齢は一九歳に引き上げられた。子どもの権利を守る観点から問題視されている、児童婚を終わらせるためのKUPIの提案を、国連児童基金（ユニセフ）が「画期的な出来事」と歓迎の意を表明した。

KUPIの第二回総会は、二〇二二年一一月二四日から二六日まで中部ジャワのジェパラで開催された（写真）。

創設以来の成果に自信を深めた女性ウラマーたちは、よりリベラルな方向に運動を進めている。この会議に採択された八つの提案からも、ジェンダー平等指向がうかがえる。その提案とは、次の通りである。

①政府および市民社会はKUPIをパートナーとして認知し、協働を進めるべきである。

②政府は家父長主義的言説下において性的暴力の犠牲者が苦しんでいる状況を改善するために法整備を優先事項として取り組むべきである。

③ゴミ問題は深刻な環境悪化をもたらしており、政府、市民社会は最重要事項として取り組むべきである。KUPIは信仰の観点から政府、市民の取り組みを支援する。

④女性が過激主義、急進主義の犠牲者となっている。政府、市民社会は、過激主義からあらゆる市民を守るべきである。KUPIは地域において、グローバルレベルでも平和を築く取り組みを進める。

⑤児童婚は女性に対する不正義であり、政府はこの悪習を断つために、市民社会と連携つつ法規制を強化すべきである。KUPIは女性の立場から児童婚を止めるための宗教的言説を強化する。

⑥女性器切除（FGM＝Female Genital Mutilation）は、女性の尊厳の観点から宗教的禁止行為（ハラム）である。医療処置の伴わないFGMを断つために、政府はこれを厳禁とする法整備を検討すべきである。

⑦イラン、アフガニスタン、ミャンマーで起きている人道危機に関して、政府は積極的に平和構築に取り組むべきである。KUPIは、イスラームは人類愛の宗教であるという信念に基づき宗教言説を発信する。

⑧ＫＵＰＩは社会のエリート層のみならず、地域共同体レベルでも活動を強化する。

ジョクジャカルタにおける主要イスラーム女性組織

国立イスラーム大学スナン・カリジャガ校でジェンダー学を教えているアリマトル・キティーヤ教授は論文「ジェンダー論争と社会認識」において、ジョクジャカルタで活動している三つの主要イスラーム女性組織、すなわち「アイシャ」「ムスリマート・ナフダトゥル・ウラマー」「ムスリマート・ヒズブ・タフリール・インドネシア」のジェンダー言説を分析している。

ジャワ文化の本場ジョクジャカルタは、後述する「インドネシア女性会議」第一回がこの地で開催されるなど、二〇世紀前半からインドネシアの女性運動の中心地でもあり続けてきた。そして現在もこの地のイスラーム内部でジェンダー平等とイスラーム教義の関係性について活発な議論が行なわれている。キティーヤの論考に拠りながら、ジョクジャカルタのイスラーム女性組織のジェンダー言説を幾つかの論争点に絞って見てみたい。

最初に、利光正文の論考「インドネシアにおけるムスリム女性のイスラーム改革運動に関する覚書」（『史学論叢』34）を参照してアイシャの沿革と活動を概観したい。アイシャは、インドネシア第二のイスラーム組織ムハマディヤ傘下の女性組織で、一九一七年に創設された。ムハマディヤがイスラーム近代改革派組織であることも反映してか、アイシャも主要イスラーム女性組織の中でもジ

1828年のアイシャ（Yayasan K.H. Ahmad Dahlan）

ェンダー平等に関して最も積極的な姿勢をとっている。

アイシャはムハマディヤ設立五年後に創設された。組織名称アイシャは、預言者ムハンマドの三番目の妻アーイシャに由来する。アーイシャは、ムハンマドの死後、彼の言行録（ハディース）を三〇〇以上も残した聡明な女性として知られるとともに、その明晰な頭脳と行動力で政治にも関わったとされる。現代のムスリム女性が社会参加を論じる時に、よくモデルとして引用される歴史上の人物である。

ムハマディヤ創設者アフマド・ダフランは、イスラーム改革運動においてムスリム女性の果たす役割を早くから認識しており、彼が自宅で開いたイスラーム私塾には女性の塾生も含まれていた。このうち六人の塾生がアイシャ創設時の幹部となった。

ダフランの死後、彼の妻ニャイ・ダフラン

（シティ・ワリダー）が一九二三年にアイシャの委員長に就任し、機関紙を通じて組織の理念を伝える啓蒙活動に力を入れ、組織は発展を遂げる。一九二八年一二月二二日ジョクジャカルタで、女性の地位向上を目的として「インドネシア女性会議」が開催されたのだが、世俗主義組織やカソリック系団体とともに、イスラーム系組織で唯一この会議に参加したのがアイシャであった。

今日のアイシャは、イスラーム宣教において男女の違いなし、というクルアーン理解の下に、①教育、②保健、③社会福祉、④経済の四分野で女性のエンパワーメント活動を行なっている。アイシャはインドネシア全土で一万九一八一の幼稚園を運営し、二〇一六年には同国内で女性団体が運営する初めての高等教育機関であるアイシャ大学を創設した。女性の経済活動支援として、五六八の協同組合を創設、一〇二九の事業を起業、数十のマイクロファイナンスを運営している。保健分野では、八七の総合病院、一〇五の産科病院、一〇六のクリニック、その他多数の地域保健医療センターを有している。新型コロナウイルスのパンデミックではこれら医療施設がフル稼働して、医療崩壊の危機に瀕したインドネシア医療体制を支えた。

その他、孤児院や経済的に恵まれない母子のための支援活動が、全国レベルでも地域レベルでも盛んに行なわれている。以上の通り、アイシャはインドネシア社会の公益に多大な貢献をしているイスラーム女性組織なのである。

次に「ムスリマート・ナフダトゥル・ウラマー」（MNU＝Muslimat Nahdlatul Ulama）に触れる。インドネシア最大のイスラーム組織ナフダトゥル・ウラマー（NU＝Nahdlatul Ulama）は、世代ごとに三つの女性組織を傘下に置いている。すなわち成人女性対象のMNU、青年女性対象の「ファタヤート」、

学生対象の「ナフダトゥル・ウラマー学生連盟」である。この中で最初に創設されたのがMNUで、ムハマディヤ系のアイシャに三〇年遅れる一九四六年だった。改革派のムハマディヤとは違って、従来の慣習、しきたりを重んじる保守的なNUは家父長主義的体質を有し、女性の社会進出に無関心だった。植民地時代の一九三八年、一九三九年、一九四〇年の全国大会において女性組織の設立は議論の俎上にのぼったが、NU執行部が実際にその実現に動くことはなかった。

結局彼らを決断させたのは、オランダ植民地当局の独立運動取り締まりだった。独立運動に参加した男性リーダーが続々と逮捕、拘束される状況に直面し、NU男性幹部連は女性組織の必要性を思い知ったのである。

MNUは設立以来、着々と実績を挙げて、一九五二年にパレンバンで開催された第一九回N

MNU＝ムスリマート・ナフダトゥル・ウラマー（MNU）

U大会において、NUからの自治権を獲得した。NUから行動の自由を得たことによって、MNUは女性の権利や地位向上に本格的に取り組むようになり、次第に上部組織NUの男性たちに対してもモノ申す組織へと変化しつつある。

今日MNUは、①組織とメンバーのエンパワーメント、②教育訓練、③社会文化環境、④健康・人口問題、⑤宣教と地域づくり、⑥経済・協同組合・アグリビジネス、⑦労働力、⑧法律・弁護、⑨国際協力、を活動分野としている。

現在のMNU組織規模に関して、同組織のウェブサイトによれば、三四人の地域リーダー（州レベル）、五三二人の支部リーダー（市レベル）、五二二二人の支部リーダー（地区レベル）、三万六〇〇〇人の支部リーダー（村レベル）を擁し、会員数三二〇〇万人と公称している。会員数自己申告の数字なので割り引いて考えるべきであろうが、いずれにせよ政治家や政党にとって無視できない巨大組織なのだ。

第三は、ムスリマー・ヒズブ・タフリール・インドネシア（MHTI＝Muslimah Hizbut Tahrir）である。ヒズブ・タフリールは、カリフを長に戴くイスラーム統一国家を樹立し、イスラーム法に基づく統治を実現しようという目標を掲げるイスラーム主義国際組織である。この組織のインドネシア支部「ヒズブ・タフリール・インドネシア」（HTI）が一九八〇年代に結成された。MHTIは、その女性部組織である。非暴力によって理想実現を目指す点では、暴力を行使してでも現体制を覆しイスラーム国家を作ろうとする過激主義組織とは一線を画す。

HTIは大学キャンパスでの宣教活動に力を入れ、じわじわと支持者を増やし、九〇年代に入るとその影響力は公務員やビジネスマンにまで及ぶようになっていた。民主化以降は、公然とイスラーム国家樹立を求めるキャンペーンを始めて、その活動は政府やメディアの目を引くようになった。

HTIとMHTIのジェンダー認識は、徹底して反リベラルで、「ジェンダー平等は西洋のイデオロギー。西洋はイスラームの価値観を弱体化させるために、ジェンダー平等をイスラーム世界に持ち込んでいる」という陰謀論に立っている。女性の「仕事と生活のバランス」論は自然の法則に反するもので、女性も家庭の外に出て働くべきだという考え方は家庭の絆を破壊する、と彼らは主張する。

二〇一七年七月、政府はHTIを、インドネシアの国是パンチャシラに反対し国家の統一を危うくする団体とみなし、大衆団体法を改正して、HTIへ解散命令を下した。この政府決定に伴い、MHTIも解散させられたが、キティーヤによれば一部メンバーは今も非公式会合を続けている。

スルタンの王位継承権問題

以下、ジェンダーをめぐって現代インドネシア社会で起きている論争の幾つかについて、上記三組織の主張を見ていきたい。

まずジョクジャカルタのスルタンの王位継承権をめぐる問題である。インドネシアは共和国であるにもかかわらず、ジョクジャカルタには地域王室制度が存在している。インドネシア独立戦争においてジョクジャカルタのスルタン・ハメンクブウォノ九世が多大な貢献をなしたとして、政府はジョクジャカルタに特別州の地位を与え、同州知事をハメンクブウォノ九世が務めることを認め、王室の継続を制度化したのである。名君として知られたハメンクブウォノ九世はスハルト政権において副大統領まで務めたが、一九八八年に逝去し、その長男がハメンクブウォノ一〇世（次頁写真）として即位した。二〇一二年に政府とジョクジャカルタ特別州のあいだで合意がなされ、ジョクジャカルタ州知事は世襲制とする法律が制定されている。

ハメンクブウォノ王家は、イスラーム王国マタラムのソロ王室の分家として創設され、代々王子が王位を継承してきた。ハメンクブウォノ一〇世には王子がおらず、王位継承をどうするかは懸案事項であったのだが、二〇一五年、一〇世が王位継承の称号を最年長の王女に与えると同時に、スルタンの正式名称の一部（スルタンが地上における神の代理人であることを示し男性君主のみに与えられる）

スルタン・ハメンクブウォノ10世（Wikipedia）

「カリファトゥラ」という肩書を王位の称号から削除すると宣言したのである。

女性への王位継承、「カリファトゥラ」称号削除はイスラームの教えに反するとして、王族のみならずイスラーム組織からも反対の声があがったが、アイシャの一部幹部はハメンクブウォノ一〇世の宣言を支持する旨を表明した。クルアーン章句「男の信者も女の信者も、互いに仲間である」（九章七一節）、「誰でも善い行ないをし、（真の）信者ならば、男でも女でも、われは必ず幸せな生活を送らせるであろう」（一六章九七節）を根拠として、女性が王位を継承するのは何ら問題ないとしたのである。アイシャの議長は、宮廷の歴史的、文化的遺産が継承されるなら女性スルタンを否定しない、とハメンクブウォノ一〇世寄りであるが、組織としてのアイシャは「王室内部の問題」と認識し、公式コメントを発出していない。

これに対して、「イスラームはジョクジャカルタ王家の倫理的、宗教的礎」と信じるMNUの一人は、王女がスルタンに即位するのは許容できるが「カリファトゥラ」称号削除は問題であると主張する。「カリファトゥラ」称号は、スルタンとイスラームとの結びつきを示す神聖なものであり、この称号を持たないスルタンはもはや「神の代理人」とは認められないと言うのである。

この問題については、アイシャの方がMNUよりもややリベラルなスタンスであるが、両組織の内部には多様な意見があり、統一見解をまとめることは困難だ。

そして反リベラルの旗幟鮮明なMHTIは、ハメンクブウォノ一〇世の宣言はイスラーム教義に反するものだとして、反対の姿勢を貫いている。フェミニズム的思考は、イスラーム社会を瓦解させようとする西洋の陰謀だというのである。

一夫多妻制をめぐって

王位継承権以外にも、ハメンクブウォノ一〇世は従来の宮廷のあり方に一石を投じていた。長く王家の伝統であった一夫多妻制度をやめたのである。開明君主として知られた父親の前王ハメンクブウォノ九世さえも四人の妻がいた。

一夫多妻制については、早くからインドネシア・ナショナリズムの中で、その是非について議論が起きている。インドネシア民族運動、女性の地位向上運動の先覚者として知られるカルティニは、二〇世紀初頭の中部ジャワ貴族社会において普通に行なわれていた一夫多妻制に反対し、自らの結婚にあたっても一夫一妻を守ることを婚約者に誓約させていた。一九二八年の第一回「インドネシア女性会議」においても、一夫多妻制の是非をめぐって活発な討論が行なわれている。

アイシャは今日、一夫多妻制について明確に反対の立場を表明している。宗祖ムハンマドおよびムハマディヤ創設者アフマド・ダフランの結婚は一夫多妻であったが、これには改宗のための戦略があったとし、二人の事例を今日の世界に適用させるべきでない、一夫多妻は女性の尊厳を傷つける、というのである。

MNUはどうか。幹部の一人は、キティーヤのインタビューに応じて、「一夫多妻制に反対するMNUメンバーを白眼視する風潮が未だにNU内部に存在している」と吐露している。一夫多妻制は戦争未亡人が多数いた七世紀アラビア半島社会で彼女たちを救うための非常時の社会福祉として行なわれていたものであったという時代背景を理解せず、これを「神の祝福」と捉えるNU男性メンバーがおり、女性の中にも、イスラーム男性指導者の第二、第三、第四夫人となることを願う者も存在するというのである。

このようにMNUのスタンスは、きっぱりと一夫多妻制を否定するアイシャと比べると揺れている。とはいえ、流れは一夫多妻制否定の方向に次第に傾きつつある。一九五二年の時点では一夫多妻制はクルアーンに基礎を置くと容認論であったのが、二〇〇一年には「イスラームの結婚の基本原則は一夫一妻、クルアーン章句（四章三節、四章一二九節）に記されている状況でのみ一夫多妻の非常扉は開いている」という宗教見解（ファトワー）を発し、制限論へと転じている。クルアーン四章三節には、こうある。

> あなたがたがもし孤児に対し、公正にしてやれそうにないならば、あなたがたがよいと思う二人、三人または四人の女を娶れ。だが公平にしてやれそうにないならば、ただ一人だけ（娶るか）、またはあなたがたの右手が所有する者（奴隷の女）で我慢しておきなさい。このことは不公正を避けるため、もっと公正である。

しかし四章一二九節は、以下のように釘をさしている。

> あなたがたは妻たちに対して公平にしようとしても、到底出来ないだろう。あなたがたは（そう）望んでも。偏愛に傾き、妻の一人をあいまいに放って置いてはならない。あなたがたが融和し、主を恐れるならば。誠にアッラーは、度々赦される御方、慈悲深い御方であられる。

この二つの章句から、ＭＮＵの二〇〇一年宗教見解は、イスラームの理想的な結婚形態を一夫一妻制と明示しているのである。

ジェンダー平等を敵視するＭＴＨＩはクルアーン記述を根拠に、一夫多妻制を、「ハラール」（神によって許された行為）としている。とは言いつつも、ＭＴＨＩは、一夫多妻を公正と責任の問題と捉え、愛情よりも公正さが求められるとしている。二人以上の妻を娶る夫は収入・ともに過ごす時間・育児その他について、すべての妻に公正であらねばならないというのである。一夫多妻制を推奨しつつも、実際に一夫多妻を選択するHTI男性は一%に過ぎない。HTIのような反フェミズムのイスラーム主義者でさえ、建て前はともかくとして、現代イスラーム社会において実際には一夫多妻を実行できないのである。

LGBTへのスタンス

昔ながらのジャワの社会、文化にはトランスジェンダー的要素が一部ある。芸能分野や化粧業界ではトランスジェンダーの人々は存在感があって、他のイスラーム諸国と比べてインドネシアは比較的LGBTに寛容な国であった。しかし二〇一五年に米国最高裁が同性愛婚を合法化するなど欧米諸国がLGBTの権利保護に熱心になるのに反比例するように、イスラーム諸国ではLGBTに対する差別、攻撃が強まった。その潮流がインドネシアにも流れこんでいる状況を大形里美は論考「インドネシアにおけるLGBT運動を取り巻く状況」(九州国際大学国際商学論集3)で報告している。ジョクジャカルタ近郊のコタ・グデには、男性に生まれ女性の心を持つトランスジェンダーの人々が学ぶプサントレン・アル・ファアタがあるが、米国最高裁の同性愛合法化に刺激されたイスラーム厳格派が押しかけ、四ヵ月の閉鎖を余儀なくされた。これもグローバリゼーションがもたらす複雑な作用、反作用と言えるだろう。

イスラーム厳格派がLGBTを罪深きものとするのは、聖書の創世記やクルアーンに登場する、神が遣わした預言者ルート（ロト）に危害を加えようとした「ルートの民」（神の裁きによって滅ぼされた都市ソドムとゴモラ）の記述に起因する。「ルートの民」の性の乱れについて、たとえばクルアーン七章八〇節、八一節には以下のような記述がある。

また（われ）はルートを（遣わした）、かれはその民に言った。「あなたがたは、あなたがた以前のどの世でも、誰も行わなかった淫らなことをするのか。あなたがたは、情欲のため女でなくて男に赴く。いやあなたがたは、途方もない人々である。」

LGBTに関するアイシャの刊行物に示された公式見解は、結婚は異性間で成立するものであらねばならない、としてLGBTを否定している。他方、性的指向を理由に差別や暴力があってはならず、宗教団体は人間的なやり方でLGBTを指導する責任を負うとしている。アイシャの親組織であるムハマディヤについて言えば、彼らはアイシャよりも厳しく、LGBTの権利を峻拒する姿勢をとっている。

NUもムハマディヤ同様にLGBTの権利を認めない。インドネシアでは、アチェを除いてLGBTを非合法とする州はないが、LGBTの活動を禁じる法案を作成すべきだという意見がNU内部で高まっている。他方、NUにはトランスジェンダーの人々を孤立させるべきではないという声もあり、前述のトランスジェンダーが学ぶプサントレン・アル・ファタで教える教員たちはNUのメンバーだ。MNUのスタンスもNU同様である。MHTIはLGBTが存在すること自体を認めず、同性愛は神の教えに背く罪深き行為であるとして、彼らは石打ちによって処刑されるべきだと主張する。

近年国際社会において注目されるようになってきたLGBTの権利に関して言えば、一夫多妻問題ではリベラルな姿勢を見せるアイシャでさえ認めておらず、この問題に関してはインドネシア社会全体が非寛容な方向に傾斜していることは否めない。本章で扱ったジョクジャカルタのイスラーム女性組織も例外ではない。

ごくごく一部に、「LGBTに関する従来のクルアーン解釈は誤っており、神は必ずしも同性愛を禁じていない。性に伴う度を超えたふるまいや他者への暴力を禁じているのだ」という声も、インドネシア・イスラーム内に存在する。クルアーンに記された「ルートの民」とは、同性愛者を指すのではない、と言うのである。イスラーム・フェミニストとして名高い、NU幹部のムスダ・ムリアらがこうした少数派である。

以上見てきた通り、ジェンダー平等は、イスラーム女性組織の思想傾向を明確化するリトマス試験紙のような存在で、議論は伯仲しがちだ。そして同一の組織であっても、時代とともに、これに関する見解、教義は変遷してきている。ジェンダー平等に関するジョクジャカルタのイスラーム女性組織の活発で多様な議論からも、ジャワ文化に代わって勢いを増すイスラーム化潮流のダイナミズムを感じることができる。

第5章

東部ジャワ——イスラーム・エリートを生み出す国際派プサントレンの教育力

国民教育の一翼を担うイスラーム教育機関

富士山に似た優美な曲線を描く火山の連なり。そのふもとに広がる緑の絨毯を敷きつめたような水田の稲穂。椰子の木陰で憩う農民たちの輪。「ジャワ」と聞いて日本人が想像するのは、こんな南国イメージであろうか。東ジャワには、ジャカルタに次ぐインドネシア第二の都市スラバヤのような大都会もあれば、ここに書いたような田園風景が今も残っている。そして、この田園地域はイスラーム教育の盛んな土地柄であって、中にはこの国のイスラーム教育の先頭を行くような教育機関が存在する。「イスラーム活性化」が進行するこの国にあって、政治・社会・文化等様々な分野で活躍する人材を、東ジャワのイスラーム教育機関が輩出しており、存在感を高めつつある。本章

表1　インドネシアの初等・中等教育機関数（2020年国勢調査中の教育文化省、宗教省統計に基づき筆者作成）

種　類	区　分				計
	公立	%	私立	%	
普通教育機関	165,978	76.0	52,261	24.0	218,239
イスラーム系教育機関	4,050	7.6	49,035	92.4	53,085
計	170,028	62.7	101,296	37.3	271,324

では、東ジャワのイスラーム教育機関に焦点を当てたい。

まずこの国の初等・中等教育制度には、教育文化省が管轄する普通教育機関と宗教省が管轄するイスラーム教育機関の二つのトラックが存在することをおさえておきたい。二〇二〇年時点でインドネシア全土には二七万一三二四の初等・中等教育機関がある（表1）。内訳は、普通学校が二一万八二三九校、イスラーム系学校が五万三〇八五校となっている。つまりインドネシアの初等・中等レベルの学校の二割は、イスラーム系学校なのである。

イスラーム系学校に関して、さらに二種類の分類があり、寄宿制（あるいは寄宿機能を備えた）学校は「プサントレン」と呼ばれ、それ以外の生徒・学生が通学する学校は「マドラサ」と呼ばれる（次頁の表2）。プサントレンはすべて私立校であるが、マドラサにはごく一部公立校もある。

東ジャワ州のイスラーム教育機関の数と言えば、マドラサは一万三三八九校で全国最多なのである（二位西ジャワ州八五九〇校、三位中部ジャワ州六八七一校）。生徒数も東ジャワは全国最多の一九二万七二七〇人である（二位西ジャワ州一五九万三七〇五人、三位中部ジャワ州一三〇万五五二四人）。

プサントレンの数は、五一二一校で全国三位であるが（一位西ジャワ州九三一〇校、二位バンテン州五三四四校）、寄宿生の数では九七万五四一人で、

表2　インドネシアのマドラサ、プサントレン　学校数、生徒数の上位3州
（2021年、宗教省統計に基づき筆者作成）

順　位	マドラサ		プサントレン	
	学校数（州）	生徒数（州）	学校数（州）	寄宿生数（州）
1	13,389（東ジャワ）	1,927,270（東ジャワ）	9,310（西ジャワ）	970,541（東ジャワ）
2	8,590（西ジャワ）	1,593,705（西ジャワ）	5,344（バンテン州）	901,222（西ジャワ）
3	6,871（中部ジャワ）	1,305,524（中部ジャワ）	5,121（東ジャワ）	558,620（中部ジャワ）
全州集計	55,229	9,024,477	30,494	4,373,694

これまた全国最多である（二位西ジャワ州九〇万一二二二校、三位中部ジャワ州五五万八六二〇校）。

プサントレンおよびマドラサといったイスラーム教育機関が東ジャワの地域社会に密着した学校制度であることが統計から窺える。

「プサントレン」はインドネシア独特の学校制度で、「サントリ（生徒）が集まるところ」を意味する。徳の高い師（キアイ）の下で、日本で言えば中学生、高校生くらいの年頃の若者が寝食を共にしながら、キタブ・クニン（古典的宗教書）を学ぶ寄宿生制度である。現代のプサントレンは、教育文化省が定めた普通学校用のカリキュラムも取り入れ、イスラーム以外の理数系科目、語学科目などの近代教育も実施している。

プサントレンの起源に関してははっきりしたことがわからないが、一八世紀末ごろにキタブ・クニンを学ぶところという性格が明確になり、一九世紀後半その数を増やし、二〇世紀に入ってからは近代教育も取り入れる、という変遷を遂げてきた（小林寧子、大塚和夫他編『岩波イスラーム事典』の「プサントレン」項目参照）。

伝統的なイスラーム教育機関といえども、世の流れと共に教育内容も変わってきた。習合色の強い東ジャワのイスラーム的特性を持つ代表的なプサントレンとしては、インドネシア最大のイスラーム組織ナフダト

ゥル・ウラマー（NU）の教育拠点「プサントレン・トゥブイレン」があるが、ここでは、東ジャワに存するプサントレンの中から最も先端的な教育を行なっているプサントレンとして「ポンドック・モデルン・ダルッサラーム・ゴントール」（以下「プサントレン・ゴントール」）を紹介したい。

イスラームのグローバル人材養成を目指すプサントレン

プサントレン・ゴントールは、インドネシアおよびインドネシア・イスラームの近代化・国際化・グローバル化を担う人材を育成するためのエリート養成機関だ。このプサントレンは、前述ナフダトゥル・ウラマー（NU）のハシム・ムザディ議長、第二の組織ムハマディヤのディン・サムスディン議長をはじめとして、イスラーム政党の党首、国会議員、エジプト大使やサウジアラビア大使などの外交官、裁判所判事、イスラーム系大新聞の編集長、ベストセラー作家、イスラーム国立大学学長・教授、陸軍将官など様々な分野のリーダーを輩出している。

東ジャワ州都スラバヤから西南二〇〇キロ離れた中部ジャワとの州境に近いポノロゴ地域にあり、周辺にはのどかな農村が拡がっている。都会の喧騒から離れた地に建つプサントレン・ゴントールおよび同プサントレンに所属するダルッサラーム大学には全国から俊英が集まってくる。

プサントレン・ゴントールの起源は一八世紀にまでさかのぼるが、創始者の血を引く三人兄弟アフマド・サハル、ザイヌディン・ファナニ、イマーム・ザルカシによって、近代的な教育機関とし

プサントレン・ゴントール内のモスク（筆者撮影）

ての現在のプサントレンが一九二六年に創設された。さらに大学はプサントレンが母体となって一九六三年に創設され、イスラーム神学、イスラーム教育、イスラーム法の三つの学部と大学院学部によって構成されている。

一九二六年の近代的プサントレン設立は、当時西洋近代の前に劣勢に立たされていた中東イスラーム世界や南アジアの知識人が西洋近代の一部を自らに摂取し、自らの伝統を改革することで西洋近代の脅威に対抗していこうとする模索から影響を受けたものだった。

イスラーム司法、教育改革の理論的基礎を築いたエジプトのムハンマド・アブドゥフ、原点回帰型サラフィー主義の提唱者でありながら西洋列強に対抗するために近代科学、国際法、社会学を教える教育機関設立を提唱したラシード・リダー、啓蒙思想を取り入れた近代的イスラーム高等教育機関をインド・アリーガルに設

2012年ダルッサラーム大学での講演後に撮影したもの。中央が著者。

立したサイイド・アフマド・ハーン、西洋の物質文明に拒否し農本主義、平和主義を唱えて学びの場（シャンティニケタン）を作ったインドの詩聖ラビンドラナート・タゴール——こうした二〇世紀の非西洋教育改革者らの理想が、プサントレン・ゴントールの教育方針に流れこんでいる。単純な西洋礼賛型の「国際化」でもなければ、硬直的なイスラーム主義への傾倒でもない、創設者たちの志が、プサントレン・ゴントールの教育理念を陰影深くスケールの大きなものにしている。

私は東日本大震災から一年を経た二〇一二年三月一日から三日にかけて、プサントレン・ゴントールとダルッサラーム大学を訪問して、「文化は震災にいかにたち向かえるか　日本からの教訓」と題する講演を行なった。この教育機関がグローバル教育の一環として、日本に対して関心を持っており、特に同じ自然災害多発国の日本の経験に学びたいというリクエストに応えてのものだった。

この学校を訪問した時の印象を一言で言えば、英国の名門パブリック・スクール「イートン校」のようだということである。礼拝を除いて、男子寄宿生の日常的な制服が西洋のブレザー服であることや、「イートン校」と同世代の若者が同じような寄宿生活を送っているという表層面だけでなく、この教育機関が掲げる志が極めて英国のパブリック・スクールに近いものを感じたからだ。

同校のウェブサイトに掲載されている教育理念を見ると、五つの価値観を育むことが掲げられている。それは、「誠実」「質素」「自立」「ムスリムの友愛」「自由」の五つである。「自由」に関しては、「思考も行動も自由、未来を決めるのも自由、生き方を決めるのも自由、さらには外部社会からのマイナスな影響を受けるのも自由」とあり、寄宿生自身が自分に責任を負う積極的な自由であると記述している。こうした価値を見る限り、欧米の自由主義的価値観とも親和性は高い。

リベラル・イスラームの論客

このような器の大きい教育理念を持つプサントレン・ゴントールから、西洋リベラリズムと共鳴するリベラル・イスラームとも言うべき主張を唱える思想家と、西洋リベラリズムを峻拒しイスラーム法に基づく社会建設を訴える教育者、という対照的なオピニオン・リーダーが世に出たことは注目に値する。

前者は、ヌルホリス・マジッドである。スハルト政権期の一九七〇年代から二〇〇〇年代半ばまでの四〇年間、この国のリベラル・イスラーム陣営の中心人物として活躍し、国際的にも知名度が高い。近代イスラーム世界の「リベラル・イスラーム思想」を集成したチャールズ・クルツマンの『リベラル・イスラーム』にも、ヌルホリスが七〇年代に書いた初期の論考「イスラーム思想の革新と宗教理解の活性化」が収録されている。

学生時代イスラーム学生同盟の議長として西洋の世俗主義を否定しイスラーム主義的な主張を繰り返していたヌルホリスが、旧態依然たるイスラーム主義組織・政党と彼らのイスラーム理解を否定し、「イスラームYes　イスラーム政党No!」と論じ始めたことは、世俗主義的ナショナリズムに基づく開発政策を推進しイスラーム主義組織を弾圧するスハルト政権に魂を売った裏切り行為として、昔の仲間たちから批判された。

それでもヌルホリスは仲間からの論難にひるまず、イスラーム主義組織が提唱する「イスラーム国家」概念を、「国家と宗教のバランスを説くイスラームの教えを歪曲化したもの」「イスラーム国家樹立はイスラームを人間の作為である政治に従属させるもの」と否定し、「国家とは合理性・集団的性格を持つ世俗世界の一側面であり、宗教とは精神的・個人的な、世俗とは違う世界のものである」と政教分離的なイスラーム理解を、前述論考の中で論じている。ヌルホリスは「イスラームの真の教えが求めているのは、イスラーム国家の樹立ではない」としてイスラーム主義に反対し、「西洋のリベラル民主主義にイスラーム的価値が認められるならこれを全否定する理由はない」とした。とはいえ「西洋流の政教分離論にも行き過ぎがあり、中道の道を歩むべきである」と説いた。

終生彼は、インドネシア国内のキリスト教徒等宗教的少数派の権利を擁護し、リベラル・イスラームの拠点となっていた国立イスラーム大学ジャカルタ校で、多元主義に基づく社会建設の重要性を教えた。イスラーム教義解釈の革新を重視する彼の姿勢の土台にあるのが、プサントレン・ゴントール寄宿生の時代に身につけた改革的なイスラーム理解なのである。米国シカゴ大学に留学し、世界的に著名なネオ・モダニズムのイスラーム思想家ファズル・ラフマンから学んだことと並んで、プサントレン・ゴントールで思春期を過ごし性格形成したことが、知識人ヌルホリスの生き方を外に開かれた国際的ものにしている。

イスラーム主義の精神的指導者

ヌルホリス・マジッドのリベラル・イスラーム論に真っ向から対立するのが、アブ・バカル・バアシルである。彼は二〇〇二年バリ爆弾テロ事件を引き起こした「ジェマー・イスラミア（JI＝Jemah Islamiya）」の精神的指導者であり、二〇一四年にはカリフ制を宣言した「IS（イスラーム国）」に対して忠誠を誓うと獄中から表明し物議をかもす等、暴力も厭わぬイスラーム主義組織のイデオローグとして知られている。このバアシルも、ヌルホリスと違う意味で国際的だ。出自からして、彼は一九三八年イエメン移民（「ハドラミー」と呼ばれる）の父とハドラミー系ジャワ人の母のあいだに東ジャワのジョンバンで生まれた。

バアシルもプサントレン・ゴントールで学び、一九七二年にもう一人の過激イスラーム主義者アブドゥラ・スンカールとともに中部ジャワ・ソロ近郊にプサントレン・アル・ムクミンを創設する。このプサントレンにおいて、バアシルとスンカールは、スハルト政権を反イスラーム的と断じ、政権の転覆とイスラーム国家の樹立を説いた。その結果、国家転覆罪に問われ、一九七八年から八二年まで投獄されていたが、脱獄してマレーシアに逃亡した。スハルト政権崩壊後に帰国し、恩赦を受け、再びプサントレン・アル・ムクミンで指導者として教え始めた。

このプサントレンは、二〇〇一年米国同時多発テロ事件以降、「テロリスト養成学校」と欧米諸国から非難されるのだが、バアシルはアル・カーイダ指導者ウサーマ・ビン・ラーディンとの直接のつながりを否定する一方、「アフガニスタンやフィリピン南部、インドネシアのマルク諸島などで一〇〇人以上の教え子が聖戦に加わっている」とビン・ラーディンの反米闘争支持を公言した。さらに二〇〇八年には、プサントレン・アル・ムクミンの枠を超えるイスラーム主義組織として「ジャマー・アンシャルット・タウヒード（JAT＝Jamaah Ansharut Tauhid）」を創設している。

バリ爆弾テロ事件後、事件のつながりが疑われ拘束されたが、結局シロとして釈放された。しかし二〇一〇年にアチェの武装集団の軍事訓練実施に関与したとして再び逮捕され、テロ教唆の罪で禁固一五年の判決を受けた。刑期は短縮され、二〇二一年に刑期を終えて出所した。獄中にあってもバアシルは、JATを通じて青年層への影響力をインターネット上に保持し、ISに対する忠誠を表明するなどして国際的に物議をかもしている。

こうしたバアシルの半生をたどると、彼が筋金入りのイスラーム主義思想者であると同時に、インドネシアのみならず中東やアジアのイスラーム世界の動向に敏感で常に最新情報をキャッチした上で、自身の判断を下していることがわかる。

世俗ナショナリズムに基づくスハルト政権を反イスラーム背教者と断じる姿勢には、エジプトのムスリム同胞団、その幹部であったサイード・クトゥブの思想の影響が感じられる。また体制に反抗するために細胞を作るなどの組織運営の手法にもムスリム同胞団のノウハウが用いられている。

ところで、中東イスラーム世界の最新情報を獲得する上で不可欠なのが、アラビア語能力である。元々ハドラミー系の家庭に生まれアラビア語に慣れる環境にあったことに加えて、彼のアラビア語能力を磨き上げたのが、プサントレン・ゴントールで徹底的にアラビア語と英語を叩き込まれた寮生活であろう。

彼とスンカールが設立したプサントレン・アル・ムクミンのカリキュラムにおいても、模範としたのが、アラビア語重視のプサントレン・ゴントールの教育方針だった。

両極端の思想がゴントールから生まれる理由

ヌルホリス・マジッドのリベラル・イスラーム。アブ・バカル・バアシルのイスラーム主義。まったく相容れない二人の思想家が、どうしてプサントレン・ゴントールから誕生したのだろう。この謎を解くカギは、プサントレン・ゴントールのグローバル人材育成教育方針にあるのではないか。

プサントレン・ゴントール内でのアラビア語スピーチ大会に向けた練習（筆者撮影）

プサントレン・ゴントールでは「国際性」と「人格形成」を、近代教育の二本柱として重視している。「国際性」重視の具体的な形としては徹底した外国語教育が行なわれている。学内で使用が認められる言語は、アラビア語と英語であり、国語たるインドネシア語や地方言語を話すことは認められていない。

ここでは、かつて琉球処分後の沖縄で行なわれていた「方言札」と同じような罰則が存在する。インドネシア語をしゃべった寄宿生は、罰として「札」を掛けさせられ、禁令を破った別の者を見つけるまで、札をはずすことを許されない。徹底した語学教育によって、このプサントレンの寄宿生は皆、流暢な英語、アラビア語をしゃべるのだ。

寄宿生たちは、プサントレンで鍛えた英語力、アラビア語力を駆使して英語圏やアラビア語圏の情報を入手し、最新の文学や評論を読み、その価値観に慣れ親しむ。将来有望とみなされた者は奨学金を得て、英米や中東の大学に留学する機会が与えられる。

ヌルホリス・マジッドがその一人で、米国社会に滞在し見聞する中で、リベラリズムがイスラーム的価値観と矛盾しないことを再発見し、自らの思想へ吸収・消化していった。他方、アブ・バカル・バアシルは、アラビア語力を発揮してイスラーム文献を読みこなし、中東のイスラーム世界の思想潮流に共鳴して思想形成し、教育実践を通じて東南アジアへの普及と次世代の育成に傾倒した。

そもそもプサントレン・ゴントールが英語、アラビア語教育を重視するのには、「われわれは文明の辺境にいるので、ぼーっとしていると文明の進歩から取り残される」という危機意識がインドネシアのイスラーム指導者の胸中に存在しているからだ。どこか明治期日本の指導者にも似ている。

プサントレン・ゴントールの沿革には、以下のような歴史が記載されている。

一九二六年にインドネシア民族運動の有力イスラーム指導者が集まって「インドネシア・ムスリム・ウンマ大会」が開催された。この会議においてマッカで開催される世界イスラーム会議に代表を派遣することが決まった。しかし、誰を派遣するかという点で問題が発生した。マッカの国際会議に派遣される代表は、アラビア語と英語に堪能でなければならない。ところが大会参加者の中に、この二つの言語を使いこなす人はいなかったのである。最終的に、英語に堪能なチョクロアミノトとアラビア語に堪能なマス・マンスールという二人のイスラーム指導者が代表として選ばれた。この大会に参加していたプサントレン・ゴントール創始者アフマド・サハルは、この出来事から、英語とアラビア語を使いこなせる人材を輩出する教育機関の必要性を感じたのである。

グローバリゼーションの潮流は一つでない。欧米発の近代主義の潮流が世界を席巻するかと考えられた時もあったが、それに対抗する潮流も生じており、世界中でイスラーム教徒が増大しているイスラーム化現象も、世界の多様なグローバリゼーション潮流の一つと考えることができる。プサントレン・ゴントールの英語とアラビア語重視教育は、インドネシア国外で発生しているグローバリゼーション潮流を受信する能力の高い若者を育てる。このプサントレンから政教分離を説くヌルホリス・マジッド、政教一致を説くアブ・バカル・バアシルという両極端の思想家が生まれるのは、こうした点から説明できるかもしれない。

プサントレンに浸透する東アジアのポップカルチャー

グローバリゼーション潮流という点で、やや視点を変えるが、もうひとつ興味深い最近のプサントレンの流行を紹介したい。

友人のインドネシア人ドキュメンタリー映画監督が、前述のバアシルが創設したプサントレン・アル・ムクミンに関連する撮影映像を見せてくれた。

イスラーム教とKポップ。いまや世界人口の四分の一を占めるまでになった巨大宗教と「かっこよさ」の最先端を行く現代若者文化。出自も性質も異なる二つのソフトパワーが、東南アジアにおいてどちらが青年たちの心をつかむか、せめぎ合っている。そんな感想が、撮影された映像を見て、頭に浮かんだ。

この映画監督は、バリ爆弾テロ事件の発生後、加害者、被害者、家族たちの声を丹念に拾い記録してきたのだが、彼が見せてくれたのは、終身刑を受けて服役中の受刑者の妻とその娘の会話の映像である。受刑者の妻は、世間の指弾にもめげず、夫のイスラーム教徒としてとった行動は正しい、と強く信じている。そして、その確信ゆえに「父のようにイスラームを深く理解し、勇敢に戦う」イスラーム教徒に育って欲しいと願って、娘を父の出身校である、バアシルが創設したプサントレン・アル・ムクミンに預けている。

前述の通り、アル・ムクミンに関し欧米諸国は「イスラーム過激主義の温床」と疑惑の目を向けており、インドネシア治安当局も同プサントレンへの監視を続けているのだが、映像では、思春期の娘の意外な行動を映し出す。列車で移動中の娘が、取り出したスマホ画面のKポップ・アイドルのダンスに夢中になっているのだ。これを見つけた母親は激怒し、娘を詰問する。

母親に対する娘の弁明はこうだ。

「プサントレン（アル・ムクミン）では英語とアラビア語しか教えてくれない。本当は韓国語を勉強したかったのに」「プサントレンの友達は、Kポップ・スターの話題で盛り上がっている。自分だけ取り残されたくない」

インドネシアに存在する大半のプサントレンは社会の現実とのバランスがとれた穏健な教育を施しており、その中で、この娘が通うプサントレン・アル・ムクミンは、あまたあるプサントレンの中でもかなり特異な存在であることに留意して話を進めたい。

娘の申し開きを聞いて、私は自らのプサントレン体験を思い出した。私は二〇一一年から一六年まで国際交流基金駐在員としてインドネシア各地のプサントレンを訪問し、日本文化・社会について講演し、日本映画上映会を開催してまわった。そこで見聞きしたのは、プサントレン寄宿生たちが熱心にイスラーム教義、イスラーム法を学ぶ傍ら、マスメディア、インターネット、ソーシャルメディアを通じてKポップ・韓流ドラマのスターや日本のマンガ・アニメに夢中になっている姿だった。大半の学校はこれを黙認しているようで、プサントレンの正規科目であるアラビア語や英語を学びながら、「本当は韓国語を勉強したかった」と打ち明けてくれた寄宿生もいた。

偶像（アイドル）崇拝を峻拒するイスラーム主義的教育を施すプサントレン・アル・ムクミンにおいてさえ、寄宿生たちの韓国の「アイドル」への熱狂を抑えることができないという事実をどう見るか。東アジア発のポップカルチャーは、暴力的過激思想に対する一種の解毒剤的役割を果たしていると言えないだろうか。

プサントレンは、一〇代の若者が寮生活という緊密な人間関係の中でイスラームの教義を学ぶ。寄宿制という教育制度は悪くすれば外部から遮断された閉鎖的な空間を形成し、狂信的な指導者がこれを利用して純粋無垢な若者たちに一方的に彼らの歪んだ教義を吹き込むことでテロリスト予備軍を培養することも可能だ。プサントレンをテロ養成機関にしないためには、常に外からの風を吹き込ませねばならない。東アジアのポップカルチャーは、こうした外からの風の役割を果たしているのである。

暴力的過激思想に基づくテロの世界的蔓延の背景には、グローバリゼーションに伴う経済的不平等の拡大、中間層の没落、社会の急激な変化に伴う若者たちのアイデンティティー不安等の問題があることは、多くの識者が指摘するところだ。今日欧米世界はその凋落を語られつつも、経済のみならず学術・文化・情報面で依然として強いパワーを握っており、「グローバリゼーション」「欧米化」の名のもとに文化の画一化が進むのではないかという恐れ、閉塞感が、非欧米圏の若者の一部を過剰な原点回帰による暴力的過激行動の道に追いやっている。

他方、韓国や日本発ポップカルチャーが扱うテーマの多くが、恋愛や友情を通じた若者の自己肯定、成長の物語であり、不安や閉塞感を中和する夢と希望の世界である。

さらに東アジア発ポップカルチャーは、欧米出自でなくても「クール」でありうる、自らのアイデンティティーを保持しつつコスモポリタンたりうる、という第三の道の存在を暗示している。

この映像を撮影した前述の映画監督の友人は、東アジアのポップカルチャーが過激思想浸透を防ぐ有力な手段となりうると述べ、さらにインドネシアにおけるテロ拡散防止の決め手として、昔ながらの「土着の知恵」を挙げた。

インドネシアの土着の知恵とは、第1章でも論じた外来の宗教・文化を消化・吸収し元来の文化・価値観と融合させて共存させる習合の力である。日本の神仏混淆と似た、この習合力によって、インドネシアのイスラームは、各地の風習・文化や、イスラーム渡来以前から存在したヒンドゥー教・仏教と融合して「穏健イスラーム」「寛容なイスラーム」を育んできた。

第1章では、インドネシア・イスラームの伝統的な寛容性の衰退への危惧を語ったが、東アジアのポップカルチャーに夢中なプサントレン寄宿生の姿は、インドネシア社会が有する伝統的な習合力の新たな復活の姿なのかもしれない。

第6章　バリ――グローバル化とジャワのイスラーム化が刺激するバリ文化復興運動

G20バリ・サミットを支えた自警団

二〇二二年の主要二〇ヵ国・地域（G20）首脳会談は、一一月一五―一六日インドネシアのバリ島で開催され、米国のバイデン大統領、中国の習近平国家主席、日本の岸田文雄首相らが出席した。ロシアのウクライナ侵略で一時期開催そのものが危ぶまれたG20サミットを開催にこぎつけ、首脳宣言をまとめあげたインドネシアの外交手腕は相当のものだ。G20サミットを成功させることは、インドネシアにとって、国家としての威信をかけた一大プロジェクトだった。

国際情勢が緊迫の度合いを高める中、ホスト国の警備当局者の至上命題は、会議に出席する各国VIPの安全確保である。G20サミット会期中、インドネシア全土から一万八〇〇〇人を超える警

バリの自警団「プチャラン」(merahputih.com)

察官、軍人がバリに招集され、海に、陸に、空に監視の目を光らせ、厳しい警備体制を敷いた。大きな混乱なく会議は終了し、彼らはその使命を果たしたのだが、ここで注目したいのが、会議終了後に国家警察が発出したバリ市民向け声明である。

滞なくG20サミットが進行したことについて、バリ市民および観光客の協力に感謝する旨が書かれてあるのだが、その中に「プチャラン（自警団）」が警察・軍の任務を補完する役割を果たしてくれたことに対する賞賛が述べられている。バリ地域住民からの協力取り付けに関し、プチャランの存在は不可欠なのだ、という。

バリと言えば、「地上の楽園」「神々の棲む島」「多様な自然と民俗芸能の宝庫」「芸術と文化の島」といった観光客を誘うフレーズを思い浮かべる人も多いことだろう。ところが「自警団」という険しい表情の屈強な男たちがあちこちで

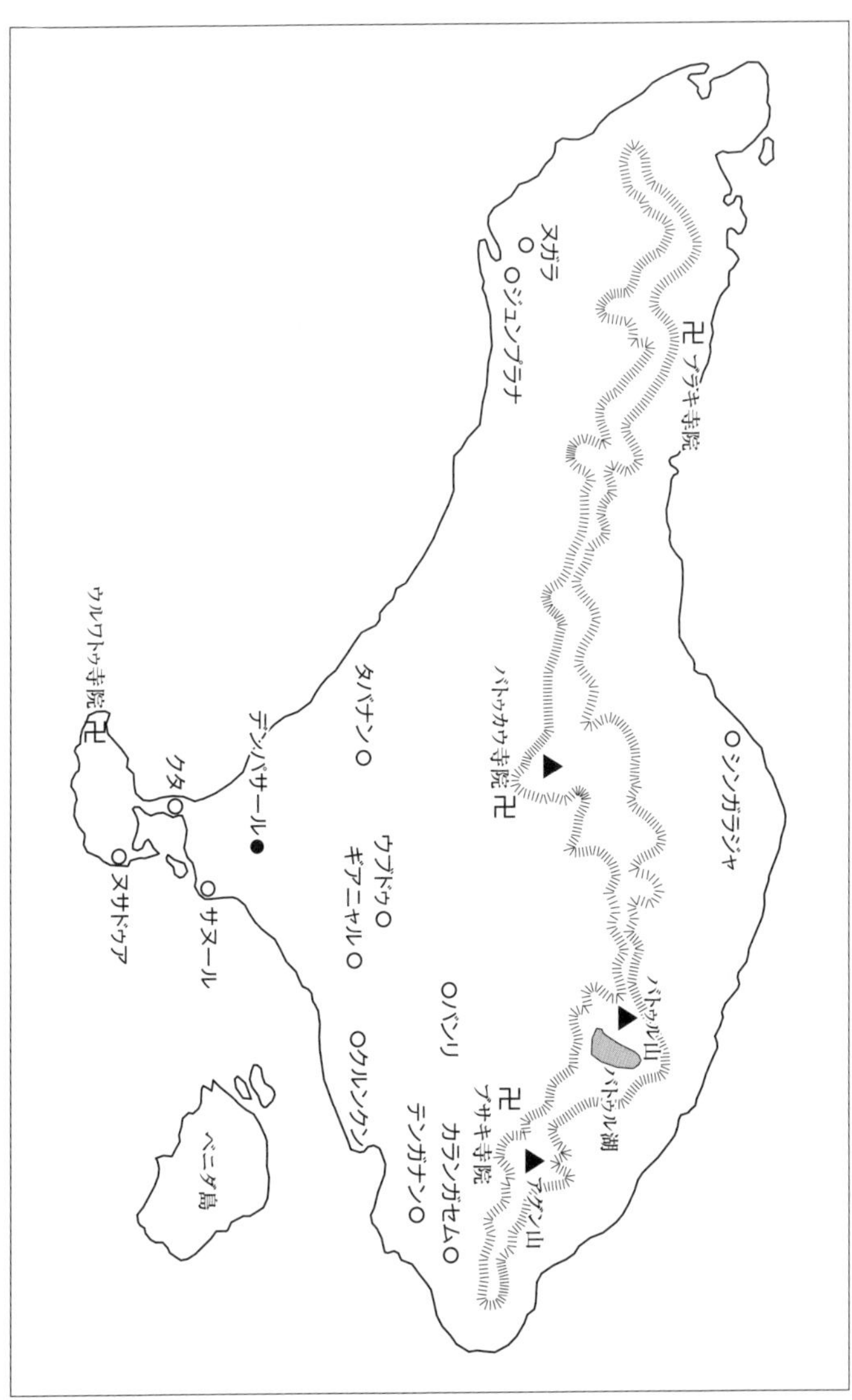
スガラ
ジュンブラナ
プラキ寺院
シンガラジャ
バトゥカウ寺院
タバナン
デンパサール
ウルワトゥ寺院
クタ
サヌール
ヌサドゥア
ウブドゥ
ギアニャル
バンリ
クルンクン
ペニダ島
バトゥール山
バトゥール湖
ブサキ寺院
アグン山
カランガセム
テンガナン

目を光らせている姿は、観光で語られる「平和な島」というイメージとは、どうにもそぐわない。しかし現代史をふりかえってみると、「地上の楽園」における自警団等の存在の恐ろしさが、バリでも数万人の血が流れたと言われる一九六五年「九月三〇日事件」以降の大虐殺という現代史の闇から垣間見える。

国家警察も一目を置く、バリの治安にとってなくてはならないというプチャランの存在とは何なのか。この疑問の先をたどっていくと、今バリで進行している大きな社会意識の変容が姿を現してくる。

インドネシアにおけるバリ島、バリ人の特別な意味

国際的観光地として知られるバリであるが、この島がインドネシア共和国の一部であることを知らない人が案外多い。逆に、バリに行ったことがある人には、バリがインドネシアの中ではかなり特別な存在であることを意識せず、バリをもってインドネシア一国を理解しようとする傾向がある。世界中から観光客がやってくるバリは、「インドネシアの応接室」とも言うべき機能を果たしているが、応接室をもって家全体を判断することはできないように、バリ理解をインドネシア全体に敷衍することは不可なのである。

バリ島は、インドネシアの中心であるジャワ島の東隣にあり、おおよそ東京都の二・六倍の面積

に、二〇一九年時点で四三三万人が暮らす。

インドネシアにおけるバリの特殊性を際立たさせているのが宗教の存在である（以下、二〇一〇年国勢調査統計より）。国民の約九割がイスラーム教徒であるこの国の中で、ヒンドゥー教徒はわずか一・六％に過ぎない。しかしバリではヒンドゥー教徒が八三％と圧倒的多数なのである。続いてイスラーム教徒一三・三％、キリスト教徒二・四％。仏教徒〇・五％となっている。

エスニック集団で見ると、バリの人口中、バリ語を話し、大半がヒンドゥー教徒であるバリ人が八五％、ジャワ人が九・五％である。ジャワ島とバリ島は古代からつながりが深く、ヒンドゥー文明の栄えたジャワ島から渡来した人々によってヒンドゥー教がバリ島に持ち込まれ、常にジャワからの影響を受けつつ、祖霊崇拝や悪霊を払う呪術等土着の文化、信仰と習合したバリ・ヒンドゥー教が形成されていった。一六世紀初めには、イスラーム勢力によって滅ぼされたマジャパヒト王国の王族、貴族、僧侶がバリ島に逃れたことから、現在のバリ人は自分たちのことを「マジャパヒト王国の正統を継ぐ者」と自認している。

他方、イスラーム教とバリの関係に関しては、一三世紀以来バリは、マラッカ海峡からアラフラ海までつながる香辛料の交易ネットワークを通じて、イスラーム教徒との接触があり、一部イスラーム教徒の中にはバリ島に定住する者もいた。バリ島で一番古いイスラーム教徒の共同体は、クルンクンの郊外にあり、その起源は一四世紀にまで遡ると言われている。一口にイスラーム教徒と言っても実はジャワ人、ブギス人、ササック人といった様々な出自のエスニック集団の共同体が存在し、この小さな共同体の中で独自の言語、伝統、信仰形態を保持している。島内において、ヒンドゥー教徒とイスラーム教徒は凡そ平和的に共生してきた。

バリ・ヒンドゥーがインドのヒンドゥー教とは異なる独自の特性を持つようになったのは、バリ土着の信仰・文化との習合のみならず、バリを植民地支配したオランダのバリ文化保存政策や独立後の中央政府の宗教政策という要因も絡んでいる。たとえば独立後、インドネシア国家の国是「パンチャシラ」の第一に掲げられている「唯一神への信仰」と符合させるため、多神教であるヒンドゥー教において「サン・ヒャン・ウィンディ」というバリ独自の神を至高神と崇める風潮が拡がった。このようにしてバリ・ヒンドゥーは独自の発展を遂げてきたのである。そして、今バリ・ヒンドゥーで新たな変化が生じている。

盛り上がる「アジュグ・バリ」（バリ文化復興運動）

本章冒頭で触れた今バリで起きている大きな変化とは、バリ人自身が「バリとは何か」「バリ人とは何か」という問い直し、自己確認作業を始めており、それがバリにおける政治・経済・社会・文化といった様々な領域に波紋を投げかけていることである。この自己確認作業を、バリ人は「アジュグ・バリ（Ajeg Bali）」というスローガンで表現する。

Ajegとは「強さ」「正しさ」を意味するバリ語である。バリ文化復興を志向する「アジュグ・バリ」を意訳すれば「強くあれ！　バリ」運動といったところだろう。外から他者、価値観が入る以前の

バリ爆弾テロ事件の慰霊碑。夜のクタで。(筆者撮影)

「穢れなき過去のバリ」に回帰することで、「本来のバリ」に立ち戻ろう、という原点回帰型思想軸を含んだ社会運動だ。

　この運動の直接のきっかけとなったのは、五〇〇人以上の死傷者を出し、バリ経済にも甚大な被害をもたらした二〇〇二年一〇月のバリ爆弾テロ事件である。リゾート地区クタで発生した、この衝撃的な事件以降、地方新聞「バリ・ポスト」および同紙傘下のテレビ局「バリＴＶ」が、アジュグ・バリを普及するキャンペーンを始めた。バリ・ポスト・グループのＣＥＯであり、同紙編集主幹のサトリア・ナラダが、このキャンペーンの提唱者である。

　アジュグ・バリ運動の背景にあるのは、「バリは存亡の瀬戸際にある」というナラダたちバリ人の、以下のような強い危機意識だ。

> 暴力的な観光開発によって、バリは破壊さ

れ続けており、このままではバリはバリでなくなってしまう。麗しい水田風景はホテルやリゾートに取って代わられ、投機対象として土地は投げ売られ、人々の心の拠りどころであった寺院は単なる外国人観光客の観光スポットと化してしまった。バリ人の誇りは失われ、若者は享楽を求めて村を離れて都会に流れ、昔ながらのムラ社会は立ち行かなくなり、皆が力を合わせて守り続けてきた伝統的な祭祀も廃れて姿を消そうとしている。近年ではイスラーム過激主義勢力がバリに忍び寄り、彼らのテロによってバリ人の生命が危機にさらされている。

危機を乗り越えるために、奥深きバリ・ヒンドゥーの精神文化を再評価することでバリの誇りを取り戻し、絶え間なく侵入してくる外来の文化・価値観や移住者を制限し、観光産業をコントロールし農業を再生することで、バリの都市・村落の共同体を再編、活性化させようというのが、アジュグ・バリ運動の提唱するところだ。

植民地支配の遺産――地上の楽園イメージの形成

なぜバリ文化復興運動の台頭が起きているのか。この問いを考えるためには、バリがこれまで歩んできた過去の道のりを振り返らないといけない。主に五つの要因が、アジュグ・バリの盛り上がりと関連している。そして、そこで留意しておかなければならないのは、「バリの伝統」「バリ文化」

と呼ばれるものが観光とのからみで、バリ人以外の外部の権力がイニシャティブをとる形で編集、整理され、それがバリ人の自己認識に少なからぬ影響を与えている点である。

第一の要因はオランダの植民地支配である。一七世紀以降のバリは、マジャパヒト王国の末裔を自称する八つの小さな王国が勢力を競いあう時代だった。一七世紀にオランダ東インド会社がこの海域に進出してくるが、交易面で利益の上がりそうにないバリに対して、オランダは支配欲を持たず、八つの王国が割拠する時代が長く続いた。しかし一九世紀に入り、西洋列強が帝国主義に傾く中、オランダも点ではなくて面でバリを支配しようと乗り出し、各王国を武力によって圧倒し、間接支配体制を敷く。最後まで抵抗を続けたのが、クルンクン王国であるが、一九〇八年王侯・貴族が大量自決（ププタンと呼ばれる）して滅亡し、バリ島全島のオランダ支配体制が確立する。ププタンによって、オランダに対する国際社会の非難が高まるが、こうした非難を回避し、また自らの良心の痛みを和らげるために、オランダは、古代ヒンドゥー文化の「生きる博物館」「最後の地上の楽園」としてバリ文化を保護、育成する文化政策を打ち出したのである。

今日世界から観光客を集めるバリの「近代以前の伝統が生きている文化と芸能の島」というイメージ形成には、このオランダ植民地行政の文化政策が大きな影響を及ぼしている。様々な習俗、祭祀の中から「真正な伝統」を抽出し、それらを保護し、外に向かって発信することで、バリ文化の方向付けを行なったのである。こうした「最後の地上の楽園イメージ」に魅了された欧米の芸術家、研究者がバリに観光や調査にやってきて、滞在するようになった。たとえばドイツの画家ウォルター・シュピースやアメリカの文化人類学者マーガレット・ミードがそうだ。喜劇王チャップリンも一九三二年にバリに観光にきている。

「真正なるバリ文化」を求める欧米の文化人の刺激を受けて、「バリ・ルネッサンス」という文化復興現象が一九三〇年代に起こる。たとえば一九二〇年代バリのウブドゥにスタジオを構えたシュピースは、舞踊・音楽・絵画といった分野でバリ人たちと創作活動を行ない、元々あった文化を再構成、編集することで、今日のガムラン音楽やケチャ（舞踊）の様式を確立した。二一世紀アジュグ・バリが目指す「真正なるバリ文化復興」の原型を、二〇世紀オランダ植民地時代の「バリ・ルネッサンス」に見ることができる。

バリの「インドネシア」化と国家開発としての観光振興

アジュグ・バリ形成の第二の要因は、インドネシア共和国という新しい国家が誕生したこと、そしてインドネシア・ナショナリズムにおいてバリが多民族国家インドネシアを構成する要素の一部と位置付けられたことである。

オランダから独立した新国家の指導層は当初の連邦制を解消し、単一の共和国を結成する選択をとり、中央集権の動きが強まった。教育の分野において、バリ語に関しては多民族国家インドネシアの「国民文化」の一つとして尊重しつつも、インドネシア語を国語として普及する政策が推進された。

バリのインドネシア化を体現する人物が、初代大統領のスカルノだろう。彼は、ジャワ人を父、バリ人を母として東ジャワで生まれた幼少期、ヒンドゥーの香りがただようバリ文化、ジャワ文化に囲まれた環境で育てられた。そんな彼は成長して独立運動の指導者となり、インドネシア独立の父としてインドネシア・ナショナリズムを牽引していく。日本軍政が終焉して、バリ島はオランダの傀儡国家である東インドネシア国に参加した時期もあったが、スカルノは強力に共和国に吸収することにつとめ、バリも一九五〇年にインドネシアの一員となる。中央集権的な教育・文化政策を推進するジャカルタの中央政府に対して、バリはその文化的独自性を認めさせようと働きかけ、一九六五年にようやくヒンドゥー教は国家の認める宗教となった。

スカルノから権力を奪取し、権威主義的体制を敷き、三〇年にわたってインドネシアを支配した第二代大統領スハルトが外貨獲得のために始めたバリの国際観光開発が、アジュグ・バリ形成の第三の要因である。バリの観光開発は、一九六九年〜一九七三年の第一次五カ年開発計画の中にも盛り込まれているが、これが本格化するのは一九八〇年代である。この時期からバリの変容が加速する。従来の観光地区サヌールに加えて、バリ島の南端ヌサドゥアに外資系の大型ホテルが林立するようになる。七一年に構想された観光開発のマスタープランでは、開発地域はヌサドゥアとサヌール、クタ、デンパサール地区に限定されていたが、一九九三年には二一地区とバリ島全面積の四分の一まで拡大し、全島をあげた開発が推進されたのである。

こうした開発はバリの近代化、国際化に貢献し、バリはインドネシアが海外からの賓客を迎えるにあたっての応接間の地位を獲得する。その一方で、国家主導のプロジェクトに、地元は置き去りにされているという鬱屈も蓄積されることになる。観光がもたらす収益を外部資本や中央政府が取り上げ、バリ人の手元には残らない、というのである。開発地域が南部に偏ることによる島内での地域格差の拡大、水田が観光用地として売却されることによる環境破壊、観光客増に伴う農業用水の不足による農業の衰退、治安の悪化という弊害も意識されるようになる。

ポスト・スハルト期の地方分権化、一体感の揺らぎ

アジュグ・バリ第四の要因は、スハルト時代が終わってやってきた民主化、地方分権化の波である。一九九八年、経済危機に直面したスハルト強権体制が崩壊し、インドネシアは民主化の時代を迎える。中央政府が地方の動きを監視、コントロールする中央集権から地方分権へと、潮目が変わった。

この地方分権化は、バリ島内の地元アクター間の観光利潤獲得競争につながり、かえって地域格差を悪化させているという報告もある（井澤友美「ポスト・スハルト期におけるインドネシア・バリ州の観光開発とその影響」『観光学評論』二〇一四年2巻2号）。これによれば、二〇〇一年施行された地方分権化に関する二つの法律は、中央政府が従来有していた権限と財源の多くを州政府ではなく、県および市行政に委譲することを定めた。また県や市が自助努力で地方独自の歳入源を獲得することも認められた。州知事の監督を受けなくなった県および市の行政当局は、直接外部資本と交渉して、投資を

誘致するようになった。こうした分権化、自由化政策は、民主化を求める社会の空気を反映するものであるが、各地方行政間の調整は行なわれず、地域間の利潤獲得競争を激化させ、バリ全体の統一感を失わせる弊害をもたらした。自由競争において国際空港に近く、インフラも整備されたバリ南部への投資が集中し、南部と北部の経済格差がさらに悪化したのである。

バリには、オランダ植民地時代から、従来の地縁、慣習に基づく地域のまとまりである慣習村と植民地行政が設置した行政村の二つが併存してきたのだが、地方分権化によって慣習系組織の権限が強まった点も、アジュグ・バリ盛り上がりの背景にある。

インドネシアのイスラーム化が生んだアジュグ・バリ

ヒンドゥー教徒のバリ人は、バリ島内では圧倒的多数派であるが、イスラームが多数を占めるインドネシア一国の中では少数派という微妙な立場にある。バリの隣のジャワ島には、最大エスニック集団にしてイスラーム教徒の多いジャワ人が暮らしている。少数派バリ人ヒンドゥー教徒は、インドネシア社会で現在進行しているイスラーム化現象に微妙な不安を募らせ、そのことが彼らの自己認識にも微妙な影を落としている。これがアジュグ・バリ運動拡大の第五の要因である。イスラーム主義組織ジェマー・イスラミアが惹き起こした二〇〇二年バリ爆弾テロ事件が、アジュグ・バリ運動が生まれるきっかけとなったのは前述の通りだ。

アジュグ・バリが、「他者」「脅威」と認識するのは、外国人観光客と並んで島外からやってきたジャワ人労働者である。二〇〇二年のテロ事件に先立って、八〇年代からの観光開発の大型プロジェクトに従事するために、ジャワをはじめとしてバリ島外から、大量の出稼ぎ労働者と彼らの家族がバリに移住し、それぞれのエスニック集団コミュニティーを形成していった。イスラーム人口大国であるインドネシアの国内他島からの移住者増大は、バリ島においてヒンドゥー教徒の比率低下、イスラーム教徒比率上昇を生む。八五年当時ヒンドゥー教徒比率は九割を超え、イスラーム教徒は五%程度であったのが、二〇一〇年ヒンドゥー教徒比率は八三%まで低下し、逆にイスラーム教徒は一三%と二倍以上の伸びを示している。

イスラーム教徒の拡大は、バリ人の目には日常の中にモスク、ベールを被る女性、ジャワ人労働者目当ての屋台（カキ・リマ）が急増し、見慣れたバリの風景が脇に追いやられ、押し出されそうになっているように映る。バリ地元民が感じた不安、たとえば「低賃金労働者の流入は、窃盗・売買春・麻薬取引などの犯罪増加・治安悪化を招く」という懸念へつながり、二〇〇二年のテロ事件が売買春や麻薬取引が横行するリゾート地クタの街路で発生したことはバリ人の懸念を確信へと変えた。

深遠なるバリ・ヒンドゥー精神世界を軽視し、精神修養を忘れて、物質的、享楽的な外来文化にのめりこむ現代バリに神罰が下ったのだとして、「もう一度、本当のバリを取り戻そう」というバリ人オピニオン・リーダーの呼びかけから、アジュグ・バリ運動が立ち上がる。こうした経緯から始まるアジュグ・バリ運動は、精神文化復興運動であると同時に、排外意識に基づく外来者への監視強化、治安強化という物理的な力を指向する要素も含まれている。伝統的な自警団プチャランが見直され、各地で自警団の組織強化が行なわれた。プチャランは慣習系組織に帰属しているが、前述した通りバリ州警察はバリの治安維持には地域共同体の協力が不可欠としてプチャランの実力を認め、これを活用することを公言している。

寺院での窃盗や破壊を犯した者が、自警団につかまり、地元民によるリンチによって命を落とす事例も報告されている。「芸術的で平和なバリ社会」というイメージの裏側には、このような暴力が作動していることも知っておかないといけない。

変質するアジュグ・バリ

社会学者の吉原直樹は、論考「アジェグ・バリと自閉するまちづくり――デンパサール中心市街地の再開発をめぐって」（西山八重子編『分断社会と都市ガバナンス』日本経済評論社）において、アジュグ・バリの起源を九〇年代後半にまで遡り、二〇〇二年爆弾テロ事件によって変質が生じた、と論じている。テロ事件以前のアジュグ・バリは、①観光開発というグローバリゼーション、②ジャワからの出稼ぎ労働者の増大とそれに伴うインドネシアのイスラーム活性化現象のバリへの浸透という二つの潮流に対するバリの伝統の保持を求める文化復興運動であった。ところが、爆弾テロ事件を契機に文化領域を越えて、「グローバル・ツーリズムがもたらした影の部分を『悪』とみなして、それを排除することに運動の主眼が置かれるようになった」と吉原は見ている。文化復興から政治社会的要求へと、運動が変質したということだ。「古き、良きバリ」を求めるまちづくり運動が、外から侵入してきた「異なるもの」を排除することで自らの純潔性を保とうという排外性を帯びた形で展開されるようになってきたのだ。

アジュグ・バリが実現しようと目指すものは、主に以下の四点に集約できよう。

①バリ・ヒンドゥーの宗教教義、価値観、文化、慣習を土台とする独自のバリ社会の建設、インドネシア共和国における特区指定を獲得する。

②島外からの移住を制限、管理することによってバリの治安を改善する。

③トリ・ヒタ・カラナ（神と人・人と人・人と自然の調和を説くバリ・ヒンドゥー哲学）に基づき、観光産業のみに依存せず、農業、伝統工業を振興することで、天然資源・環境・文化に負荷のかからないバランスのとれた発展を目指す。

④ヒンドゥー教徒比率の低下を食い止め、バリ文化を振興し、次代に継承する。

アジュグ・バリ論者たちは、観光開発が南部に偏り、長期的計画性を欠いた農地のリゾート化が進んで農業が衰退し、利潤がバリの地域共同体に還元されていないことを問題視する。経済開発に宗教文化的視点（バリ・ヒンドゥー哲学、文化の維持・振興という視点）の欠如が、問題を生んでいるのだと主張する。

またジャワ人、イスラーム教徒の急激な増大は、アジュグ・バリ実現の潜在的脅威であるとして、「地方行政は、プチャランを傘下に置く慣習系地域共同体との連携強化、外来者の移住管理、外来者証明の発行の厳格化等の施策を実行すべし」と要求する。

もうひとつの「回帰すべき過去」

アジュグ・バリは、ジャワ・イスラームの流入以前のバリ、イスラーム教徒が存在しなかった時代を「理想のバリ」と措定した上で、異質な「他者」を排除しようと運動の方向を定める。

他方、これとは異なるアプローチで歴史を掘り起こし、そこにバリのあるべき姿を見出そうとする知的な模索が現在のバリ知識人のあいだに存在するのも事実だ。一例を挙げると、国立ヒンドゥー大学イ・クトゥト・ウィサルジャはヒンドゥー教徒の視点から、デンパサール・イスラーム宗教大学ファジリ・ズリア・ラムダハニはイスラーム教徒の視点から、バリの歴史において長くヒンドゥー教徒とイスラーム教徒は共生の道を歩んできた、と論じている。今バリに暮らすすべての人々が過去から汲み取るべきは異なる文化・宗教を共生させるために先人が育んできた「地元の知恵」だ、と彼らは主張する。この「地元の知恵」が存在するおかげで、バリ爆弾テロ事件以降懸念された宗派間対立が悪化しなかったのだ、と言う。

ファジリは、ヒンドゥー・イスラーム共生のための「地元の知恵」として、「メギブン」を紹介している。メギブンは、バリ島の東端カランガセムに残る伝統で、共に行動することを意味する。バナナの葉を受け皿として、そこに米や野菜が盛られている。これを、ヒンドゥー教徒もイスラーム教徒も五〜六人のグループを作って車座になり一緒に食し、語り合うのである。食べ物を落としてはいけない。また自分が食べ終わっても席を立つのはマナー違反、とされる。

この伝統は、一六九二年カランガセムのバリ・ヒンドゥー王が隣のロンボク島ササック人のイスラーム王国を打ち破った際、仇敵を招き食事を共にしたことを起源とすると言われている。その時にヒンドゥー王が、これまで敵・味方であった者たちが膝をつきあわせて同じ料理を食べ、語り合うことで、和解を固めようとしたのだという。メギブンは、前述の通りアジュグ・バリが掲げるバリ・ヒンドゥーの至上価値「トリ・ヒタ・カラナ」を具現化する試みである、と説明される。

ヒンドゥー教には、カーストという身分秩序が存在し、変容を遂げつつも現代まで維持されてきた。カースト制度は、日本で想像されているよりも複雑で、たとえばインド全土では二〇〇〇から三〇〇〇にも及ぶという職能集団（ジャーティ）によって構成されている。現今のインド憲法は、カーストに基づく身分差別を禁じているが、現実には不可触民という最下層の人々やイスラーム教徒に対する差別が存在する。特に根強く残る差別の一つが、彼らとの結婚や共食の拒否である。共食を拒否することは、「他者」を峻拒し、自らが上に立つ者であることの自己確認を意味する。ところがバリでは、これが裏返されて、ヒンドゥー教徒とイスラーム教徒が共に食事することで、和解を確かめ、自他の共存・調和を強固なものにしようしてきたのだ。この伝統こそ現代バリにおいて、もう一度再評価し、活性化を図るべき知恵なのではないか、とファジリたちは問題提起しているのだ。

バリに持ち込まれるヒンドゥー・ナショナリズム

ここまで述べてきた通り、国家開発の一環として国際観光振興、グローバリゼーション、ジャワ島のイスラーム活性化の流入、といった外からバリに加わってきた力への対抗が、アジュグ・バリの本質と結論付けることもできよう。しかし、外部からバリに流入してくる力への対抗、というアジュグ・バリ概念自体も矛盾を孕んでいる。アジュグ・バリが至上価値を置くヒンドゥーもまた、インドという外部世界からの流入物ではなかったのか。

パリではなくバリに在住すること四〇年、バリ社会の変化を西洋の視点から観察してきたフランス人文化人類学者ジャン・コトーが、ジャーナリストのエリック・ビュヴェローとの対談で面白いことを言っている。コトーによれば、近代以前のバリの民衆は「ヒンドゥー教徒」という自己認識を持っていなかった。近代以前の村落単位で盛んに行なわれていた祖先崇拝や自然崇拝に関して、村人は、「ヒンドゥー」という教義を特に意識することなく、昔からのならわしをごく自然に執り行なってきた。ところが、オランダ植民地支配時代、西洋人たちがバリを「ヒンドゥー教が残る島」「ヒンドゥー教徒が暮す島」と識別し、その文化を賞賛する中で、次第にバリ人たちのあいだでナルシスティックな感情とともに「自分たちはヒンドゥー教徒」という自覚が強化されていった。バリ人は「ヒンドゥー教徒」と外部から見られることで「ヒンドゥー教徒」になった、とコトーは言うのである。

さらに独立後、国際観光開発によって生じた都市化、中産階層の形成、彼らの高学歴化が、バリ人のヒンドゥー再発見に拍車をかける。教育によって外部世界を知ったバリ教養層は「インドに本場のヒンドゥー教が存在する」と認識し、インドに留学して本物のヒンドゥー教を学ぼうという動きが生まれた。そうしたインドに留学した人々たちの尽力により、九〇年代にヒンドゥーの教義を知的に研究、教育する高等教育機関がバリに開設された。「インドネシア・ヒンドゥー大学」「国立ヒンドゥー大学」である。これら大学を通して、一九世紀以降インドで発生したヒンドゥー近代改革の思想潮流がバリ社会に紹介され、次第にバリ・ヒンドゥーの信仰にも影響を与えるようになる。

かくして本来の教義から外れて不純な要素が入り込んだバリ・ヒンドゥーを改め、「正しいヒンドゥー」を奉じるべきだという主張が生まれてくる。その中には現在のインドで勢いを増す排外的なヒンドゥー・ナショナリズムの要素も含まれている。

このように、「ヒンドゥーのバリ化」→「バリのヒンドゥー化」というバリ社会の変容、これが「イスラームのジャワ化」→「ジャワのイスラーム化」というジャワ島で進行中の変容と同時並行的に起きている点にコトーは言及している。ジャワ島とバリ島で起きている宗教復興は連動する共鳴現象と考えられる。ジャワのイスラーム化現象が、バリ・ヒンドゥーの文化復興を刺激しているのである。

世界の宗教復興現象を「原理主義」概念で比較分析した「シカゴ大学原理主義研究プロジェクト」

は、原理主義の特性をイデオロギー面、組織面から抽出したが、その特性のうち、近代化（グローバル化）によってそれまでの宗教が存立の危機にあるという社会認識、ウチとソトの明確な線引きに基づく排外意識の形成といった点がアジュグ・バリにも見られる。アジュグ・バリは急激な社会変化に対抗する原理主義的運動という側面を有しているのである。他方、エコ・ツーリズムの取り組みなど持続可能な開発へのまなざし、伝統的生産形態（農業・漁業）の再評価、農民の生産協同組合の結成、草の根民主主義を拡げる模索など、ポスト・モダン的要素もアジュグ・バリから見出すこともできる。

アジュグ・バリは反動と革新、外部世界の影響とそれへの反発、等々矛盾する要素を内部に孕んだ複雑な運動なのである。

第7章

アチェ――イスラーム法が施行される唯一の州

イスラーム法の厳罰化によって束縛される若者の自由

世界一のイスラーム人口を擁するインドネシアであるが、イスラーム法（シャリーア）が実際に施行されているのは、一つの州しかない。それはこの国の最西端にあるスマトラ島アチェ州である。国軍とアチェ分離独立勢力「独立アチェ運動」（GAM＝Gerakan Aceh Merdeka）間で長く続いた内戦の後、分離独立派を慰撫するための「アチェ特別自治法」が制定され（二〇〇一年）、和平後に和平合意を実行するための「アチェ統治法」（二〇〇六年）が制定されて以降、アチェにイスラーム法が施行されている。

イスラーム法は、イスラーム法学者が聖典クルアーンやムハンマド言行録に基づいて行なう解釈による法規定である点が近代法と異なり、それが包摂するのは、遺産相続、結婚・離婚、商取引といった民法にあたる分野から、刑法、刑事訴訟法といった刑法、さらに憲法、国際法に至るまでの広範な領域である。

イスラーム法が施行された当初は目立たなかったが、二〇〇四年スマトラ沖大地震およびインド洋大津波の後、政府と独立アチェ運動の和平合意が成立してから、イスラーム法に基づく規制が次第に強化され、人権侵害が度々報告され、世界の耳目を集めるようになった。

いくつかの事例を挙げよう。ジャワやバリからコンサートに参加するためにやって来たパンク青年六四名が警察によって拘束され、「再教育」を受けるために更生施設送りとなった。警察担当者は、地元住民からの苦情を受けて、この措置をとったと述べている。若者を保護しアチェ社会に合う道徳を身につけさせるために行なったもので、人権侵害にあたらないというのである。警察によって頭を丸刈りにされるパンク・ロッカーたちの姿はショッキングで、この光景はインドネシア内外に配信された。

映画やカラオケも禁止され、若者たちの表現の自由が損なわれている。一九年には若者たちに人気のあったシューティング・ゲーム「PUBG」を、アチェ・ウラマー協議会が「イスラームを侮辱し、青年たちに悪影響を及ぼす」として、これを「ハラム」(イスラーム法上禁じられた行為)とする宗教見解を発した。なぜこのゲームがハラムなのか詳しい説明は明らかにされていないが、イスラームが禁じる偶像崇拝につながるということのようだ。

若い未婚の男女が手をつないだり、抱擁したり、デートすることも難しくなっている。若者が集

ブレウェー島
サバン
ウェー島
バンダ・アチェ
シグリ
タンセ
ロ・スマウェ
ペゥレゥラック
タケンゴン
ランサ
ムラボー
北スマトラ州
クタチャネ
タパック・トゥアン
シメゥル島
バトゥ島
バンカル島
トゥアンク島
ニアス島

まる場所を宗教警察が巡回し、イスラーム法に違反したとみなされると、逮捕されて公開むち打ち刑に処される危険性もある。一九年一月、州都バンダ・アチェのモスクの前で抱き合っていた男女が捕らえられ、群衆の前で一七回むち打ちされた。人権NGO「ヒューマン・ライツ・ウォッチ」は、イスラーム新刑法の一部としてこの刑罰が二〇一五年に導入されて以降、二〇一七年までの二年間に五〇〇件以上の公開むち打ちがあった、と報告している。

女性の移動の自由に対する制限も加わった。州都バンダ・アチェでは、一五年に部分的夜間外出禁止令が出され、「性暴力を防ぐ」という名目で午後一一時以降、女性は自宅からの外出を禁じられた。またバンダ・アチェ市長は、レストラン、カフェ、観光施設に対して、夫や親戚男性の同伴がない限り、午後一一時以降女性へのサービスを行なわないよう命じた。

LGBTに対する迫害も厳しさを増している。二〇一七年同性愛カップルが自警団に攻撃され、イスラーム法を犯した罪で八五回のむち打ち刑を受けた。

インドネシアにイスラームが伝播した地、イスラーム王国の栄光

インドネシアにおいて、なぜアチェのみイスラーム法が施行されているのか。なぜアチェのイスラーム法施行はかくも時代錯誤的に厳罰化するのか。この問いに答えるには、まずアチェ社会の骨格、これまでのアチェの歩み、そこにおいてイスラーム教はどのような位置づけだったのか、を振

り返る必要がある。

アチェ州総面積は、五七・九五六平方キロでインドネシア全面積に占める割合は三％である。おおよそ九州と四国を合わせたぐらいの大きさだ。スマトラ島がインド洋に突き出る、同島西北端のアチェ州は、東南アジア多島海とインド、中東とのあいだの交易路の要衝であるがゆえに、古来様々な民族がこの地を訪れ、彼らと地元民との交流が重ねられてきた。アチェ人は、人種的にはマレー系であるが、この地に到来したアラビア人やペルシア人、インド人他のＤＮＡも含んでいる、と言われている。

アチェ州の人口は二〇一〇年四四九万人であったが、一九年には五三七万人に達している。アチェ州の人口規模はインドネシア総人口の二％である。二〇一〇年国勢調査のアチェ州内エスニック集団別人口規模を見ると、ガヨ人等先住民族を含むアチェ人が三八一万人（八四％）で圧倒的多数派である。他方ジャワ島から移住してきたジャワ人は四〇万人（八・九％）で第二グループを形成している。次いで隣の北スマトラからやって来たバタック人が一四万人（三・二％）で第三位である。

州内人口を宗派別に見ると、イスラーム教徒が九八・一％を占める。イスラームが主流のインドネシアの中でもアチェはイスラームの教勢が強い地域なのである。他宗教に関しては、キリスト教徒が一・一％、仏教その他が〇・八％に過ぎない。

アチェは、インドネシアの中で中東に最も近い地域であることから、その影響を受けやすい地域であるとも言える。インドネシアで最初にイスラーム教が伝播したのも、この地理的要因によるところが大きい。

現代アチェ人の誇りの源泉となっているのが、植民地化される以前に栄えたイスラーム王国の栄光だろう。

一三世紀、インドや中東との交易で栄えたサムドゥラ・パサイ王国の国王がイスラーム教徒に改宗し、インドネシア初のイスラーム王国が誕生した。一五世紀末に建国されたアチェ王国がサムドゥラ・パサイ王国を一五二五年に併合し、一六世紀から一七世紀にかけて強大化し、マレー半島やスマトラ島沿岸部に支配地域を拡げた。国際空港の名前の由来となったスルタン・イスカンダル・ムダの治世において全盛期を迎え、王国の都バンダ・アチェは当時マラッカ海峡における最大の貿易港として、香辛料や金の貿易で大いに賑わった。アチェ人にとって、イスラームはこの過去の栄光と強く結びついて、彼らの心の奥深くに刻まれている。

外部勢力への抵抗の歴史

一九世紀に入り、西洋列強間の調整においてスマトラをその縄張りと認められたオランダはアチェ王国への圧力を強め、一八七三年に宣戦を布告し、侵略を開始した。しかし、このアチェ戦争はオランダにとって高くついた。一九〇三年にスルタンが降伏するまで三〇年に及ぶ時間を要し、オランダ軍兵士一万人以上が犠牲となった。アチェ側は五万から一〇万の死者、一〇〇万以上の負傷者を出したが、彼らの抗戦意識は強く、その後も大規模な抵抗は一九一四年まで、散発的なゲリラ戦は一九四二年日本軍侵攻によってオランダ植民地支配体制が崩壊するまで続いた。オランダに対して二五年にわたって不屈のゲリラ戦を指揮した女性指導者チュ・ニャ・ディンの生涯は、国民女優クリスティン・ハキムが演じて一九八八年に映画化され、カンヌ映画祭で受賞するなど内外で評判となった。

アチェ王国において、スルタンは象徴的存在にすぎず、実際に政治権力を握っていたのは各地の貴族であった。オランダは彼らを行政官として採用し、徴税権、司法権を与えて体制に組み込む間接支配を敷いた。他方、それまで貴族と並んでアチェ王国を支え、宗教的権威として地域住民に強い影響力を持っていた「ウラマー」（イスラーム指導者）たちは、異教徒の支配者オランダに対する抵抗意識を維持し続けた。一九二〇年代から三〇年代にかけてこの地域でイスラーム復興現象が強まり、その中で改革意識の強いウラマーが台頭した。彼らの中から武力闘争を主張するものが現れる。植民地体制下のアチェでのゲリラ闘争を担ったのは、こうしたウラマーたちだった。一九三九年には改革派ウラマーが結集して「全アチェ・ウラマー同盟（PUSA＝Persatuan Ulama Seluruh Aceh）を結成する。PUSA指導者ダウド・ブレエ（次頁写真）は、一九四二年三月日本軍侵攻が迫る中、反オランダ大衆蜂起を試み、四日間で植民地体制を崩壊させる。かくして日本軍は、アチェ民衆の歓呼の声に迎えられながら、バンダ・アチェに進軍した。

日本軍政は統治を円滑に進める観点から反オランダ意識の強いイスラーム指導者の存在に着目し、宗教関連事項に関するウラマーの司法権を認めるなどして、ウラマーへ秋波を送った。このことがアチェ社会におけるイスラーム指導者のさらなる影響力の拡大につながった。

ダウド・ブレエ（KOMPAS.com）

そして一九四五年八月一七日、日本の敗戦二日後に独立運動指導者たちはインドネシア共和国の独立を宣言し、植民地復活を目論むオランダとのあいだで戦争が始まるのだが、PUSAは独立闘争に参入し、共和国理念を共有し、闘争の強力な担い手となる。この戦争と社会革命の期間中、アチェ人意識・イスラーム意識・インドネシア国民意識が矛盾なくアチェ人の指導者の胸の内に共存し、三位一体のアイデンティティーが強化された、とインドネシア研究者ジャック・ベルトランは述べている。つまり、この時期のアチェには、「イスラーム国家アチェは世俗国家インドネシアとは別物」という分離独立意識は存在しておらず、「アチェ」と「インドネシア」は一体のものだった。一九四七年七月、インドネシア共和国中央指導部によるダウド・ブレエ軍政知事任命は、独立運動指導部がアチェのイスラーム指導者たちを頼りにしていたことを示すものである。

再び戻ってきたオランダの前に劣勢に立たされた共和国側でオランダの侵攻を許さなかったのは唯一アチェのみである。またマレーシアやシンガポールとアチェとの交易によって得られる利益は、共和国にとって貴重な歳入源だった。こうしたアチェの共和国への貢献に鑑み、スカルノ大統領は、ダウド・ブレエにイスラーム法に基づくアチェの自治を約束していた。

しかし、スカルノは独立達成後の一九五〇年、この約束を反故にする。新国家の骨格に関して、共和国か連邦かという二つの選択肢が存在していたが、オランダの影響力が温存される連邦制度を嫌い、スカルノは単一の共和国を選択、イスラーム法に基づく自治というアチェの要望は却下された。また、それまで認められていた「アチェ州」という行政単位は取り消され、アチェは「北スマトラ州」に編入される。

「イスラーム法に基づく統治の否定、アチェの北スマトラへの編入は、共和国の裏切りである」とアチェのイスラーム指導者たちは憤激した。一九五三年ダウド・ブレエは、スカルノらの世俗主義路線に反発し、「インドネシア・イスラーム国家」（NII＝Negara Islam Indonesia）の樹立を目指す反乱に加わり、抵抗を開始した。六一年一月には「アチェ・イスラーム共和国」の独立を宣言している。

彼らの抵抗に手を焼いた中央政府は、五六年アチェ州を復活させ、五九年にはアチェの一部ウラマーと交渉し、宗教・慣習・教育分野において広範な自治を付与する「特別地域」として認める妥協策がとられた。政府に組織を切り崩されつつ抵抗を続けたダウド・ブレエも一九六二年に投降し、ひとまずアチェ・イスラームの反乱は沈静化した。

独立アチェ運動（Departemen Pertahanan dan Keamanan Republik Indonesia）

しかし、軍出身の第二代大統領スハルトの強権的、中央集権的支配が、再びアチェの反乱に火をつけた。それまでにアチェに認められてきた自治は骨抜きにされ、たとえば教育分野ではイスラーム教育に制限が加えられ、国家イデオロギーとして世俗的なパンチャシラ・イデオロギー教育がアチェにおいても推進された。また一九七〇年代に開発された天然ガス資源の収益が中央に吸い上げられアチェは搾取されているという不公平感も、アチェ人の反中央感情を刺激した。アチェ戦争の英雄の孫にあたるハサン・ティロを指導者とする独立アチェ運動（GAM）が、一九七六年一二月に「スマトラ・アチェ王国」の独立を宣言し、再び分離独立運動が表面化する。

しかしこの時は、政府が国軍を投入して運動は抑え込まれ、ハサン・ティロはスウェーデンに逃げ、そこで亡命政府を樹立した。この時期の独立アチェ運動は、イスラーム色は弱く、イスラーム指導者たちは運動から距離を置き、中には独立アチェ運動を非難するイスラーム指導者もいた。彼らの支援なく、運動は大衆的拡がりを持たなかったがゆえに、国軍は彼らの動きを容易に封じ込めることもできたのである。

和平交渉取引材料としてのイスラーム法適用

一九八九年、捲土重来を期した独立アチェ運動は、国立イスラーム大学の教員・学生層も加わり、強力な抵抗、ゲリラ戦を始めた。この動きに衝撃を受けたスハルト政権は本格的な国軍投入を開始し、一部地域を軍事作戦地域に指定し、情報工作活動なども行なう陸軍特殊部隊を含む六〇〇〇人規模の部隊を展開し、武力によって反乱の芽を摘み取ろうとした。

しかし、その後一〇年間に及ぶ軍による人権侵害がますますアチェの人々の心をインドネシア国家から離反させた。アムネスティ・インターナショナルは、一九八九年から九一年にかけて少なくとも二〇〇〇人が殺されたと発表しており、スハルト政権崩壊直後（九八年八月）に公表された国家人権委員会報告では、死者七八一名、行方不明一六八名、虐待三六八名、未亡人となった者三〇〇〇名、孤児一五〇〇〜二〇〇〇名、レイプ一〇二名という夥しい人権侵害状況が報告されている。アチェに向けられた国軍の力の行使は、住民たちの心に深い心の傷を残した。

一九九八年五月、アジア通貨危機から生じた国内の混乱を鎮めることができず、スハルト大統領は辞任し、三〇年に及んだ強権体制が崩壊した。インドネシアに民主化、地方分権化の潮流が生まれ、これはアチェにも変化をもたらした。

軍事作戦地域指定は九八年八月に解除され、アチェの自治を尊重し、人権侵害を止めて、侵害を犯した者を裁きにかけることでアチェ問題を解決しようという議論がジャカルタで生まれたのである。

このような情勢を見て、一九九九年二月アチェの学生たちが「アチェ住民投票情報センター」を結成し、住民投票によって長引く内戦状態を終わらせ、平和を取り戻そうという試みが行なわれた。スハルトの後を継いだハビビ大統領は、独立を求める東ティモールに関して住民投票の実施を認めたが（第一〇章「東ヌサ・トゥンガラ」参照）、アチェの住民投票には関心を示さなかった。

一九九九年に就任したアブドゥルラフマン・ワヒッド大統領は独立アチェ運動との対話を試み、欧米NGOの仲介を得ながら何度か休戦合意を結ぶが、国軍の抵抗により、平和が定着することはなかった。ワヒッド後継のメガワティ政権（メガワティはスカルノ初代大統領の長女）は、ワヒッド政権から引き継いだ政策として二〇〇一年八月アチェに特別自治を付与するとともに、国軍の作戦を強化するという硬軟とりまぜた政策を採用した。このアチェ特別自治法は、イスラーム法法廷がアチェ州においてイスラーム裁判を行なうことを明記している。アチェに与える高度な自治の一つとして、イスラーム法による統治が規定されたのだ。

二〇〇三年五月東京でインドネシア政府と独立アチェ運動のあいだで交渉が持たれ、政府は①インドネシア単一共和国の承認、②武装解除、③特別自治の付与、という三条件の承認を独立アチェ運動に求めたが、独立アチェ運動はこれを拒否し、交渉は決裂した。この後、政府は軍事非常事態をアチェに宣言し、外国人ジャーナリスト・NGOのアチェ入域も禁止された。

結局、内戦を終わらせたのは二〇〇四年一二月二六日に発生したスマトラ沖地震・インド洋大津波という自然災害だった。震源地に近いアチェ州は一三万を超える人々が犠牲となり行方不明者も三万人以上という壊滅的被害を受けて、政府、独立アチェ運動のいずれもが戦闘を続けることができなくなった。被災者への支援に自力で対応できないことを認識したインドネシア政府は、緊急支援を行なう外国政府や国際NGOのアチェ入域を認めざるを得なくなった。他方、多くの支援者を失った独立アチェ運動も、戦闘継続は困難となり、独立要求を取り下げる。二〇〇五年一月フィンランド元大統領の仲介で両者は交渉の席につき、ついに同年八月一五日ヘルシンキで和平合意書に調印することになった。

両者の合意事項は、独立アチェ運動の武装解除と国軍・警察の撤退、アチェ自治政府の設立・アチェ地方政党の地方レベル議員選挙への参加、人権、恩赦、独立アチェ運動戦闘員の社会復帰、治安回復、停戦監視のためのミッションの設立等である。

過酷化するイスラーム法

以上アチェの歴史とイスラームの関わりを一瞥してきたが、昔からアチェでむち打ち刑が行なわれてきたわけではなく、アチェにイスラーム法が適用された二〇〇一年アチェ特別自治法施行以後のことである。

インドネシア研究者の佐伯奈津子は、アチェにおけるイスラーム法適用は、中央政府と独立アチェ運動との抗争の中で、政府側から政治的取引材料として浮上した経緯を指摘している（佐伯奈津子「インドネシア・アチェ州におけるイスラーム刑法と女性・性的少数者」日本平和学会、二〇一九年、秋季研究集会）。アチェが独立を求めるようになった理由は、中央政府によるアチェ天然ガス収益の収奪と国軍による人権侵害である。和平のための提案として中央側がイスラーム法適用を持ち出すのは問題のすり替えに過ぎない、とアチェ側は抗議した。また和平交渉の真ん中にイスラーム法適用を据えるのは、アチェの分離独立運動＝イスラーム過激主義というステレオタイプなイメージを作って、独立アチェ運動を支持する国際世論を牽制しようと目論んでいるのではないか、とアチェ側は嫌疑の目を向けた。

独立アチェ運動は、イスラーム国家樹立を目指した五〇年代のダウド・ブレエらの反乱とは異なり、「イスラーム」よりも「人権」を運動の大義と掲げてアチェ民族の解放を目指すものだったのである。

しかし二〇〇四年の大災害が惹き起こした危機的な状況の中で、潮目が変わり、アチェ州政府が制定する条例によって、国法で想定される以上にイスラーム法の適用範囲を拡大する動きが見られ、アチェ社会の非寛容化が目立つようになってきた。

そもそも二〇〇一年アチェ特別自治法を受けて二〇〇二年に制定されたアチェ州条例第一〇号は、

イスラーム法廷の管轄権を定めており、同法四九条注釈において、
①不貞、不貞の誣告、窃盗、強盗、アルコール、違法薬物の摂取、背信、謀反行為への「クルアーンに定められた刑罰（むち打ち、石打ち）」
②殺人および傷害行為への「同害報復による刑罰」
③賭博、不純異性交遊、礼拝・断食義務の怠慢への「裁判官の裁量による刑罰」
が分類されていた。続く二〇〇二年地方条例一一号は、宗教警察（WH＝Wilayatul Hisbah）をアチェの州、県、市に設置し、信仰実践を監視、注意、説得する権限を付与することを明記している（島田弦「インドネシアにおけるシャリア適用の変化：アチェ州における事例を中心に」『社会体制と法』14、「社会体制と法」研究会）。

二〇〇六年アチェ統治法（二〇〇六年法律第一一号）の第一二五条はイスラーム法の範囲を「礼拝、家族法、民事法、刑事法、裁判、教育、宣教、信仰、イスラム擁護」および「州条例で定める事項」と規定し、国家法のレベルで刑法がイスラーム法の範囲に含まれることを定めた。中央政府は国家法にイスラーム法範囲を明記することでイスラーム法が適用される範囲を限定しようと意図したのだが、アチェ州政府は条例を定めることによってイスラーム法が及ぶ範囲を拡大させようとしている。

たとえば二〇一五年に導入された条例は、イスラーム刑法罰則を、アチェ州内ではイスラーム教徒以外にも拡大適用させるというものである。また不貞に対する罰則として一〇〇回のむち打ち、同性愛行為には一〇〇回のむち打ちと一〇〇ヵ月以内の刑務所収監が定められている。

バンダ・アチェで行なわれた公開むち打ち刑（VOA/Wikimedia Commons）

この条例制定を契機に、州内のＬＧＢＴやキリスト教徒等少数派宗派に対する迫害が増加している。二〇一五年一〇月には、イスラーム教徒のグループが、政府の許可なしに行なわれた違法建築を閉鎖するのだと強弁してキリスト教教会を焼き払った。さらにアチェ州政府は、適切な許可を取得していないとして他の一〇の教会を閉鎖する措置をとり、宗派間対立が激化した。

またヘルシンキ合意にある「アチェ民衆の歴史的伝統および慣習を尊重」が恣意的に拡大解釈され、地域イスラーム指導者や宗教警察のイスラーム解釈が「アチェの伝統」であり、「イスラームの価値観」を貶める外部からの横やりを認めない、という風潮が出てきている。

モスク前の広場での公開むち打ち刑は、いかにも時計の針を逆に戻す時代錯誤的な罰則であることは疑いないが、二〇一五年以降アチェで行なわれてきたむち打ち刑には、現代文明が抱える今日的問題も含まれる、と文化人類学者ジョニ・ラリアトは指摘している。

というのは、現在のアチェでは、インドネシア他地域同様に、スマホ、SNSが普及している。公開むち打ち刑に集まった群衆は、めいめいのスマホで、不倫や同性愛の罪で公衆の前に引き出された受刑者の表情を撮影し、SNSを通じて拡散させる。受刑者の人権は全く考慮されていない。

過去のアチェ社会において行なわれた公開むち打ち刑は、考えてみると、むち打ちの恥辱的な光景が記録されることはなかったし、この光景を目にするのは集まった人々に限られていた。またむちで打たれる苦痛によって罪を償うこと、そして時の経過とともに記憶は薄められていくことで、受刑者と社会の和解プロセスが始まり受刑者の社会復帰への道は開かれる、という意味合いもあった。

しかし現代のテクノロジーによって、むち打ちの映像は、いつまでも記録・保存され続け、その場に居合わせた人間以外の不特定多数へも拡散していく。名誉を重んじ、恥の文化の存在するアチェ社会において、現代の公開むち打ち刑は、受刑者にとって屈辱的で、以前に増して過酷な刑罰と化しているのだ。

二〇一八年当時のアチェ知事が、公開むち打ち刑は非人道的という理由でこれを廃そうとしたが、州内の一部イスラーム組織がイスラーム法を犯す者への抑止力が損なわれると猛烈に反対し、断念せざるを得なかった。

和平後、ウラマーたちはアチェの地方権力を握り、政官界を牛耳るようになった。彼らは、イスラーム法の厳格適用を推進することが、選挙の集票上有利と考えている。またイスラーム法違反を取り締まるために州政府内に新たに設置された「シャリーア局」幹部ポストは、厳格派イスラーム勢力の就職口となり、一種の利権となっている。

他方、宗教と政治が一体化する風潮を訝しく見つめ、イスラーム法厳罰化の流れに反対する穏健・中庸なイスラーム教徒も、目立たないがアチェ州内に確かに存在し、時折女性の人権侵害に対する抗議デモが発生したりしている。二〇一八年のアチェ知事による公開むち打ち刑廃止の模索は、穏健・中庸イスラームの希求と水面下でつながるものであろう。こうした動きがあることも、これからのアチェを考える上で重要である。

アチェとどうつき合うか

ここまで見てきた通り、交易とともに渡来したイスラームはアチェ社会に根付き、アチェの人々の多くは敬虔なイスラーム教徒であり続けてきた。とは言っても、彼らが頑迷固陋な保守派、狂信的だったわけではなく、時代とともにその信仰実践も変わり続けてきた。むち打ち刑に見られるようなアチェのイスラーム法厳罰化は、二〇世紀以降の現象であった。そしてこの動きは、二一世紀に入って加速しているように見える。

ここで留意しておきたいのは、アチェ人にとって、近代以降、イスラームが外からの脅威をはね返す誇りの源泉の役割を担ってきた、ということだ。アチェ人にとって、オランダ植民地主義の侵略以来、アチェを脅かす者たちは外部世界から立ち現れるものだった。インドネシア共和国誕生に伴う世俗化圧力、スハルト強権体制下の中央集権的政策、国軍による人権侵害、内戦終了後のグローバリゼーション潮流……、外から圧力がかかり危機が意識されるたびに、イスラームはアチェ人の自己確認、自己防衛の拠りどころとなってきたのである。言葉を換えると、外からの脅威認識がアチェにイスラーム回帰をもたらし、非寛容化を刺激している、とも言える。

国際社会は、非寛容化が進行するアチェといかにつきあうか。アチェ人の内面に潜む対外警戒意識をいかに和らげるか。

このような問題の解決に関して、日本の市民が一定の役割を果たしうると私が考えるようになったのは、国際交流基金ジャカルタ日本文化センター勤務時代に日本とアチェの交流に携わった経験からだ。

二〇〇四年のスマトラ沖地震・大津波を経験したアチェと、二〇一一年の東日本大震災を経験した日本の東北地方は、筆舌に尽くしがたい経験をしたもの同士であるからこそ理解できる感情を共有し、対等のパートナーシップを育んでいける。こうした交流の積み重ねが、イスラーム非寛容化を喰いとめる一助となる。

具体的な交流の事例を二つ紹介したい。

国際交流基金は、災害が多発するアジア諸国において防災教育への理解を深め、社会に貢献したいという若手プロフェッショナルを募って、アジア域内の防災ネットワークの強化を目指す「ＨＡ

HANDs!プロジェクト。アチェでの交流（HANDs Project for Disaster Education facebook）

NDs！」プロジェクトを二〇一四年に立ち上げた。このプロジェクトは、防災専門家、アーティスト、会社経営者、NGOなど様々な専門領域を持つ青年たちが、災害の被害を受けた地域をまわって、現地の体験から発想力や実践力を身につけ、柔軟な思考で創造的解決案を出し合って、具体的なプロジェクトに落としこみ実践に結び付けていくというものである。

二〇一四年一〇月にバンダ・アチェで開催された第一回スタディー・ツアーに、日本、インドネシア、タイ、フィリピン八ヵ国の若者が参加した。彼らはスマトラ沖地震・津波の博物館を見学し、地元の人々の被災体験を聴いた後に、アチェで防災教育を実践しているNGO「ティカール・パンダン」を訪問した。「ティカール・パンダン」は子どもが親しみやすい、アートを活用した防災教育の手法を開発しており、たとえばテレビ番組を模した寸劇での防災教育のやり方は、参加者たちに大いに刺激を与えたようだ。アジアの防災の未来を担う若者たちに、同じ志を持つ仲間として、「アチェ」「ティカール・パンダン」の名は刻印された。

特定非営利活動法人「地球対話ラボ」も、アートを活用したアチェと東北の双方向交流に取り組んでいる。まず二〇一四年に宮城県東松島市とアチェの小学生同士の交流を始めた。交流を担ったのは両地域の若者・学生サポーターで、彼らが東松島とアチェの小学校を相互訪問し、ワークショップを実施した。

こうした交流を積み重ね、パートナーシップを強固なものにした結果、トヨタ財団の国際助成を得て、新たな交流の発展形として「アチェ＝ジャパン・コミュニティー・アート・プロジェクト」が二〇一七年に始動した。プロジェクトは、①アチェ津波博物館での展覧会と、②アチェ市内の震災遺構がある三ヵ所のコミュニティーを中心としたワークショップ、という二つの形態からなる。後者は、「参加型アート」「コミュニティー・アート」とも呼ばれる。

このプロジェクトを企画立案したディレクターの門脇篤は、東日本大震災を機に発生した「絆」「コミュニティーの再生」に貢献するアートの取り組みをアチェに紹介し、そこから生じる新たな創造を、東北にフィードバックすることを目指した（地球対話ラボ『報告書Report2017』）。

門脇によれば、ワークショップのためにアチェを訪問したアーティストのパルコキノシタは、「イスラーム＝テロという図式の違和感」「高い能力を持ったインドネシアの若者が研修生として日本で不当に低い評価を受けているという事実への危惧」の問題意識を日本帰国後も発信し続けている。

パルコキノシタの「イスラーム教徒の人っていい人！」という姿勢は、アチェの人々を感動させたようで、彼のチームのボランティア、スタッフは士気が高くチームワークも抜群だったという。アチェ側の共同代表であるハナフィは、「パルコキノシタさんがワークショップをしていた部屋では、彼がみなのお父さんのようだった」「またアチェに来てほしいと思う。みんなの心の中にいい思い出が残った」と振り返っている。

門脇も、「今回のプロジェクトを支えたのは、アチェの人々の、ある種ピュアな共感力、そしてこの国の見えないもの、分からないものに対する、日本におけるそれとは異なる態度にあったのではないかと考えている」と、アチェの感性、包容力に対する高い評価、敬意を語っている。

このように双方向の交流を通じて、お互いの信頼を高め、尊敬の念を培うことは、「外なる他者」への恐怖感を軽減し、寛容の精神を拡げる。時間はかかるが、双方向の対話と交流の積み重ねが、アチェ社会が本来持つ開放性を再活性化させ、イスラームの寛容性の裾野を拡げるのではないだろうか。

第8章 中部スラウェシ、ポソ——「宗教」紛争の負の遺産をどう乗り越えていくか

「多様性の中の統一の試金石」ポソ

「ポソ」という地名を聞いても、よほどのインドネシア通でなければ、「?・」と思うに違いない。ポソ県は、赤道直下のスラウェシ島・中部スラウェシ州の一行政区域である。スラウェシ島は「K」の形をした細長い島で、三〇〇〇メートル級の急峻な山脈が縦横に走っていて平野は少ない。複雑な地形のために鉄道や道路の敷設が難しく、他島と比べると交通インフラの整備が遅れている。

ポソはこの島の中央部東側、トミニ湾に面し、おおよそ二〇万人が居住する。県都ポソへは、首都ジャカルタから中部スラウェシ州の州都パルまで飛行機で二時間半、そこからは車で六時間程度の道のりだ。中央から見ると、本来は辺境部のありふれた町に過ぎない。

にもかかわらず、この地がインドネシア国内で知られているのは、九〇年代末から二〇〇〇年代初頭、スハルト強権体制から民主体制への移行期に、キリスト教徒とイスラーム教徒住民のあいだで激烈な「宗教戦争」あるいは「民族紛争」と呼ばれる事態が生じ、一〇〇〇名以上の犠牲者が出た地域だからである。

また、その後も暴力は根絶されておらず、イスラームによる世直しを武力を用いて実現させようとする組織がここを根城にして破壊活動を繰り返してきた。このためポソは、インドネシアでは中部パプアと並んで治安状況が良くない地域とされ、日本外務省の海外安全情報（二三年一月一一日時点）によれば、インドネシア諸地域はレベル１「十分注意してください」なのだが、ポソと中部パプア（プンチャク・ジャヤ県とミミカ県）についてはレベル２「不要不急の渡航は止めてください」と指定されている。

外務省情報によれば、イスラーム教徒住民とキリスト教徒住民の紛争は現在沈静化しているが、「郊外の山岳地帯にイスラーム過激派が拠点をつくり、治安当局や地元住民を襲撃する事件が発生したことから、二〇一五年以降、治安当局によるテロリスト掃討作戦が実施されてきた」。この「イスラーム過激派」とは、「東インドネシアのムジャヒディン」（ＭＩＴ＝Mujahidin Indonesia Timur）という組織である。一四年六月に中東の過激組織「イスラーム国」（ＩＳ＝Islamic State）への忠誠を表明しつつ、ポソを拠点としてこの地域周辺で活動してきた。ＭＩＴは「国家権力が善良なイスラーム教徒を虐待している」と主張して、インドネシア国家警察対テロ特殊部隊（デンスス88）への攻撃を標榜した。シリアに渡航したインドネシア人ＩＳ幹部から武器購入資金を得ていたことから、テロの

サンギル諸島
スラウェシ海
東カリマンタン州
マナド
北スラウェシ州
ゴロンタロ州
ゴロンタロ
赤道
中部スラウェシ州
トギアン諸島
トミニ湾
パル
スラ諸島
ポソ
テンテナ
バンガイ諸島
ポソ湖
西スラウェシ州
マルク州
南スラウェシ州
マムジュ
パロポ
パレパレ
ボネ湾
ケンダリ
ボネ
南東スラウェシ州
ブトン島
マカッサル
セラヤル島
フローレス海

国際ネットワークにつながる組織として、二〇一五年九月に国連制裁対象に指定された。

同年以降、治安当局の取り締まりが強化され、掃討作戦によって幹部が死亡、逮捕されるなどして組織の弱体化が進み、二二年一〇月には国家警察長官が「MITを壊滅させた」とメディアに発表した。しかし現地の状況に詳しい研究者、シンクタンク等によれば、ポソではMITに共感する住民感情が存在する。前述の外務省情報は、現在も残党や支持者が潜伏している可能性があり、今後も散発的に襲撃事件が発生する恐れがある、と警戒を呼びかけている。

MITがポソを根城にし、MITシンパが少なからずいる理由は、二〇年前この地で起きていた紛争まで遡らないと説明できない。そして、この紛争は「ポソ宗教戦争」と呼ばれる。しかし、紛争発生のメカニズムに関する文献をあたってみると、この紛争を「宗教戦争」と呼んでいいのか疑問が湧いてくる。

二〇年前の紛争が確実に現在のポソに暗い影を落としているのだが、紛争の遺した負の遺産を乗り越えようという取り組みが行なわれていることにも注目したい。現在のポソが置かれている状況を考えてみると、あらためてここがインドネシアの掲げる「多様性の中の統一」という理念の試金石、と感じる。本章では、一九九八年から二〇〇一年までのポソ紛争およびその後遺症としての暴力の連鎖、これを克服しようという「脱過激化」の取り組みについて論じたい。

ポソ紛争の背景

多民族国家インドネシアではどの地域においても異なるエスニック集団、異なる信仰を持つ宗派が混在する状況にあるが、どうしてポソでキリスト教徒とイスラーム教徒とのあいだの暴力的対立が生じているのか。この問いへの答えを探さないといけない。

回答の鍵の一つとなるのが、現代ポソ社会の形成過程である。本章冒頭で触れた通り、ポソはKの形をしたスラウェシ島の中央部にあって、この島の東西南北のヒトやモノの流れの結節点にある。複雑な地形のため陸上交通が難しいスラウェシ島では、海上交通が発達した。このためにトミニ湾に面した港町ポソには、ブギス人、アラビア人、華人等様々なエスニック集団、宗派、職業を持つ人々が交易のために渡来し、定住するようになり、その中の一部は周辺の山岳地帯にまで移り住んでいった。

一九世紀後半にはオランダ人宣教師によるキリスト教への教化が進み、山岳地域に居住する住民の多くがキリスト教徒になっていた。彼らはエスニック集団としては、パモナ人やモリ、ナプ、ベソア、バダ人といった人々である。山岳地帯ポソ湖沿岸の町テンテナがポソのキリスト教徒（プロテスタント）の経済および信仰の中心地で、ここにキリスト教教会の本部がある。この町ではパモナ人プロテスタントが多数派である。

イスラーム教徒は、ポソ市中および沿岸部に居住している。元々この地に住んでいた先住イスラーム教徒に加えて、南スラウェシから交易のためにやってきて長年この地で暮らすアラビア人、ブギス人は、ポソのイスラーム組織や教育機関で重要な役割を担ってきた。

これに加えてスハルト政権が六〇年代末から八〇年代にかけて推進した移民政策（トランスミグラシ）によって、人口過多のジャワ、ロンボクからイスラーム教徒が労働者としてポソに移住し、新しい村の開拓等に従事した。トランスミグラシ移民の急増により、九〇年代末には、イスラーム教徒はポソの人口の六〇％を占めるようになっていた（ヒューマン・ライツ・ウォッチの中部スラウェシ宗派間暴力報告書より）。

エスカレートする暴力

ポソ紛争では一九九八年から二〇〇一年までのあいだに三つの大きな暴動が発生した。

第一の暴動は九八年一二月二四日ポソ市内での若者の喧嘩から始まった。喧嘩の当事者の一人はイスラーム教徒アーマッド、もう一人はキリスト教徒ロイである。イスラーム側の証言者は「酒に酔ったロイがモスクの敷地でアーマッドを刺した」と主張し、一方キリスト教徒側の証言者は「自動車修理場でのドライバーの貸し借りから喧嘩となり、モスクに逃げたアーマッドをロイが刺した」と語っている。

どちらにせよ、どこにでもあるような血の気の多い、軽率な若者の喧嘩に過ぎない。しかし、これがただの若者の個人的な諍いでは終わらなかった。

ちょうどこの時期はイスラーム教徒にとって断食月、キリスト教徒にとってクリスマスという重要な宗教行事が行なわれていて宗教意識が高揚している時だったのだ。また直前にイスラーム教徒のポソ県知事が辞任を表明し、翌年行なわれる後継者選挙をめぐって政治勢力間の駆け引きが熱くなりつつあるという政治的に微妙な時期でもあった。武装したキリスト教徒とイスラーム教徒のあいだで暴力の応酬が始まった。エスカレートした暴力を警察も止めることができず、一二月二五日から二八日の四日間に数百人の死者が出て、数千人が避難民となった。

第二次暴動は二〇〇〇年四月一七日から一九日までで、前回と同様に、ポソ市内のバス・ターミナルで酔っぱらったキリスト教徒とイスラーム教徒の若者が喧嘩を始めたことがきっかけと言われている。両者の出身である、ランボジア（キリスト教徒の村）とラワンガ（イスラーム教徒の村）が互いを攻撃しあい、紛争は他地域にも拡大した。この紛争では警察も攻撃され、警察官舎や交番が焼き討ちにあった。

第二次暴動と第一次暴動にはいくつかの共通点が見られる。酔っぱらった若者の諍いが発火点となっていること。第二次暴動も、キリスト教のイースター祭、イスラーム教のインドネシア全国クルアーン読誦コンクール直前という宗教意識が高まる時期であったこと。ポソ郡書記長の交代があり、利権を握る地方自治体幹部ポストの権力移譲時期であったこと。加えて言えば第一次暴動の扇動者として逮捕された前県知事家族の裁判が始まろうとしていた時期でもある。

　第三次暴動は、第二次暴動から数週間後の二〇〇〇年五月二三日に火を噴いた。同日早朝覆面の暴徒がイスラーム教徒の暮らすカヤマニャ村を襲撃し、三〇〇人以上が犠牲になった。これを皮切りに再び暴力の応酬となり、六月一五日まで続いた。キリスト教徒の暴徒を扇動した首謀者は殺害されている。この第三次暴動は、それまでの二回と違って武器として銃器が使用されたことで、より多くの死者、負傷者を出し、危険な性格を帯びることになった。

　暴動が下火になった六月以降も散発的に銃を使った襲撃事件が発生し、さらには爆弾を使用するまでエスカレートした。二〇〇一年一一月二六日にはポソ市内の大教会で爆発が発生し、以後爆弾を使った攻撃が続発した。

　ポソの状況が深刻化する中でキリスト教徒の陳情を受けた中央政府が動き、スラウェシ出身大物大臣ユスフ・カラー（ブギス人）の仲介により、イスラーム、キリスト教徒両勢力のリーダーが和平協定「マリノ合意」に署名し、ようやく抗争は沈静化するに至った。

これは「宗教戦争」なのか

　米国の政治学者ハンティントンが九〇年代に唱えた「文明の衝突」論は、冷戦が終結した後の世界は、イデオロギーに代わって、文明と文明の衝突が主な対立軸であり、その衝突は異なる文明が接触する断層線上で発生すると主張し、世界中で賛否両論が巻き起こった。同理論の賛成派は、米国同時多発テロ事件やアフガニスタン、イラク戦争を予見したものとして高く評価する。ポソ紛争についても、スハルト強権体制というハードパワーで異論を抑え込んでいた政治権力が瓦解する中で、これまで抑え込まれていた宗派間の摩擦が敵対感情へと変わり、さらにそれが暴力の行使へエスカレートしたと考えると、これもまた「文明の衝突」という構図で理解すると分かりやすいかもしれない。キリスト教徒とイスラーム教徒のコミュニティーが地区に分かれて居住しているポソは、「文明の断層線上の町」とも言える。とすると、ポソの流血は、まさに「宗教戦争」である。

しかし果たして本当にこれは「宗教戦争」なのか。ポソ紛争の現場を歩き、当事者の声を聴いた専門家・研究者は、これを「宗教戦争」と呼ぶことへの違和感を表明している。そのような調査報告の一つ、国際人権組織「ヒューマン・ライツ・ウォッチ」はポソ危機を単に宗教紛争と呼ぶのはミスリーディング、と述べる。

歴史を振り返ると、ポソは海上交易の中継地であったという性格上、様々な民族、宗派の人々が往来し、イスラーム教徒とキリスト教徒が居住する多文化地域を形成してきたが、これまでもアルコールがらみの個人のトラブルや小競り合いはあったにしても、集団として両宗派が暴力的に対峙することはなかった。紛争当事者の証言によれば、宗派間暴動という異常事態にあっても顔見知りの異教徒から暴力を受けるということはまれで、暴力行使の多くのケースは、見知らぬ異教徒が集団でやってきて攻撃を始めたという。顔見知りの隣人の異教徒がかばってくれたり、事前に攻撃情報を伝えてくれたりという証言も多い。インドの宗派間暴動を研究する専門家のあいだではよく知られる「暴動暴力の匿名性」の法則が、ポソ紛争のケースにもあてはまる。必ずしも宗教が違うからといっておのずと対立するというわけではない。宗教は、ポソ紛争の原因の一つではあるが、これがすべてではない。

インドネシアではスハルト政権崩壊後、民主化、地方分権化が進み、選挙によって首長が選ばれ、首長は幹部ポストの登用について有権者へ説明しなければならないようになった。第一次、第二次紛争が発生したのが、宗教感情が高揚する祭祀の時期であり、経済利権を持つ地方行政幹部ポストの権力移譲時期であったということをどう考えるか。

地方行政エリートが宗教アイデンティティーを糾合し、多数派形成を目論んだのではないか、という証言もある。宗派意識が高まるクリスマス、イースター、イスラームの断食月に宗派間暴動が起きたのも、そこには政治的黒幕が存在していると考える人は多い。

より根本的な社会要因として、トランスミグラシ政策によってジャワやバリなど外部からイスラーム労働者が移住してくる中で、地方行政の官僚機構ポスト、土地の利権をめぐる競争が激化している点が挙げられる。経済利権をめぐるライバル関係が、エスニック集団や宗派グループの対立感情を生んでいるのだ。

政治的、経済的要因が宗教と複雑に絡んでいるのが、ポソ紛争なのである。これを「宗教戦争」と呼ぶのは、複雑な状況を単純化しすぎ、紛争の本質を見えにくくしている。

イスラーム過激組織の介入と軍・警察の関わり

マリノ合意後も、二〇〇三年覆面武装集団によるキリスト教徒一三人殺害、〇五年五月テンテナの市場での爆発により二二人死亡、同年一〇月キリスト教徒の女子高生の斬首殺害事件等のショッキングな事件が続発した。これは、ポソ紛争の途中から外部からイスラーム過激組織が介入して、マリノ合意後もポソに居残り、ポソを拠点としてテロ活動を行なうようになったからである。かくして、ポソはインドネシアで最も危険な地帯として内外の治安関係者の目を集めるようになった。

イスラーム過激組織のポソ紛争介入の始まりを振り返ってみる。ポソ紛争と同時期、スラウェシ島の東にあるマルク諸島でもイスラーム教徒とキリスト教徒の紛争が激化していた。二〇〇〇年にマルク紛争で戦うイスラーム教徒を支援する目的で、イスラーム過激派を糾合して組織されたのが「ラスカル・ジハード」である。リーダーのイスラーム指導者ジャファル・ウマール・タリブは、八〇年代パキスタンで軍事教練を受けアフガニスタン戦争を戦った経験がある。インドネシアをイスラーム法に基づく国家に作り変えようというイデオロギーを持つ組織だ。

このラスカル・ジハードが二〇〇一年七月にポソに入った。治安を担当していた軍は、これを阻止しなかったばかりか歓迎し彼らの活動をけしかけた、という証言もある。

二〇〇二年末に警察はポソで一四五三の銃火器、六六〇の弾薬、六九〇の爆弾装置を発見した、と発表した。これだけの武器がポソに存在したということは外部勢力の介入および非合法の武器取引が行なわれていることを裏付けるものであろう。さらに言えば、軍の規律の乱れから、一部兵士が銃弾や武器を紛争当事者に横流ししていたという声もある。

ポソの住民の視点に立つと、イスラーム教徒、キリスト教徒双方に、警察・軍という治安当局に対する反感、わだかまりがある。キリスト教徒住民からすると、治安当局は中立的でなくイスラーム過激勢力のポソ入りを容認し、治安当局の眼前で暴力が振るわれているのに動こうとはしなかった。逆にイスラーム教徒住民側の目からは、キリスト教徒の過激集団に対してイスラーム側が反撃に立ち上がった時、治安当局はこれを力で抑えつけ、暴動参加者の摘発にあたって、人権を無視した暴力的摘発・尋問・拘留を行なった。

イスラーム教徒住民の治安当局への強い不信感、反感の存在が、イスラーム過激組織がポソを活動拠点しやすくなる重要な要因となった。

二〇〇一年一二月の和平協定（マリノ合意）後、すべての暴力行為は犯罪として裁かれ、一部の首謀者は死刑となった。

二〇〇二年以降キリスト教徒をターゲットとするテロが続発した。〇七年一月に警察がポソで活動するジェマー・イスラミア系組織「ムジャヒディン・タナ・ルントゥ」の一斉摘発に乗り出し、多くのメンバーが逮捕され、刑務所にて服役している。

警察の手を逃れた者たちはポソ郊外の山中に逃げ込み、山中にアジトを設けて、ここからゲリラ戦を繰り返すようになる。一二年頃にサントソという活動家が新たな組織「東インドネシアのムジャヒディン」（MIT）をポソで結成し、ポソ近郊の深い森に隠れて、警察への散発的な攻撃を仕掛けた。警察と軍による威信をかけた掃討作戦の結果、一六年にサントソは射殺され、幹部の逮捕が相次いで、組織は弱体化している。

「脱過激化」プログラムとは?

二〇一八年九月には中部スラウェシで大地震、津波が発生し、破壊された刑務所からテロ受刑者が逃げ出すという事態が発生した。この自然災害が露わにしたのは、インドネシアのテロ対策の一環として行なわれている「脱過激化」プログラムについても見直しの時期が来た、という点である。

ここで「脱過激化」プログラムについて概説しておきたい。二〇〇三年にテロ対策法が成立し、これを受けて国家警察は対テロ特殊部隊（デンスス88）を創設した。デンスス88はジェマー・イスラミア拠点急襲作戦を相次いで敢行し、組織の弱体化に成果を挙げた。これにより〇九年七月のジャカルタ米国系ホテル爆弾テロ事件以降、一六年一月のジャカルタ連続爆弾テロ事件までの七年間、インドネシアで大規模なテロ事件は発生しなかった。

さらに警察、軍他様々な省庁が関わるテロ対策を一元化し調整するため、国家テロ対策庁（BNPT）が一〇年に設立された。

こうしたハードなアプローチがジェマー・イスラミア・メンバーの大量検挙という成功をおさめ

た結果、刑務所では多数のテロリストが服役することになった。

ここで刑務所に求められたのが、受刑者がテロを再犯しないように過激なイスラーム主義思想を除去し、彼らを悔悛させ、テロ実行を思いとどまらせる、といった受刑者の内面へのソフトな働きかけである。

「脱過激化」プログラムは、穏健なイスラーム理解を受刑者に移植し、彼らが精神の温かみを回復させ、刑期を終えた後の円滑な社会への復帰を促すとともに、社会から白眼視されがちな家族への支援を行なうなどの事業が柱となっている。

「脱過激化」概念には、①過激化予防、②暴力的過激思想に感化を受けつつある者の過激化抑止、③既に過激化してしまった者の脱過激化という三つの段階が含まれており、それぞれの段階に応じた事業が行なわれているが、各刑務所・拘置所では主に三番目のテロ実行犯の脱過激化、更生を達成目標として取り組んでいる。

この「脱過激化」プログラムの内実を調べた調査研究報告の多くが、インドネシア刑務所の「脱過激化」プログラムは多くの深刻な問題を抱えており、期待されたほどの成果を挙げていない、と指摘している。成果を挙げていないどころか、過激思想に染まっていない一般受刑者までが、刑務所内での受刑者間の勧誘によって「過激化」したケースも報告されている。

定員オーバー、不衛生で老朽化した施設、劣悪な食事、所内での暴力、監視する側の賄賂の横行、専門的知識を持った人材不足等、刑事施設自体の欠陥に加えて、「脱過激化」プログラムそのものの問題点が明るみになりつつある。

多くの専門家が指摘するのは、個々の刑務所で様々な「脱過激化」プログラムがバラバラに行なわれてはいるが、対テロ対策を統括し調整するはずのBNPTに大局観がなく近視眼的対応に終始し、情報・ノウハウの共有が円滑に行なわれていないがゆえに効果を挙げていないという点だ。「現場」を知らない「中央」が考えたプログラム、という指摘もある。例えば一三年一二月、BNPTは、エジプトのイスラーム過激組織「ジハード団」創設者の一人にして、後に無差別テロ戦術を放棄したナジ・イブラヒムら著名なイスラーム聖職者をインドネシアに招き、過激イスラーム主義が神学上誤りであることを受刑者たちに悟らせる講演会を企画したのである。BNPTはこの企ては成功だったと自賛したが、現場の刑務所関係者は、受刑者たちが心を動かすことなく「脱過激化」効果はあがらなかった、と証言している。

過激化した者たちの心のあり様は一人一人違っていて、そうした彼らの心の襞に寄り添うようカスタマイズされたものでないと効果は出ない、一方通行型の説教を垂れるタイプの「脱過激化」はうまくいかない、というのが現場からの声だ。

紛争地ポソでの脱過激化プログラム

ポソは、宗派間抗争の傷を抱える町であり、国内および国際的な過激組織ネットワーク結節点となっている地域でもある。暴動やその後の「テロ」に加害者として関与し、有罪判決を受け服役した者たちの多くは、刑期を終えて出所した後も依然として憎悪や心の傷を癒すことなく、持ち続けている。

またジハード主義者のみならず、地域社会自体がイスラーム過激組織へ少なからぬシンパシーを抱いていることが、ポソが他の地域と違う点だ。これもポソが紛争経験地であることに由来する。住民の意思を無視した中央の政治家主導の復興開発が進む一方、「自分たちは見捨てられた」と疎外感を抱く人々の鬱屈が渦巻く。治安当局の過剰な取り締まりに対して反感を持つ人間も相当数存在する。

このような難しい場所で、暴力の連鎖が生んだ憎悪、トラウマをいかに癒し、対立から和解、共生への道をいかに切り拓いていくか、様々な試みが進められている。

中央政府で脱過激化を所管するのは、BNPTである。またBNPTの任務遂行を補助するために各州に地域テロ予防調整フォーラム（FKPT＝Forum Koordinasi Pencegahan Terorisme）が設置され、関係諸機関・個人の調整が行なわれる。ポソでもBNPTと中部スラウェシFKPTを中心に政府レベルの脱過激化プログラムが実行されてきた。

ポソでの脱過激化プログラムは、①元テロリストの内面にある暴力的過激思想の除去と②職業訓練等による社会復帰支援の二本立ての構成である。

暴力的過激思想の除去面では、受刑期間中に多民族・多宗教の統一を掲げる国家原則「パンチャシラ」教育が施される。

また社会復帰支援に関し、第一段階（二〇一〇年）では、警察、BNPT、FKPTが連携して元テロ受刑者に一〇〇〇万ルピア（一〇万円相当）の起業資金を提供、第二段階（二〇一二年）ではBNPT、FKPT、地方政府社会部が事業に必要な機材（ミシンなど）を提供、第三段階（二〇一四年）では社会復帰プログラムを実施、第四段階では地方政府社会部が元テロ受刑者からの起業提案の受けつけ等の取り組みが行なわれてきた。

しかしこれら政府のポソにおける脱過激化の取り組みは、さほど成果を挙げていないという見方が強い。過激思想の除去面では、講師による一方的な講義が主で、双方向の対話に欠けるため受刑者一人一人の内面に働きかけることができておらず、過激なイデオロギーを抱いたまま出所していく受刑者が少なくない。社会復帰のための経済支援についても、ニーズのアセスメントも、研修も、フォローアップも行なわれておらず、出来あいのプログラムをルーティンでこなしているだけという指摘もある。

こうした政府の脱過激化プロラグラムの欠陥を補うものとして、市民・民間組織主導の脱過激化プログラムもポソで始まっている。そのうちの一つとして、インドネシアのシンクタンクであるハビビ・センターが、笹川平和財団の支援を得て立ち上げた脱過激化プログラムについて紹介したい。

このプログラムは、服役後の元テロリストを対象とした事業である。欧米の関係機関は、暴力的過激主義対策の中でも過激化予防に重点を置くのに対して、脱過激化へ焦点を当てているのが一つと特色と言える。このプログラムも政府のプログラムと同じように元テロリストの内面に働きかけることを狙っているが、必ずしも過激思想の除去を一義的に目指すのではなく、自己の振り返りによって現実社会への適応を進め、地域社会や外部世界との再統合を図ることに重きを置いている。

その結果として、組織からの離脱、暴力的過激思想の除去が起きるという考え方である。実社会との関係作りのために起業は有効な手段と位置付けられ、すべての元テロリスト受刑者が事業を行なうことを目標としている。ワークショップ以外に実社会とのつながりを再構築するという目的から、ポソ湖での地域の祭りに参加するなどの教室外活動も行なわれた。

一方的な講義ではなく参加型ワークショップ形式が採用され、家庭訪問や個人カウンセリングなどのきめ細かいフォローアップが行なわれている。

これまで述べてきた通り、ポソは、多民族・多宗教国家インドネシアが直面する困難が噴出する場である。スハルト強権体制下で地下に蓄積していた政治的・経済的・社会的矛盾のマグマが、スハルト政権崩壊後の自由化、民主化によって一挙に表面化して、宗派間の抗争という危機を生み、暴力の応酬がもたらした憎悪が過激派を呼び込み、紛争のトラウマは世代を超えて継承されている。この克服は容易ではない。

しかし、紛争がもたらした負の遺産を乗り越えて、「多様性の中の統一」という理念を実現しようという動きも生じている。これもまた民主化後の市民社会の形成という新たな潮流がもたらしたものである。暴力の連鎖を断ち切り、イスラーム教徒とキリスト教コミュニティに和解をもたらすのは、新しい世代が担う市民社会の力なのである。

第9章

パプア諸州——パプアが問う国民国家のかたち

「住民投票」という欺瞞

二〇二二年九月ロシアのプーチン大統領は、ウクライナ東部・南部四州において、「住民投票」を実施した結果、九割の住民がロシア編入に賛成したとして、この地域の「併合」を宣言した。ロシア軍の占領下にあって公正な選挙が行なわれたとは到底考えられず、国連事務総長は、プーチンの宣言を国連憲章と国際法違反と非難し、欧米諸国もこの投票を茶番と批判した。

ロシアは「併合」の正統性（レジティマシー）の根拠を、投票に示された住民の圧倒的多数の支持を挙げるのだが、「住民投票」という手法は、一見民主的手続きのように見えても、権力によっていかようにも操作できる危うい、欺瞞性に満ちたものであることを満天下に知らしめた。

ロシア占領下のウクライナ東部・南部の住民投票は、あらためて近代国民国家が「国家」足りうる要件とは何か、「国民」とは何か、の再考を迫る。偽装された地域住民投票に基づく国家への併合という点では、実はインドネシアもこれまで潔癖であったとは言えず、触れられたくない過去を持つ。インドネシアの最東端パプアの併合に関する顚末である。現在においても、パプアでは分離独立を求める運動の煙がくすぶり、インドネシア国家にとって国民統合の一大課題であり続けている。

村井吉敬の愛したパプア

二〇一三年に世を去ったインドネシア研究者・村井吉敬が晩年こよなく愛したのが、パプアだった。『スンダ生活誌』で論壇デビューした村井は、地域の生物的多様性、文化的多様性を奪っていく近代化の構造的暴力を批判する論陣をはって日本の市民による国際公益活動に影響を及ぼした。富や権力とは無縁な名もなき人々の声に、生涯をかけて耳を澄まし続けた村井は、「開発」によって激変していくジャカルタやバンドンなどジャワ島社会の姿を悲しげに見守っていた。そんな彼が人生の後半二〇年間に足繁く通ったのが、パプアである。絢爛豪華な幻の蝶トリバネアゲハなど人の手が入っていない雄大な自然が残り、自然とともに生業を営む人々のシンプルで持続可能な文化に魅了され、村井は「パプアのとりこ」（村井の弁）になった。死の直前の二〇一三年三月に刊行され

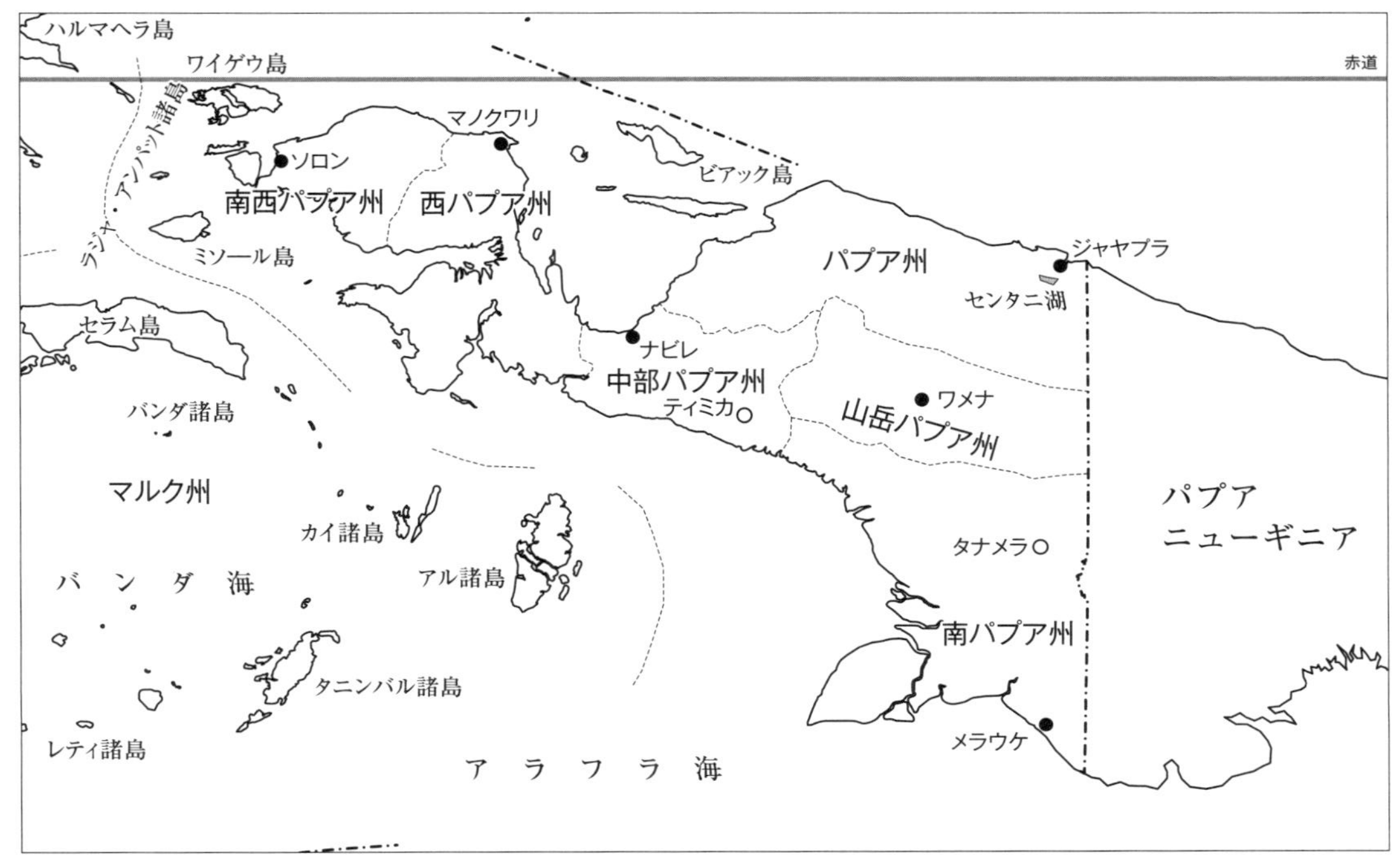
ハルマヘラ島
ワイゲウ島
赤道
ラジャ・アンパット諸島
マノクワリ
ソロン
ビアック島
南西パプア州
西パプア州
ミソール島
パプア州
ジャヤプラ
センタニ湖
セラム島
ナビレ
中部パプア州
ティミカ
ワメナ
山岳パプア州
バンダ諸島
マルク州
パプア
ニューギニア
カイ諸島
タナメラ
アル諸島
バンダ海
南パプア州
タニンバル諸島
メラウケ
レティ諸島
アラフラ海

た『パプア――森と海と人びと』(めこん)には、随所に村井のパプア愛が溢れている。同書に掲載されているパプアの森、海、人々のカラー写真は、いずれも美しく魅力的だ。

しかし社会科学者である村井は同時に、この地域で進行している開発の弊害、分離独立の動き、国家による人権侵害なども見逃していない。一〇数年前に刊行された本だが、パプアを取り巻く状況の難しさは今も変わらない。

パプアは世界第二の島ニューギニア島の西半分を占めるインドネシア領である。スハルト政権の時代には「イリアン・ジャヤ州」と呼ばれていたが、二〇〇二年に「パプア州」へと名称が変わった。翌年パプアを東西に分割し「パプア州」「西イリアン・ジャヤ州」(二〇〇七年西パプア州に名称変更)が誕生した。さらに二〇二二年には「パプア州」は、「パプア州」「中部パプア州」「山岳パプア州」「南パプア州」の四つの州に分割され、西パプア州も「西パプア州」「南西パプア州」に分割された。本稿では、これら現行六つの州を総称して、以下では「パプア」と呼ぶ。

パプアの総面積は四二万平方キロ(国土面積の二二%)あって、分割前のスハルト時代にはインドネシア最大の州であった。しかし人口は四三七万人(二〇二〇年国勢調査)で全国民人口の一・六%に過ぎない。ジャワ島は世界で最も人口過密な島なのだが、対照的にパプアは人口密度が低い地域である。近年ではジャワ島やスラウェシ島からの移住者が、人口の過半数を超えるようになっている。

宗教別にはキリスト教徒七八・四%、イスラーム教徒二〇・六%となっており(二〇一〇年国勢調査)、イスラームが主流のインドネシアでは、この点でもパプアは特別な地域だ。エスニック集団や言語は分類方法によって様々な統計があるが、パプア州政府の推計によれば先住民族三七二集団

独特の文化を持つパプアの人々（村井吉敬『パプア——森と海と人々』）

で、このうち二万人以上のもの（ラニ、ダニ、ンガルム等）は一三しかない。政府推計では、上記三七二集団中の一三九は、人口一〇〇人以下の集団だ。外界から隔絶された空間で小規模な集団で生活を営み、独自の言葉をしゃべる人々。どれくらいの民族、言語が、この地域に存在するのか全体像すらわかっていないのがパプアだ。このような広大な空間に偏在する多民族間の共通言語は、「今のところインドネシア語」（村井）である。

分離独立運動の活発化、犠牲者拡大

パプアにおける分離独立運動は、インドネシアがこの地域を併合した一九六〇年代から存在する。それゆえに治安当局は、この地域へ外部から人が入ってくることを警戒し民主化以降も言論統制が存在すること、これに抗するインターネットを用いた「市民ジャーナリズム」が育ちつつあることは、第2章で触れた通りだ。

新型コロナウィルス危機の数年前から分離独立運動が活発化し、紛争に伴う犠牲者の数が増えている。かかる状況について、インドネシアの紛争政治分析研究所（IPAC＝Institute for Policy Analysis of Conflict）が「パプアにおける軍事紛争激化と新しい治安アプローチ」と題する報告（IPAC報告七七号）を二二年七月に公表している。

二〇一八年一月「西パプア民族解放軍」（TPNPB＝Tentara Pembebasan Nasional Papua Barat）が「宣戦布告」を行ない、そこからパプアの治安は急速に悪化した。TPNPBは、「パプア民族」の独立を求める、様々な分離独立運動の総称「自由パプア運動」（OPM＝Organisasi Papua Merdeka）の軍事部門で、七三年三月に創設された。国軍の推計では〇九年時点の勢力は一五三二人とされている（公安調査庁『国際テロリズム要覧　二〇二二』）。

IPAC報告によれば、近年TPNPBは、より多くの活動資金、最新武器を獲得し、戦闘能力を高めている。かくして従来の待伏せ奇襲の域を超えた、より攻撃的な作戦をインドネシア国軍に対して仕掛けて支配地域の拡大を図っている。特に中部高地において両者の戦闘が激化している。TPNPBは宣戦において、「市民の安全は保障するが、軍および情報機関関係者、インフラ関連公共事業労働者、外国企業、パプア横断高速道工事労働者は攻撃のターゲット」と言明している。

二一年四月国家情報庁（BIN）のパプア地区責任者である陸軍将官がTPNPBの待ち伏せ攻撃によって殺害された件は、インドネシア政府に衝撃を与えた。将軍クラス幹部の落命という事態に

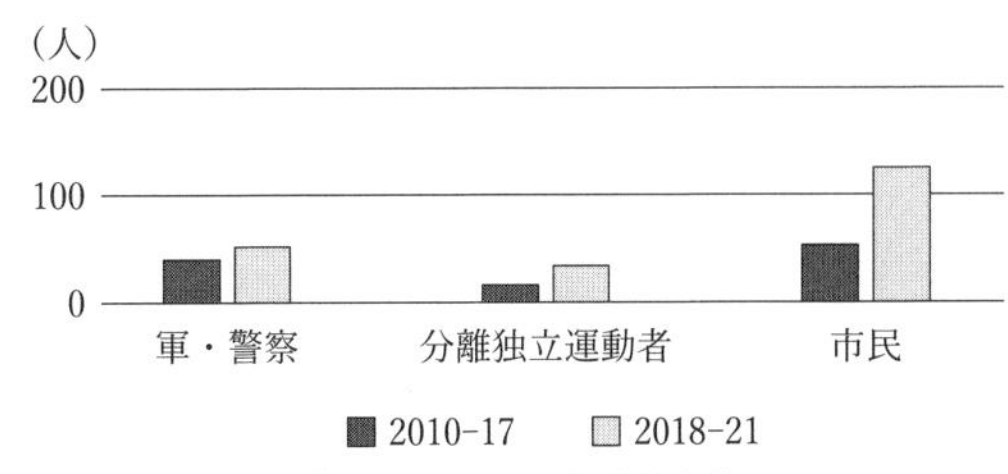

パプアにおける紛争犠牲者数

対して、政府・軍はパプアに駐屯する部隊を増強し、緊張が高まった。

ＴＰＮＰＢが宣戦する以前の一七年までは、分離独立運動に関連する暴力事件は年間平均一一件であったのが、一八年以降は五二件と五倍近く増え、国軍とＴＰＮＰＢ間の衝突が一八三件あり、市民に対する暴力事件も七四件発生している。暴力は、一層容赦ない性格を帯びるようになり、これに伴う犠牲者も急増した。

上の図は、ＩＰＡＣ報告が集計したパプアにおける一〇年から二一年までの紛争犠牲者数の統計である。

軍・警察、分離独立運動者以上に、市民の犠牲者が増え続けていることに心痛む。一七年までの七年間の犠牲者数は五三人であったのが、一八～二一年の三年間では一二五人となっていて市民の安全が急速に脅かされている。市民の犠牲者数は、戦闘の巻添えのみならず、利敵行為をしたとして殺害されたケースも含まれる。最悪は、一八年一二月にパプア横断高速道路の工事現場でＴＰＮＰＢが国営企業の作業員一九人を殺害した事件である。

精鋭部隊の配備、テロ対策機関の関与、州の分割

ＴＰＮＰＢの攻勢に直面して、インドネシア政府は、ＴＰＮＰＢ掃討のための兵員増強を行なっている。パプアにどれくらいの規模の政府軍および警察が駐屯しているのか国軍は明らかにしていないが、一三年時点で三万七〇〇〇人の軍兵士・警察官が配置されていると見られる。つまりインドネシアで最も多くの治安要員がパプアに投入されているのだが、更なる増派があった。ＩＰＡＣの集計によれば、一九年一月から二一年一二月までの期間、アチェ内戦でジャングルでの対ゲリラ戦の実戦経験を持つエリート歩兵大隊がパプアに派遣された。その数、一万人を超えると推定され、四〇〇〇〜六〇〇〇人単位の特殊部隊が六ヵ月から九ヵ月パプアの重要拠点に配置された。その中にはアチェや東ティモール紛争で数々の人権侵害を起こし、「悪魔の軍隊」と悪名高い「三一五／ガルーダ部隊」も含まれていた。

パプア情勢の悪化に伴い、ジョコ・ウィドド政権はＯＰＭに関する呼称を、「武装犯罪グループ」（二〇一七年以前）→「武装犯罪分離主義グループ」（一七年以降）→「テロリスト分離主義グループ」（二一年以降）、と変更してきた。前述の二一年四月軍将官殺害事件の衝撃から、インドネシア政府は分離独立運動を「テロ」と呼称するようになったのである。

この呼称変更を、地元警察は歓迎している。というのは、これにより「反テロ法」が適用でき、

パプアに展開するインドネシア国軍部隊を報じた「テンポ」誌（2019年4月2日）

人権保護の観点から通常認められていない犯罪捜査手法を用いることが可能になるからだ。また国軍の影響力が強い国家テロ対策庁（ＢＮＰＴ）は、財源や組織拡大の観点から好機到来と見ている。

他方、テロ対策の前線に立つ国家警察対テロ特殊部隊（デンスス88）の首脳は、ＯＰＭをテロ組織として扱うと、パプア人の反発を招き政府への信頼を損なう、と警鐘を鳴らした。政府部内のパプアに対する姿勢も揺れている。

ジョコ政権のパプア統治の要諦は、港湾・道路・情報等のインフラを整備し、パプアの産業を興して住民の生活・教育水準を引き上げ、国民統合を強固なものにしていくということだろう。ジョコは政権発足当初からしばしばパプアを訪問し、パプアの人々へ心配りする姿勢を示してきた。一四年大統領選挙では、人口が少ないため投票数アップにつながらないことからこれまでどの候補者も遊説してこなかったパプアに足を踏み入れ、パプアの人々に寄りそう姿勢をアピールしている。

しかし、二期目に入って、ジョコ政権は、アメとムチのうちムチを重視する政策に転換したような印象を受ける。「分割して統治せよ」という手法が目立つ。具体的には、二一年パプア特別自治法の改正、それに続く二二年パプア州と西パプア州の分割である。二一年パプア特別自治法の改正では、それまで認められていた州の自治権が縮小した。すなわち地域政党の設立を認めていた条項が削除された他、州の立法府からの承認がない限り分割ができないことになっていた条文が改正され、政府は州立法府の承認抜きに分割が行なえるようになった。その結果、二二年、州議会の反対やパプア住民のデモにもかかわらず、「行政サービスを住民にとってより身近でアクセスしやすいものにするため」という大義名分のもとにパプアは六つの州に分かれ細分化されることになった。州ごとの地域意識を高めることで、パプアの分離独立運動が結束するのを妨げよう、という意図が見え隠れする。

インドネシアの中でも他州とは異なる歴史を歩んできたパプアの地域事情が、二〇年以来の新型ウイルス禍対応にも少なからぬ影響を及ぼしている。国内他地域と比較して、保健衛生面のインフラが整備されていないパプアでは医師も看護師も不足しており、パンデミック発生によって医療体制がパンクし、崩壊するのではという危惧が語られてきた。ニュージーランドの国際放送局RNZの記者ジョニー・ブラデスの報告によれば、インドネシア国内で感染者が爆発的に増えていた二一年七月末の時点で、パプア州医療担当者は州都ジャヤプラの病床使用率は一〇〇%を超え、酸素ボンべが不足していると窮状を訴えている（ニュージーランド国営ラジオニュースサイト記事。二〇二一年七月三〇日）。

政府はインドネシア国民にワクチン接種を呼びかけていたが、パプア教会協議会のベニー・ギアイ牧師によれば、パプア住民はワクチン接種に抵抗しており、その理由は住民たちの治安当局に対する不信感があったからだ。

「この数週間に、幾つかの地域において、医療チームを連れて軍・警察がワクチン接種を進めるために巡回訪問を行なったが、住民たちは彼らを恐れて逃げてしまった。彼らの信任を得るのはとても困難な状況だ。彼らは危機体験の中で、軍や警察の暴力を目撃してきた。軍・警察は政府の一部であり、そんな政府に命を預けることはできない、というのが住民たちの正直な気持ちだろう」（ギアイ牧師。同記事より）

「インドネシア政府ではなく、国際赤十字からの支援がほしい」、こうしたパプアの声が届くことはない。政府は、パプアに対する外国や国際機関の関与を強く警戒しているからである。

インドネシア・ナショナリズムはパプアを包含するのか？

インドネシアがインドネシア国家であり、これからもインドネシア国家であり続ける所以は何か。近代国民国家は、その構成員たる国民の自尊心、アイデンティティーを涵養するために、他にはない独自の歴史を紡ぎだす。ドイツの歴史学者シュテュルマーは「一つの国家、一つの民族」であることを内外に納得させるためには歴史が必要とし、「過去を解釈した者こそが未来を手に入れる」と語った。インドネシア国家の「歴史」とは、オランダによる植民地支配を受けたという体験とその記憶の解釈なのである。優勢な西洋支配者に対して、その支配体制を覆すために、様々な文化・習慣・宗教・言語の違いを超えて団結して新しい社会を作ろう、一つの国、一つの国民になろうという概念が、二〇世紀半ばに新しい国を誕生させた。共通の植民地被支配体験によって、二〇世紀初めインドネシア国家の生命が胎動を始め、数十年の時を経て「インドネシア国家」「インドネシア国民」が誕生する。強大な敵（オランダあるいは西洋植民地主義）に対して、手を携えて立ち向かった、というストーリーが創作され、それが流布し、共有されることによって「国民国家インドネシア」は成り立っている。

他方、東ティモールはポルトガルの植民地だった。ところが七五年、スハルト政権は、前年にポルトガル本国で政変があり、東ティモールで独立の動きが起こると、国軍を東ティモールに侵攻させ、独立運動を制圧した。そして国連のインドネシア非難決議を無視して、東ティモールを二七番目の州として併合してしまった。「オランダの植民地支配を受けた人々が団結して一つの国民となる」というインドネシア独立の大義からすると、ポルトガル植民地だった東ティモールの併合は明らかに無理筋である。

しかし、結局強引な力による支配では東ティモールの抵抗を消すことはできず、スハルト政権の崩壊とともに東ティモールはインドネシアから独立する。独立に正統性を付与したのは、国連ＰＫ

O監視下に行なわれた住民投票において、独立への意思が明確に示されたことだった。

インドネシア独立の大義を東ティモールは共有していなかったわけだが、パプアはどうか。パプアがこれを共有しているか否かといえば、白黒はっきりしがたい。歴史を振り返ってみよう。

一六六〇年にオランダ東インド会社がマルク諸島のティドレ王国と条約を結んだのだが、この条約下でオランダは、ニューギニア島の西領域の主権を主張しはじめる。一八七二年にティドレがオランダのパプア主権を認めたこの時から、ニューギニア島の西半分がオランダの領域であるという認識が生まれた(村井吉敬『パプア——森と海と人びと』)。一八八五年、英国、ドイツはオランダの主張を認め、パプアはオランダの植民地となった。

しかし、これはあくまで西洋諸国間の縄張りの取り決め、地図上の線引きの話であって、実際にオランダがこの領域を支配していたわけではない。オランダの統治は、沿岸部の都市および内陸のいくつかの拠点を押さえる点の支配であり、面の支配ではなかった。内陸部の深い密林の中に散在する小集団の人々は、オランダ人と会ったことがなく、自分たちがオランダによって統治されているという自己認識はないわけで、それゆえに「植民地支配への抵抗、独立」という意識も持ちようがなかった。ましてや「インドネシア人」という自覚は存在しなかったし、多様な言語を話す小集団は「パプア人」という一体感のある自己認識さえも持っていなかったであろう。

「想像の共同体」インドネシア国家の出発点において、パプアの置かれた状況は、ジャワやスマトラとは違っていたのである。

一九四九年国連の斡旋でオランダはインドネシアの独立を承認するが、西ニューギニアの帰属は決まらず、オランダの支配が続いた。一九六〇年からオランダが西ニューギニアをパプアとして自治を付与する政策を推進すると、インドネシアは反発、六二年からスカルノ大統領はインドネシア軍を侵攻させ、六三年にインドネシアはこの地域を「西イリアン」と呼び、インドネシアの一州として併合する。住民の意思は考慮されない軍事力によって既成事実が積み上げられた。

それから六年後の一九六九年にパプアの帰属を決める「住民投票」が行なわれた。これによって「イリアン住民はインドネシア帰属を選んだ」とされる。しかし投票したのは全住民ではなく、「駐屯したインドネシア軍が選んだ一〇二五人の住民だけで、銃剣を突き付けられる中での挙手による『投票』だった」(村井吉敬、前掲書)のである。

パプアの内発的なイニシャティブによってインドネシア国家の構成員となったわけではないという経緯や、さらに米国のフリーポート社等外国の多国籍企業がパプアに巨大な鉱山権益を持ち、これと癒着する軍が先住民の人権を圧迫している、という批判もあり、この地域のインドネシア国家への不満はくすぶり続けている。独立への要求はやむことがない。

また「多様性の中の統一」「インドネシア国民は一体」と唱える政府の建前と裏腹に、ジャワ、スマトラ、バリ等主流エスニック集団がパプアの人々に差別意識を持っていることが、パプアの心をインドネシアから離れさせている。インドネシアの有力誌「テンポ」は、インドネシア社会にパプアへの差別が存在することを率直に認め、ジョコ政権の課題は「単に交通インフラの整備のみならず、パプアの人々に対する不平等、不正義、同じ人間としての尊敬の欠如」と指摘し、大統領がなすべきはパプアにおける人権侵害を是正し、彼らの名誉を回復させることであると進言している。

ジャワ人の差別発言に怒ったパプア人の抗議行動を報じる「テンポ」誌（2019年9月3日）

村井吉敬は、インドネシアの民主化が始まり、パプアにも独立の気運が高まった「パプアの春」の時期、二〇〇〇年五月二九日から六月三日まで開催された「パプア大会議」に参加した。開催趣旨は「西パプアの歴史を糺そう――パプア民衆は、新しいパプアに向けて真実と正義の原則に則って民主主義と基本的人権の確立を決意する」というものだった。

即時独立を求める参加者の熱気に圧倒され、村井は彼らに共感するも、諸情勢を分析する冷静さも持ち合わせていた。パプア大会議の草の根民主主義を報告した最後に、以下のように記している。

> 彼らが民族自決権を持っているという主張も理解できる。しかし独立というのは、優れて政治的な問題である。どんなに当事者が独立を望もうとも、政治力学が働かね

ば独立は達成できない。その政治力学は、圧倒的に「インドネシア」の側に、今は偏している。東ティモールの場合、国際世論や国連が独立を支持していたが、パプアにはその風は吹いていていない。（村井、前掲書）

村井がこのように感じてから二〇年を超える時が過ぎた。未だパプアに風は吹いていていない。しかし、国家の力による併合は、どんなに「住民投票」を偽装しても内外の納得を得ることはできない、その国の国民統合に遠い将来にまで及んで禍根を残す。

第10章

東ヌサ・トゥンガラ——キリスト教徒多数派の社会

例外的な宗派人口構成

インドネシア国民の八七％を占めるイスラーム教徒の宗教意識が活性化する「イスラーム化」という大きな変化が現在この国において進行中であること、この変化が引き起こす波紋が各地で拡がっている状況を確認することが、本書の主題だった。首都ジャカルタやインドネシアの中心部であるジャワ島だけ見ていると、イスラームが事実上の国教になっているような印象を受けるかもしれない。しかし、そうとは言えない地域も存在する。インドネシアが多様性の国である所以だ。

二〇一〇年国勢調査の人口データによれば、インドネシア全三三州（調査当時）中、イスラーム教徒の占める割合が五〇％以下の州が五州ある。西パプア三八・四％、北スラウェシ三〇・九％、パプア一五・八％、バリ一三・三％、東ヌサ・トゥンガラ九％である。

イスラームに次いで二番目に人口規模の大きい宗派がキリスト教である。その規模は東南アジアにおいてフィリピンに次いで二番目に大きいのだが、インドネシア国内ではカソリック・プロテスタントあわせて全人口中の一割程度に過ぎず、イスラームとの差が大きい。そのような全体構造ではあるが、キリスト教徒人口五〇％を超えているのが、東ヌサ・トゥンガラ八八・八％、パプア八三・一％、西パプア六〇・八％、北スラウェシ六八％の四州だ（バリ州は第6章で述べた通り、バリ・ヒンドゥーが主流）。

以上の統計値に見る通り、東ヌサ・トゥンガラ州は、インドネシア全土で最もキリスト教徒比率が高く、逆に最もイスラーム教徒比率が低い、例外的な州なのである。ジャワ島諸州をはじめ、イスラーム教徒が圧倒的多数である大半の州とは異なり、キリスト教徒主流の社会であることが東ヌサ・トゥンガラ州の一大特徴だ。本章では、今一度インドネシアの多様性を考える一助として東ヌサ・トゥンガラ州の宗派間共生に焦点を当てたい。

ジャカルタとの格差が拡大する最貧困州

東ヌサ・トゥンガラ州は、バリ州の東隣り西ヌサ・トゥンガラ州からさらに東にあり、その先は東ティモール民主共和国、オーストラリアだ。フローレス海、バンダ海、ティモール海、インド洋

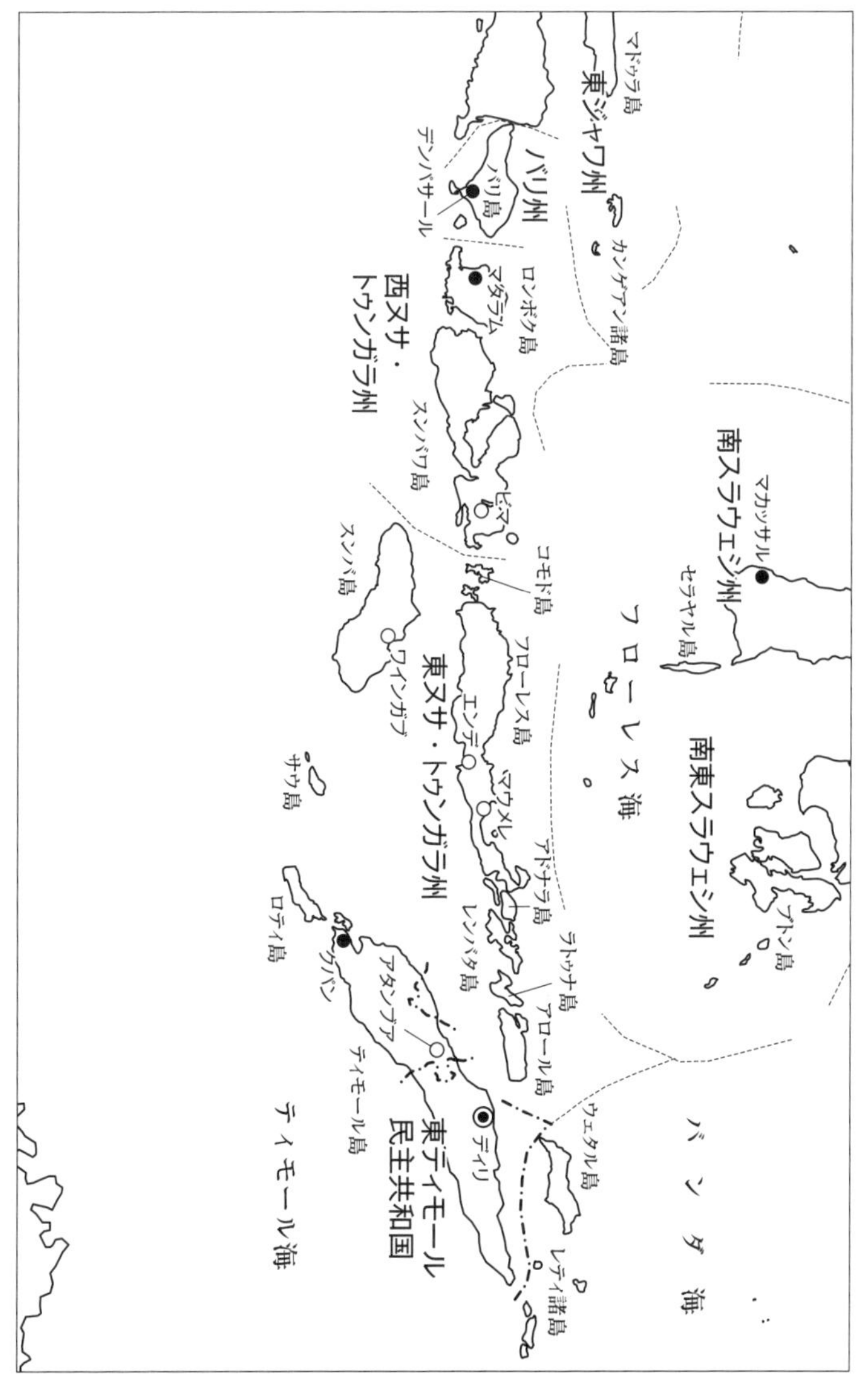
マドゥラ島
東ジャワ州
デンパサール
バリ島
バリ州
カンゲアン諸島
ロンボク島
マタラム
西ヌサ・
トゥンガラ州
スンバワ島
ビマ
南スラウェシ州
マカッサル
セラヤル島
コモド島
スンバ島
ワインガプ
フローレス島
エンデ
東ヌサ・トゥンガラ州
フローレス海
南東スラウェシ州
サウ島
マウメレ
アドナラ島
レンバタ島
ラトゥナ島
アロール島
ブトン島
ロティ島
クパン
アタンブア
ティモール島
ティモール海
東ティモール
民主共和国
ディリ
ウェタル島
レティ諸島
バンダ海

に囲まれた小スンダ列島の東部にあたる「ヌサ・トゥンガラ」とは、「南東の島々」を意味する。スンバ島、フローレス島、コモド島、アドナラ島、レンバタ島、ラトゥナ島、アロール島、サウ島、ロティ島、ティモール島西部（西ティモール）など五五〇の島々によって構成される。州都は、西ティモールのクパンである。

赤道直下の南海に浮かぶ島々というと豊かな熱帯雨林に覆われている姿を連想するかもしれないが、この地域はオーストラリア大陸の乾いた風の影響で乾季が長く植物が育ちにくい。カリマンタン島やスマトラ島のような大河もなく、水は不足気味で、乾季には砂埃が舞う荒涼とした景色が広がる。

ティモール島を中心に歴史を振り返っておこう。一六世紀前半に白檀（びゃくだん）交易のためにやってきたポルトガルがティモール島を占領し、一七世紀にはこの海域の勢力圏を拡大させたオランダがティモール島の西半分を占拠するという具合に、この地域では、ポルトガルとオランダが覇権を争った。結局ティモール島は一八五九年リスボン条約によってオランダ、ポルトガルが分割支配することになり、西ティモールはオランダの、東ティモールはポルトガルの植民地となった。さらに時代が下り第二次世界大戦時の一九四二年には、日本がティモール島を占領した。第二次世界大戦が終わった一九四五年にポルトガルの東ティモール支配が回復し、一方西ティモールは一九五〇年にインドネシア共和国に加わった。その後のインドネシアによる東ティモール併合については後述する。

東ヌサ・トゥンガラ州は、インドネシアの最貧困州である。躍進を続けているインドネシア経済の中で取り残されている感もある。トウモロコシなどの自給自足型農業が州経済の中心で、白檀やコーヒーが主な輸出向け産品であって、パプアのように鉱物資源に恵まれているわけでもない。首都ジャカルタ特別州と最も所得格差があるのが東ヌサ・トゥンガラ州で、ジョコ・ウィドド政権が誕生した二〇一四年に一二・九倍の格差があった。ジョコ政権は、こうした地域格差の是正を政権の最重要課題としていたのだが、二〇一七年には一三・五倍とむしろ格差が拡大してしまっている。

慢性的な貧困は、子どもたちの生きる権利を脅かしている。二〇一九年ユニセフの発表によれば、同州の子どもの二七%、六〇万人の子どもが国民貧困線以下の暮らしを強いられている。同州の二〇一五年低出生体重児の割合は一七%（インドネシア平均九・九七%、日本九・四九%）となっている。また五歳以下の子どもの五二%が発育不全状態である。さらにインドネシア中央統計局調査（二〇一八年）によれば、同州の〇―五歳の乳幼児栄養不足比率は二九・五〇%と全州で最も高い（インドネシア全国平均一七・七%）。明らかに貧困が子供の健康を害している。

宗派間対立の少ない州

このように、イスラームが多数派を占めるインドネシアの中で例外的に圧倒的多数をキリスト教徒が占める州、同国の中で最も経済成長が遅れ貧困地域と位置付けられる州、といったことを示す統計を並べると、東ヌサ・トゥンガラ州は、社会的貧困と宗教の違いが結びついて宗派間対立が厳しい地域だと連想してしまいがちだ。ところが、事実はそうではない。

毎年、インドネシア政府宗教省が「宗派間共生指数」(Indeks Kerukunanumat Beragama) を発表している。これは協働、公平、寛容の三つの観点から教育水準、昔ながらの知恵の活用、宗教的多元性の許容、社会的公平性等を数値化し、各州の「宗派間共生」状況を数値化したものである。この二〇二一年統計によれば、東ヌサ・トゥンガラ州はインドネシアで最も宗派間共生指数が高い州で八一・〇七ポイント、二位パプア州八〇・二ポイント、三位西パプア州七八・六三ポイントとなっている。例年、東ヌサ・トゥンガラ州とパプア州が一位、二位を争っており、協働、公平、寛容の各スコアにおいても上位に位置している。

しかし、過去にはこの地も深刻な宗派間暴力に直面した。一九九八年スハルト大統領が辞任し、三〇年に及ぶ強権体制が崩壊した際、タガが外れたようにインドネシア各地で暴動が起きた。この年一一月、州都クパンで、ジャカルタで発生したキリスト教教会放火事件に怒ったキリスト教徒暴徒がモスク、イスラーム系商店街、学校を襲撃し、多数の負傷者が発生した。マルク州アンボンや中部スラウェシのポソのケースと比べると、暴力の規模や激烈度は低かったが、それでもこの事件は東ヌサ・トゥンガラの人々の心に深い傷を残した。一九六五年から六六年に吹き荒れた、いわゆる「インドネシア大虐殺」時のマイナスの記憶が、フラッシュ・バックのように蘇り、不確実な未来に不安を募らせる人も少なくなかった。

しかし、その後クパン暴動のような、キリスト教徒とイスラーム教徒の集団が暴力を応酬する事態は、この州では発生していない。前述の通り、東ヌサ・トゥンガラ州はインドネシア最貧困州で多くの問題を抱えているが、貧困と結びつく形で宗派間暴力がエスカレートしていくという軌道へとは進まなかった。なぜそうなのか。多民族・多宗教国家インドネシアの「多様性の中の統一」を考える人々から注目を集めている。

キリスト教化は比較的新しい現象

ここでは、外部の人間が抱きがちな先入観に捉われた「キリスト教vsイスラーム教」というステレオタイプな図式に、東ヌサ・トゥンガラ州の複雑な現実を当てはめようとする過ちに注意しないといけない。

まず東ヌサ・トゥンガラ州の「キリスト教徒」「イスラーム教徒」とは誰なのか。

この点に関し、ティモール島でフィールド・ワーク、文献調査を行なった人類学者の福武慎太郎が重要な指摘をしている（科研費研究成果報告「東ティモールの国民文化に関する歴史人類学的研究」）。

福武によれば、東ティモール紛争を、「世界最大のイスラーム人口を擁するインドネシア」対「住民の大多数がカソリックである元ポルトガル領（ティモール島の東部、現在の東ティモール民主共和国）」のあいだの宗教対立と考えるのは完全な誤解である。なぜなら、インドネシアが東ティモールを侵略・併合した一九七五～七六年当時、「東ティモールのカソリック人口は三割に満たず、人口の七二％は祖先崇拝を中心とする信仰体系を保っていた」（福武）、つまり東ティモールがカソリック主流の社会となったのは、インドネシアがこの地域を併合した後、半世紀にも満たない期間において起きた変化だからだ。

さらに福武は、ティモール島の西半分(東ヌサ・トゥンガラ州の西ティモール)においてカソリック信徒数が急増したのは、インドネシア共和国が独立・成立した一九五〇年代以降のことと指摘している。

福武の研究によれば、東ティモールがポルトガルの植民地だった時代、一六世紀にカソリックの一派・ドミニコ会が布教活動を始め、一六四〇年までに二二の教会が設立されたが、これらはすべて沿岸部に建てられたもので内陸部まで布教が進んだわけではなかった。一八三四年植民地政庁とドミニコ会の関係が悪化し、同会が追放され、その後の布教はイエズス会やサレジオ会が担うことになった。

しかし一九一〇年ポルトガル本国で革命が勃発し王政が倒され、カソリック教会の権威を否定する共和国になったことに伴い、植民地・東ティモールからもすべての修道会は追放、宣教活動は禁じられた。それゆえに東ティモールでカソリックは根付いていなかったのである。

他方、オランダの植民地であった西ティモールでは一九世紀にイエズス会が布教活動を開始し、二〇世紀以降はドイツの修道会「神言会」がこれを引き継いで熱心な布教を行なった。しかし、その成果も必ずしもはかばかしいものとは言えなかった。

では、なぜ西ティモールでは一九五〇年代、東ティモールでは一九七六年以降と、両地域がインドネシア共和国の施政下に入った時期に、カソリック化が進行したのか。

福武は、インドネシアの国家原則「パンチャシラ」を重要要因と見ている。建国五原則パンチャシラは、その筆頭に唯一全能神への信仰を挙げている。この五原則の影響によって、まず西ティモールでカソリック化が急速に進んだ。一九六一年時点で、西ティモールのアタンブア教区の住民九〇%がカソリック信徒になったという。

共産党を壊滅させることで権力を手にしたスハルト大統領は、共産主義の無神論がインドネシア国内に浸透するのを防ぐために強力にパンチャシラ教育を進め、イスラーム、カソリック、プロテスタント、ヒンドゥー・仏教のいずれかに帰属することをインドネシア国民に強いた。東ティモールへ陸軍特殊部隊を侵攻させる決断を下したのも彼である。国家が指定する宗教への信仰を持たないと公言すると、共産主義者ではないかと嫌疑がかけられる可能性がある。スハルト政権が成立する六〇年代後半、インドネシア国内で共産党狩りが行なわれ夥しい血が流れたことは周知の事実である。かくして東ティモール住民も「パンチャシラにより国家が公認する宗教への帰属が求められ、もっとも身近であるカトリックを選択した」と福武は論じている。

そもそもティモール島のキリスト教普及が比較的新しい歴史であり、必ずしも内発的なものではなかったという点は、宗派間対立を深刻化させない抑制要因として機能していると言えないだろうか。

祖霊崇拝と結びついたキリスト教

東ヌサ・トゥンガラ州のキリスト教信仰はどのようなものか、という観点から、文化人類学者の森田良成が西ティモールのエスニック集団アトニ・メト人のプロテスタント信仰について、彼らの内面まで踏み込んだ分析を行なっている（森田良成「受け継がれた罪と責務―西ティモールにおけるキリスト教と祖先崇拝」）。

アトニ・メト人は西ティモールの人口の五三％を占めるエスニック集団である。森田は彼らへのインタビューから、プロテスタントであることを自認する彼らの内面において、依然として伝統的な祖霊崇拝が息づいている、と指摘する。「自身が属する氏族の歴史が、父母や祖父母といった個人としてさかのぼることのできる範囲を超えたはるか昔の祖先の時代から、今日に至るまで途切れることなく続いている」（森田）という感覚が、プロテスタント・アトニ・メト人の中に確かに存在しているという。

彼らの主食であるトウモロコシの不作が続く、あるいは家族の中に病人が立て続けに出たりすると、その背後に祖霊の意思が働いていると彼らは考える。同時にキリスト教の信仰も彼らの中に存在する。不運、不幸に遭遇すると、キリスト者として自らの罪を神に告白し、問題の原因を特定し、罪の許しを請う。不幸の原因として挙げられるのが、子孫からないがしろにされたことに対する祖霊の怒りである。そしてその根拠として持ちだされるのが聖書で、モーセの十戒の一つ「あなたの父母を敬え」なのである。これを引用しつつ、「怒れる祖霊を慰撫しなければならない」「そのために供儀を行なうのが良きキリスト教徒の義務」というように、祖霊崇拝とキリスト教教義が結びついているのだ。

現在の宗教意識の奥底には、祖霊崇拝、自然崇拝といった昔ながらの土着の信仰があるというのはイスラーム教徒も同様だ。こうした習合的信仰は、ジャワ島など州外から東ヌサ・トゥンガラ州へ移住してきたインドネシアのイスラーム教徒にも言えることである。キリスト教徒、イスラーム教徒が共通に有する文化宗教的ルーツ、これがキリスト教とイスラーム教の宗派間対立を抑止する資源として機能していると言えないだろうか。文化人類学者のイ・ニョマン・ヨガ・スガラは、東ヌサ・トゥンガラのエスニック集団の祖霊崇拝・自然崇拝を「local wisdom 地元の知恵」と呼び、これに注目して、この地域での宗派間対立が悪化しない理由を説明している。ヨガ・スガラは、九八年のクパン暴動後の和解プロセスにおいても住民たちは「地元の知恵」を活用したという。

多数派のキリスト教徒側の中で、一時の激情に身を任せたことの反省、後悔の念が生まれ、少数派イスラーム教徒に対する更なる攻撃から保護し、被害を受けた家屋の修復を支援し、そこから「Home Culture 我が家文化」を育てていこうという動きが出てきたのである。「我が家」とは、社会を一つの家族と捉え、共通の祖先を持つという認識の下に、祖霊を敬い、大切する儀式を執り行なう中で社会的な一体感を強化していくことを意味し、そうした精神を貴ぶことを「我が家文化」と呼ぶのである。社会は一つの家であり、その中で「親族」とは、信仰は違っていても共通の祖先を持つ人々を意味する。さまざまな宗教的背景を持つ人々が、それぞれの個性を持ちながら、寛容と調和の精神で集う「昔ながらの我が家」を中心に培われていくならわしを「親族文化」と称している。

このような「同じ祖先を持つ一つの家族」意識を鼓舞しつつ、西ティモールのキリスト教徒とイスラーム教徒は、双方の協働作業によって教会やモスクを建て、宗教的な祝祭日を共に祝い、政治活動を行なう等の良好な関係を維持することに努めている、とヨガ・スガラは論じる。

そもそも「イスラーム教徒」「キリスト教徒」である前に、祖霊崇拝を基礎とする伝統的な血縁集団の一員アイデンティティーが強く、婚姻を通じて様々な血縁集団のネットワークが重層的に張り巡らされていることが、東ヌサ・トゥンガラ社会の共生の源泉と言えるかもしれない。

東ティモール紛争の傷跡

東ヌサ・トゥンガラ州は国境を持つ州である。その国境の東側、東ティモールで発生した事態についても書いておかねばなるまい。なぜなら東ティモール独立をめぐって発生した混乱の負の遺産を今も東ヌサ・トゥンガラは背負い続けているからだ。

パプアに関する章でも書いた通り、オランダによる植民地支配を受けたという体験、その体制を覆すために支配される側の諸エスニック集団が団結して一つの国をつくろうということから「インドネシア国家」が誕生した。こうしたインドネシア独立の大義から考えると、七〇年代からの四半世紀に及ぶインドネシアの東ティモール併合は、大義名分が立たない無茶なプロジェクトだった。無茶な企ての終焉においても混乱が生じた。

東ティモールを併合したスハルト大統領が一九九八年に辞任し、その後任ハビビ大統領は東ティモールの独立を容認する方針転換をする。九九年六月に東ティモールの帰属を問う住民投票が実施され、独立派が勝利するのだが、投票直後からインドネシア国軍を後ろ盾とする独立反対派の民兵たちによる破壊・暴力行為が急増して治安が悪化した。この事態に、国連は多国籍軍を東ティモールに派遣し、国連東ティモール暫定行政機構（UNTAET＝United Nations Transitional Administration in East Timor）を設置した。UNTAET下において東ティモール独立準備が進められ、二〇〇二年四月大統領選挙が行なわれて、同年五月に東ティモール民主共和国は独立を達成する。

住民投票後の民兵たちの暴力は苛烈なもので、彼らの独立派狩りによって、五〇〇～一〇〇〇人が虐殺されたと言われている。治安に責任を負うインドネシア国軍は、民兵の蛮行を止めようとしなかった。民兵の暴力を恐れて西ティモールへ逃れた避難民の数は、二五万人を超える数にのぼった。これらの避難民たちの六〇％は、西ティモール側にある国境の町アタンブアで暮らすことになった。

避難民たちの中には、家族を東ティモールに残してきた人もいる。元々東ティモールと西ティモールは、祖霊崇拝を基礎にした血縁・地縁社会という同じ文化圏に属している。一つの文化圏を分割したオランダとポルトガルの縄張り争いは、ティモール島で暮らす人々にとって与り知らぬことである。東ティモールが独立した後も、国境を越えて往来する人は多いという。北朝鮮と韓国のように人の往来が厳然と遮断されているわけではない。とはいえかつて住んでいた地で容赦なき暴力の嵐が吹き荒れたことは、西ティモールに居住する難民の人々の心に暗い影を落としている。

ジャーナリスト横山裕一は、二〇二二年に東ティモールの首都ディリからインドネシア領アタンブア、さらに東ヌサ・トゥンガラ州都クパンまで長距離バスに乗って、難民たちの避難行程をたどる取材をしている（「いんどねしあ風土記39号　東ティモール独立二〇年（後編）：望郷と逡巡の元民兵たち」）。

横山が掬いあげた現地の声によれば、インドネシア国籍を選択した避難民らの中に東ティモールへの帰還希望者が多くいるという。実は避難民たちの中には、独立派に暴力をふるった元民兵も含まれている。東ティモールの騒乱が沈静化したところで、民兵の一部が復讐を恐れて避難民となって西ティモールに流れてきたのだ。横山に対して、元民兵の一人は声を絞りだすようにして「（東ティモールに）帰りたいが、難しい。まだ恐い」と語った。彼の強い望郷の念の裏側に、過去の自分の行為に対する悔恨、帰るに帰れない逡巡を横山は見出している。

様々な人間模様が織りなす西ティモール・アタンブアの元避難民社会。そうした避難民家族の心のひだを丁寧に描いたのが、スラウェシ島マカッサル出身リリ・リザ監督の「ティモール島アタンブア39℃」（二〇一二年）である。アタンブアで自暴自棄状態の父と暮す避難民の青年の日常が、東ティモールで暮らす母への想いを織り交ぜながら静かに、詩的に描かれている。

独立から一〇数年の時を経ても、人々の心に暴力への恐怖、復讐心、失われた故郷や家族へのノスタルジー等々、様々な感情が渦巻いていることを映像は伝える。ドキュメンタリー映画ではないが、ドキュメンタリーのようなリアリティーを感じさせるのは、演じる役者も現地で暮らす人々であり、彼らの経験も物語に反映されているからだろう。リリ・リザは以前にアタンブアでドキュメンタリーを撮り、そこで彼の心を揺り動かす物語を耳にしたことから、劇映画化を思い立った、と言う。

この映画ではキリスト教の重要な祭祀である復活祭のパレード・シーンなど宗教に絡んだ映像も多く、宗教が存在感を放っている。監督インタビューでリリ・リザは復活祭パレードに特別なメッ

映画「ティモール島アタンブア39℃」の撮影シーン（milesfilm）

セージをこめたわけではなく、アタンブアの人々がカソリックであること、彼にとって復活祭パレードが重要な祭祀であること、そうした時期にたまたまロケ機会があったこと、これらはすべて現実であり、アタンブアの現実を映像にやきつけたかったのだ、と説明している。

この映画の製作者ミラ・レスマナと監督リリ・リザの二人は、空前の興行成績を挙げた映画『ラスカル・プランギ　虹の戦士たち』を作ったヒットメーカー・コンビだが、首都ジャカルタ、ジャワ島以外の地域に目を向け、そこで生きる人々を題材とした映画を作り続けている。東ヌサ・トゥンガラ州は、例外的な宗派人口構成にして、首都から遠く離れた最貧困州ということから、先入観のフィルターを通した固定的なイメージで語られがちだが、ミラ・レスマナとリリ・リザは、そこで生きる人々の心の声に耳を澄まし、彼らをあるがままの存在として理解しようという姿勢を堅持している。

彼らもまた、インドネシア独立の父たちが掲げた「多様性の中の統一」の理想を現代において追い求める人々、と言えるだろう。

「ティモール島アタンブア39℃」（前頁写真）は、二〇一二年第二五回東京国際映画祭コンペティション部門に出品され、日本でも公開された。西ティモールの日常を映像で見る貴重な機会となった。

第11章 スマトラ諸州——「開発」を問う森の人々

スマトラ開発に力を入れるインドネシア中央政府と日本

第2部では、インドネシアの中心部たるジャワ島諸州から始めて、アチェ、パプア、東ヌサ・トゥンガラ州と、いわゆる「辺境」と呼ばれる地域で起きている変化に焦点を当ててきた。アチェはインドネシアの西端、パプアは東端に位置し、首都ジャカルタ市民にとって物理的に遠い地域である。しかし世界最大の列島国家の連結性強化を目標に掲げる中央政府によって、空港や港湾は整備され、第2章に記した通り高速通信網「パラパ・リング」が全国に導入されるなどして、以前と比べて首都ジャカルタからの距離が縮まりつつある。これらは近代文明・技術のなせるわざだ。しかし、物理的距離とは異なる意味において、国の中心からもっと「遠い」空間で生きている人々がいる。

パプア、カリマンタン、スマトラ等の深い森の中を移動しながら、狩猟採集という近代とは異なる生活様式を守ってきた民だ。

首都ジャカルタに戻って第2部を終える前に、ジャンビ、リアウ等のスマトラ諸州の狩猟採集民族に焦点を当てて、インドネシアの中枢部から最も「遠い」人々の視座から「豊かになる」という変化、「開発」の意味合いについて考えてみたい。

ジャワ島とそれ以外の島々の格差是正、という建国以来の国家課題に取り組んできたインドネシア政府にとって、ジャワ島に近く、石油、天然ガス、スズ、石炭等天然資源に恵まれた、世界で六番目に大きい島スマトラの開発は、真っ先に取り組まなければならない重要課題であった。日本も戦前からスマトラの重要性に目をつけ、開戦初期段階でスマトラ島パレンバンに空挺作戦を敢行し、この地の油田・製油所を確保した。スマトラを軍政支配した第二五軍の配下、水力発電による地域開発プロジェクトが計画されたが、実施には至らなかった。

戦後も日本は、この地域の開発に関わりを持ってきた。スマトラ島は、日本のODA（政府開発援助）によって巨大開発が行なわれた地なのである。日本の対インドネシアODAを代表する巨大プロジェクトで、かつて「日本の援助の目玉商品」と呼ばれたのが、北スマトラ州のアサハン開発プロジェクトである。

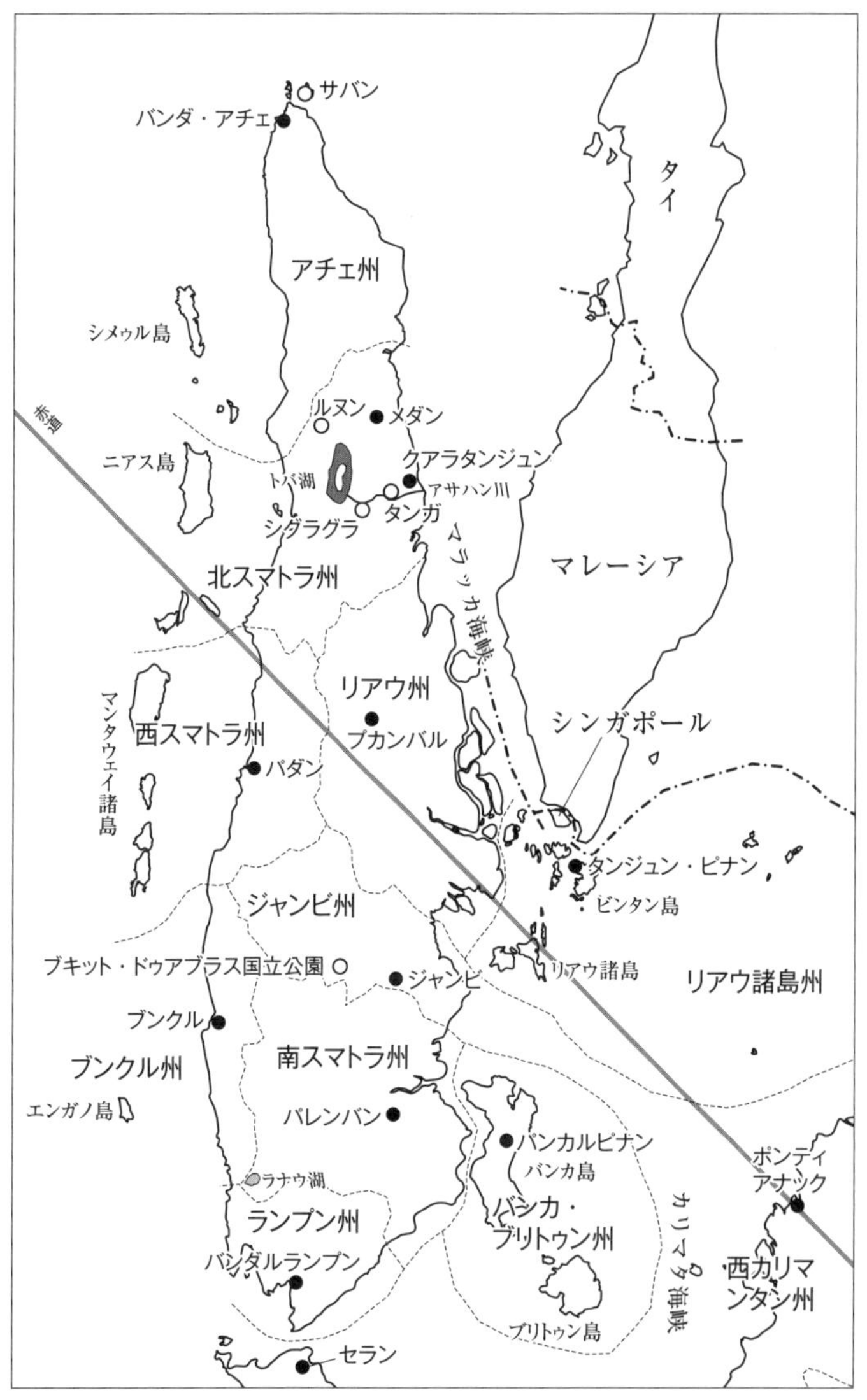
サバン
バンダ・アチェ
タイ
アチェ州
シメゥル島
赤道
ルヌン
メダン
ニアス島
クアラタンジュン
トバ湖
アサハン川
タンガ
シグラグラ
マラッカ海峡
マレーシア
北スマトラ州
リアウ州
マンタウェイ諸島
プカンバル
シンガポール
西スマトラ州
パダン
タンジュン・ピナン
ビンタン島
ジャンビ州
ブキット・ドゥアブラス国立公園
ジャンビ
リアウ諸島
リアウ諸島州
ブンクル
南スマトラ州
ブンクル州
エンガノ島
パレンバン
パンカルピナン
バンカ島
ポンティアナック
ラナウ湖
カリマタ海峡
バンカ・ブリトゥン州
ランプン州
西カリマンタン州
バンダルランプン
ブリトゥン島
セラン

「日本の援助の目玉商品」：アサハン開発プロジェクト

アサハン川は、北スマトラ州にある世界最大のカルデラ湖トバ湖を水源とする全長一五〇キロの河川で、山岳地帯を抜け、マラッカ海峡に達する。水源のトバ湖一帯は典型的な熱帯雨林気候で降水量が多く、アサハン川上流の水量は豊富かつ安定しており、下流との標高差が九〇〇メートル近いことから水力発電の適地としてオランダ植民地時代から注目されてきた。

「アサハン開発プロジェクト」とは、このアサハン川流域に水力発電用ダムと発電所を建設し、この電力を用いたアルミ精錬工場をマラッカ海峡の港に建設、作られたアルミを日本に輸出し、ここで働く人々のためのニュータウンや港湾・道路・通信施設整備を行なう、という壮大な企てである。

日本政府や企業が水力発電とアルミ工場を組み合わせた事業計画をとりまとめて、スハルト政権に提案し、一九七五年日本・インドネシア両国間で合意に達した。日本のODAが投入され、七六年には日本企業とインドネシア政府の合弁会社「PTインドネシア・アサハン・アルミニウム」（INALUM）が設立された。

七八年から工事が始まり、上流部のシグラグラとタンガの二ヵ所に水力発電ダムが建設、クアラタンジュン港にアルミ精錬所が建設されて一九八四年に完工した。国民に自らを「開発の父」と呼ばせたスハルト大統領は、八二年の第一期竣工式、八四年の完工式に出席し、この開発プロジェクトを国家事業として重視していることを行動で示した。

シグラグラとタンガ発電所は、当時としては東洋最大の水力発電量を誇り、これによって年間約二二・五万トンのアルミが生産され、うち六割が日本に輸出された。

途中、円高やアルミ国際価格の暴落に伴う負債増加によってINALUMは経営危機に陥り、資本の増資を受けるなどの時期もあったが、三〇年間生産は続いた。そして二〇一三年、協定は満了となり、協議の結果、日本企業はINALUMの全保有株をインドネシア政府に売却することに合意して、アサハン開発プロジェクトはインドネシアが国有化した。

この巨大なプロジェクトをどう評価するか。インドネシアにとっては、インフラ整備、産業育成、人材育成、雇用創出、外貨獲得といった面から経済発展に貢献し、その結果ジャワ島とジャワ島外の経済格差是正につながり、日本にとっては、電力価格高騰・公害対策等により生産コストの上昇に苦しんでいた日本のアルミ業界が、安価なアルミの確保メリットがあったとして、一定の成果をあげたと考えられている。

日本のODAはインドネシアの開発に貢献したか？

このようにスマトラ島は、アサハン開発プロジェクトのような巨大ODAプロジェクトが続々と実施されてきた地だ。ここで改めて「インドネシアの開発に日本は貢献したのか」という基本的な問いを立ててみたい。

日本とインドネシアの国交樹立六〇周年にあたる二〇一八年に、JICA（国際協力機構。旧国際協力事業団）が「インドネシアに対する日本の協力の足跡」という報告書を作成し、日本の対インドネシアODA事業を振り返っている。

この報告書によれば、「一九六〇年代以降の対インドネシアODA累計総額では、日本が四五％を占めており、インドネシアにとって最大の援助国」である。二〇一六年度までの累計額は、五・五兆円である。一方、日本側から見ると、日本がこれまでODAを実施してきた一九〇の国・地域の中で、「インドネシアは第一位の受け取り国（一九六〇～二〇一五年）であり、日本政府がインドネシアを重視してきたことが見てとれる。

日本のODAの九割は円借款で、アサハン開発プロジェクトのように発電所、灌漑・治水・干拓、鉄道、道路などの基幹インフラの整備に用いられることが多く、二五〇〇キロに及ぶスマトラ縦貫道路の六割を日本が整備した。二〇一六年時点で日本のODAによって整備した発電施設の発電容量は、合計三九四八メガワットである。日本企業による発電事業も加えるとインドネシア全発電容量の二〇％にあたる。

基幹インフラの整備で近年注目された円借款事業と言えば、二〇一九年四月に開業した、首都ジャカルタの大量高速鉄道（MRT＝Mass Rapid Transit）南北線の建設であろう。総供与額は一二五〇億円とされる。基本設計、車両、改札に至るまで日本の技術が導入され、中央ジャカルタから南部ジャカルタまでの一五・七キロを走る。世界最悪とも呼ばれる交通渋滞に苦しんでいたジャカルタ市民が待ち望んでいた、インドネシア初の地下鉄だ。

インフラ整備に劣らず重要なのは、インドネシアの国造りを支える人材の育成である。JICA報告書によれば、「一九七四年以来、のべ四万人以上の政府・公共団体関係者等に対して、日本での研修受入やインドネシア国内での研修を行い、成長を支える人材育成に貢献」してきた。円借款その他で日本へ送られた留学生数は、大学教員や公務員など三〇〇〇人以上に及ぶ。日本からも二〇一六年までに約一万七〇〇〇人の専門家、約二万四〇〇〇人の調査団、七〇八人の青年海外協力隊、二五六人のシニア海外ボランティアがインドネシアに派遣されている。人的交流の積み重ねによって、日本の近代化経験の蓄積がインドネシアへ伝えられた。

こうして日本の対インドネシアODAの六〇年間を俯瞰してみると、日本の援助は総じてインドネシアの発展に貢献した、と言えよう。日本、インドネシア双方で、この壮大なプロジェクトに関わり、様々な苦労を乗り越えてきた人々に、最大限の敬意を表したい。

しかし、礼賛だけで終わらせてよいものか。

前述のＪＩＣＡ「インドネシアに対する日本の協力の足跡」報告書を読んで意外に感じたのは、アサハン開発プロジェクトが「日本の援助の目玉商品」と完工当時言われたにもかかわらず、上記報告書のパンフレット版ではたった一行、年表に出てくるだけ、報告書版も半ページの記述に過ぎないという点だ。これは、対インドネシアODAの歴史に関する記述という観点から考えると、いささか目配りに欠けたものであるようにも思える。

ところで、かつて日本がODAを年々拡充し、やがて世界最大のODA供与国となり、ODA大国として世界中から注目を集めていた時代、すなわち一九八〇〜九〇年代の二〇年間は、様々な角度からODA批判が行なわれた時期でもあった。曰く「開発独裁政権を支援するもの」「現地の人々に役立っていない」「実は日本、日本企業の利益のために使われるもの」等々。プロジェクトの中には、立ち退き補償をめぐって住民たちが日本政府やJICAを相手どって訴訟を起こしたリアウ州プカンバル郊外のコタパンジャン水力発電ダム建設のように物議を醸したケースもある。

インドネシアが新興国として台頭する今、日本のODAがこの国の発展に貢献したのは明らかであるならば、ODA批判派の意見は全く的外れで、誤った認識だったのだろうか。

二〇〇〇年一二月、国際協力銀行（当時）の環境ガイドライン策定に向けた国際シンポジウムにおいて、日本のNGOが、トバ湖外輪山を水源とするルヌン川に日本の円借款によってダムを建設し、その水を湖畔の発電所に送り水力発電機を回し、電力を首都メダンに送ろうというプロジェクトを取り上げた。日本インドネシアNGOネットワークの岡本幸江は、アサハン開発プロジェクトと類似するルヌン水力発電所計画について問題点を指摘している。

岡本は、このプロジェクトが地域住民の生活水準に寄与するという、プロジェクトの根拠を、以下の点から疑問視する。

この地域は、「パクパク人が先住の人として伝統社会を形成」し、「森林を含めたその土地の大部分が慣習首長の所有する慣習法地」である。しかしプロジェクトによって森林伐採が進み、慣習法による水源の保護や土地利用が困難となった。現地の社会文化事情を知らない政府の環境アセスメントは、地域の人々の視点に欠け、現地の文化・社会に与える影響評価が不十分である。外部の人間を委員長とする土地収用委員会は、地域住民への説明・コミュニケーション不足から住民たちの不信を招き、土地紛争も起きて混乱が拡大した。

岡本はこれらを踏まえて、プロジェクトの改善点として、プロジェクト計画段階での情報公開・透明性・民主的手続きの担保、決定プロセスへの住民の参加の保障、地域住民の視点を取り入れた多面的な環境アセスメントとその結果の公開、プロジェクト実施中の予期せぬ事態に対する対処方針の明確化、等を日本のODA支援側に提言している。

これらの指摘は、現在スマトラ島が直面している課題にもあてはまる側面があり、いわば現在の課題を先取りするものと位置付けることもできる。日本のODA批判という域を越えて、「開発とは何か」「現代世界は持続可能な社会をいかに実現させるのか」という、さらに根源的な問いかけが、その先にある。

深刻度を増すスマトラ島の環境破壊

インドネシアに限らず、経済開発がもたらす自然の喪失、環境破壊の問題は、一九七二年にローマクラブが資源と地球の有限性を訴えた「成長の限界」以来、地球規模の課題として知られるが、年々深刻度は増している。「地球の肺」とも呼ばれる熱帯雨林が拡がるスマトラ島やカリマンタン島の森林喪失は、インドネシア一国のみの問題ではなく、日本を含む人類が取り組まないといけない課題だ。国際NGO・世界自然保護基金（WWF）によれば、一九八五年においてスマトラ島の五八％が自然森林地帯だった。それが二〇一六年には二四％と、三〇年間で半減してしまった。森林減少の主な理由は、プランテーションの開発である。紙の原料であるアカシアやユーカリなどのパルプ材、あるいはパーム油の原料であるアブラヤシのプランテーションへ転用するために森林伐採が行なわれる。

農地に転用する場合、「野焼き」も行なわれる。これが大規模火災となり、煙による大気汚染の煙害（ヘイズ）を惹き起こし、地域住民のみならず国境を越えて東南アジア各地の健康に甚大な被害をもたらしている。加えて大気中に大量のCO2を放出し、地球温暖化に拍車をかける。

国立環境研究所と気象庁気象研究所が行なった調査によれば、火災がひどかった二〇一五年は九月と一〇月のわずか二ヵ月で、東南アジア地域の火災からのCO2放出量は、日本の年間放出量に匹敵した。この年、NASAの衛星観測によれば、インドネシア全土で七万九七一のホットスポット（高温地帯）が観測され、うち二万六三四六地点がスマトラ島で、二万七三一三地点がカリマンタン島だった。二〇一九年のヘイズもひどく、一万五九八一のホットスポットが計測され、東京都面積の一・五倍に相当する三二・八万ヘクタールが消失した（「テンポ」誌二〇一九年九月二四日）。

特に問題とされるのが、泥炭地の火災である。泥炭地は他の土壌よりも、多く炭素を含んでいる。泥炭地は地球の陸地面積の三％に過ぎないが、全土壌に含まれる炭素の約三分の一が蓄積されているという。スマトラではこの泥炭地の森も開発され、火災が引き起こされているのだ。そして、やっかいなことに、泥炭地の火災を完全に消化するのは通常の土地の火災以上に困難なのである。ヘイズが発生すると数十万の人々が呼吸器系の疾患で苦しみ、数万の学校が休校となり、子どもたちの学ぶ権利が失われる。

ここで留意したいのは、「野焼き」である。「野焼き」というと、教育のない原住民が行なう原始的な農法で、「時代に遅れた」彼らに煙害の責任があるように思われるかも知れない。しかし、現代の野焼き火災発生の主因は、前述の通りアブラヤシ・プランテーションの造成に他ならない。パーム油の需要が世界的に高まり、価格も高騰し、生産量も増大する中で、「パーム油は儲かる」と市場の論理にのっかった人々や企業がアブラヤシ農園経営を始め、自ら火を入れ、あるいは貧しい人々に火入れさせている。政府は法律で火入れを禁じ、違反者の摘発に乗り出しているが、違法行為は跡を絶たない。

森の民の学びの場

スマトラ島の森林喪失、ヘイズの最大の被害者は誰か。それは中部スマトラのジャンビ州やリアウ州の森の中を数ヵ月単位で移動しながら暮らしてきた狩猟採集民「オラン・リンバ」であろう。総数五七〇〇人と推定されるオラン・リンバ中の二五〇〇人は、ジャンビ州ブキット・ドゥアブラス国立公園一帯の森の中で、自然を崇拝しつつ狩猟生活を営んできた。

彼らは、この地域の主流エスニック民族であるマレー系のムラユ人(イスラーム教徒)からは、「クブ」とも呼ばれる。クブはマレー語では、元々「塹壕」「避難場所」を意味する。これは、森に逃げて、マレー化、イスラーム化、独立後は近代化を拒否する「未開人」という侮蔑的な意味も含んでいる。そして今、森林喪失と大規模火災そしてアブラヤシ農園の開発が、彼らの生きる場そのものを奪い取っている。

普通に首都ジャカルタで暮らしていては、その存在さえ知ることがなかったであろう「オラン・リンバ」を知るきっかけとなったのは、リリ・リザ監督の映画「ソコラ・リンバ」(二〇一三年)をジャカルタの映画館で観たことだった(日本でも二〇一四年、邦題「ジャングル・スクール」としてアジアフォーカス・福岡国際映画祭で上映)。東ヌサ・トゥンガラの章でも書いた通り、リリ・リザ監督は「辺境」と呼ばれる地域に生きる人々の感情、心象風景を丁寧に掬い取り、映像化した秀作でありながら幅広い観客に支持されるヒット作を作る、インドネシア映画界のエース的存在である。映画「ソコラ・リンバ」(次頁写真)も、彼の作風が良く出た作品だ。

この映画の原作は、ブキット・ドゥアブラス国立公園内でオラン・リンバとともに暮らし、彼らに読み書きや基本的な教育を教える学校を設立したNGO職員ブテット・マヌルンの自伝「ソコラ・リンバ」である。この本を読んで感動したリリ・リザと製作者ミラ・レスマナが映画化をブテットに持ちかけた。ブテットは映画製作に全面協力し、彼女の案内で、映画撮影クルーは森の中に分け入りオラン・リンバと暮らし始めた。福岡国際映画祭カタログにリリは、以下のコメントを寄せている。

映画「ソコラ・リンバ」の1シーン。オラン・リンバの子どもたちへの識字教育（milesfilm）

オラン・リンバの人々が映画の中で自分たち自身を演じてくれると同意してくれた時ほど、私には嬉しかったことはありません。この映画を通じて、私は彼らの生活を学ぶ機会を持つことができました。彼らの好きな食べ物や冗談や、そして悪態でさえ学ぶことができたのです。

さらに、リリ・リザの映像を見ることによって、これまでオラン・リンバを「未開人」と蔑視してきた都会の住民も、オラン・リンバの視点に立ち世界を眺め、彼らに感情移入している自分に気づくのである。

ブテット・マヌルンはジャカルタで生まれ、バンドンのパジャジャラン大学で人類学を専攻した後、環境NGO「WARSI」に参加し、ブキット・ドゥアブラス国立公園の森林保護と地域の発展促進のための調査研究や教育活動に従事した。しかし、教育を施した生徒の数で成果を示そうという、世論を気にした定量評価姿勢や、オラン・リンバ当事者の視点を欠いた「上から目線」の開発援助方針に疑問を抱くようになったブテットはWARSIを脱退し、自らの理念に基づいた学校を立ち上げる。

ブテットは、「未開の民」の蒙を啓き、文明を「教える」のではなく、オラン・リンバ自身が自ら考え、自分自身で立ち上がり、現代世界を生きていくための最低限の手段を身につけ、生き方を選びとっていく選択肢を持つことが重要である、と考えた。その最低限の手段が読み書き算数であり、これを学ぶ場が「ソコラ・リンバ（森の学校）」である。

土地所有権を認められてこなかったオラン・リンバ

開発政策によって、オラン・リンバが土地を追われて苦境に立たされている状況について、長期にわたってスマトラ島でフィールド調査を行なってきた人類学者中島成久が、労作『アブラヤシ農園と土地開発』（法政大学出版局、二〇二一年）において詳述している。中島は「大規模なアブラヤシ農園開発は狩猟採集社会に最も激烈な変化をもたらす」と指摘し、オラン・リンバの生活空間が、七〇年代以降のトランスミグラシ移民政策、アブラヤシ農園開発によって狭められ、元々の「遊動域」から追われたオラン・リンバが生存の危機に立たされていると報告している。焦点の一つとなるのが、土地所有権をめぐる問題だ。以下、中島の前記論考を参照しつつ、オラン・リンバの直面する問題を考えたい。

そもそも、二〇〇〇年以前の人口統計においてオラン・リンバはカウントされておらず、開発を進める側・中央政府は、オラン・リンバを「国民」とさえ認識していなかったことを、中島は指摘する。彼らは、インドネシア全国民に携行義務がある住民証（KTP）すら持ち合わせていなかった。定住化しないことには、政府はオラン・リンバを国民として扱わなかったのだ。

インドネシア政府は先住民族の土地権に関して、一九六〇年土地基本法第三条で、「慣習法共同体」の基本的権利として共有地権を認めている。しかし一九六七年林業基本法には、「森林域内で他の法律はその効力を失う」という条文があり、森の民オラン・リンバの土地への権利は法的に認められていなかったのである。

民主改革後に、土地紛争解決のための法整備が進んだ。一九九九年土地空間大臣令第五号は、慣習共同体の存在認定条件として、①共通の慣習法の存在、②特定の共有地の存在、③その人々によって運営されている共有地の存在、を挙げた。さらに村落に関する二〇一四年法律第六号は、慣習共同体認定の条件として、①領域性、②独自の慣習法、③慣習法が運営されていること、を求めている。しかし、狩猟のために土地を移動しながら生活するオラン・リンバは、「領域性」や「慣習法を運営する組織」を持たず、慣習法共同体認定条件を満たしていない。法の後ろ盾がない人々は、「合法的」な手続きによって囲い込まれたアブラヤシ農園開発によって、森を失い、長年暮してきた森から排除された。

なんのための教育か

ブテット・マヌルンは、スハルト強権体制崩壊後の民主改革による、自由化、地方分権は、地方の政治ボスやアブラヤシ農園を経営する企業にフリーハンドを与え、スマトラ島のアブラヤシ農園乱開発を誘発し、オラン・リンバに益するものではなかった、と主張する。

読み書きができず、法概念を知らないオラン・リンバは、アブラヤシ農園開発を進める業者の餌食となり、自らの権利を主張するオラン・リンバは「違法侵入者」として犯罪人扱いされ、警察に捕まる。彼らが今の時代を生き抜くためには、知識を身につけることが必要だ、という信念のもとにブテットは、ソコラ・リンバを開校した。

彼女がオラン・リンバと交流を持ち始めた一九九九年から二〇年の月日が過ぎたが、今もオラン・リンバの森は消え続け、政府は彼らの近代化（定住化）政策を進めている。ブテットは、教育がオラン・リンバにもたらす影響に関する二つの対照的な事例をあげて、教育の意味を問うている。

まずB氏のケースである。B氏は、州政府およびNGOの手厚い修学支援を受け、オラン・リンバ初の大学入学者として地元のジャンビ大学に入学し、マスコミからも注目をあつめる「看板学生」となる。しかし、講義についていけず二年で中退、今度は社会省から名誉職ポストを与えられたが、そこでの二年間の仕事は、軽微な事務補助作業で外に与える印象とは全く異なるものだった。その後、同じような役所の名誉職ポストにつくが、嫌気がさして退職してしまった。最近ではある政党からのオファーがあり、ジャンビ州の地方議会議員候補として立候補する予定。当選すればオラン・リンバ初の議員となる。

メディアや開発関係者は、B氏は教育の成功事例と賞賛するが、オラン・リンバの社会から見ると「彼は失敗事例」とブテットは言う。その視点から見るとB氏は伝統から切り離され、孤独の中で生きているのだ。一般社会において重要とされる、高等教育、公務員という安定した職業、マスコミの注目は、オラン・リンバ社会では重要なものとされない。自分自身を見失い、いつも他者の期待に応えようとしてきた、これまでの人生をB氏自らも「なかば失敗」と認めているという。

ブテットがとりあげるもう一人の人物、P氏は両親の反対を押し切ってソコラ・リンバで学んだ。オラン・リンバ社会の昔ながらの教えを奉じる両親は、読み書きを学ぶと邪悪な人間になると恐れて、ソコラ・リンバに通うのを反対したのだ。インドネシア語の読み書きに長け、法概念に興味を持った彼は、NGO「法支援協会」(LBH＝Lembaga Bantuan Hukum)に通い、さらに法について学んだ。また弁舌の才があり、オラン・リンバの代表として彼らの権利、人権を訴える発言を、内外のシンポジウム等で発する機会を与えられ、その活躍ぶりを知ったオラン・リンバ社会から信頼を寄せられている。今は林業ビジネスを手掛ける傍ら、ドキュメンタリー映画監督としてオラン・リンバの伝統を記録し、外部に発信している。こうしたキャリアは、大学卒という学歴無しに達成したものである。

主体的に生き方を選びとり、オラン・リンバの伝統ともつながりその文化を継承させつつ、インドネシアの主流社会の中で誇りを持って生きているP氏を、ブテットは教育の成功例と位置付けている。そして彼女は、「開発は何のためにあるのか」「教育が目指すものはどこにあるのか」と、オラン・リンバと向き合う現代人に問うのだ。

第12章 ジャカルタからヌサンタラへ——壮大な首都移転構想の目指すもの

首都移転の決定

二〇一九年四月インドネシア政府は、首都をジャワ島外に移転する閣議決定を行ない、その後八月一六日、インドネシア国会の演壇に立ったジョコ・ウィドド大統領が、彼の決意の固さを示すように拳を振りあげて高らかに宣言した。

尊敬する議員諸君、そしてすべてのインドネシア国民の皆さん、私はここに、我が国の首都をカリマンタン島に移転させることへの承認と支援を求める。

インドネシアの首都移転が、行政のみならず立法府まで巻き込んだ国家プロジェクトとして動き始めた瞬間だ。この国にとって最も重要な国家行事、八月一七日独立記念日の前日を選んで提案を行なったことも大統領の強い意志を感じる。ジョコ大統領は一〇日後の記者会見にて、移転先が、ジャカルタから一二〇〇キロ離れた東カリマンタン州の州都サマリンダと同州の港湾都市バリクパパンのあいだに存在する丘陵地帯であることを明らかにした。

その後、新型コロナウイルス危機の発生で予定が大幅に遅れたが、二〇二二年一月の国会の承認を経て同年二月、政府は新首都に関する法律二〇二二年第三号を交付、施行した。同法によって新首都の名称は「ヌサンタラ」となった。

「ヌサンタラ」は古代ジャワ語で「群島」「列島」を意味する言葉で、日本語に意訳すると「敷島」といった感じになる。典雅な響きのある言葉で、独立闘争期には、民族教育運動指導者キ・ハジャール・デワンタラは、オランダから独立を勝ち取った時、新国家の名前を「ヌサンタラ」にしようと主張している。

ヌサンタラの総土地面積は二五・六万ヘクタール、中心部は五・六万ヘクタールとなる。総面積は神奈川県（二四・一万ヘクタール）よりやや大きく、中心部は東京二三区（六・二万ヘクタール）よりやや小さい規模だ。

カリマンタン島（ボルネオ島）は日本の一・九倍の面積があり、世界第三の大きさの島である。北部はマレーシアとブルネイの領土で、広大な熱帯雨林が拡がり、オランウータンやワニ、ニシキヘビが生息する生物的多様性に富んだ島として知られている。

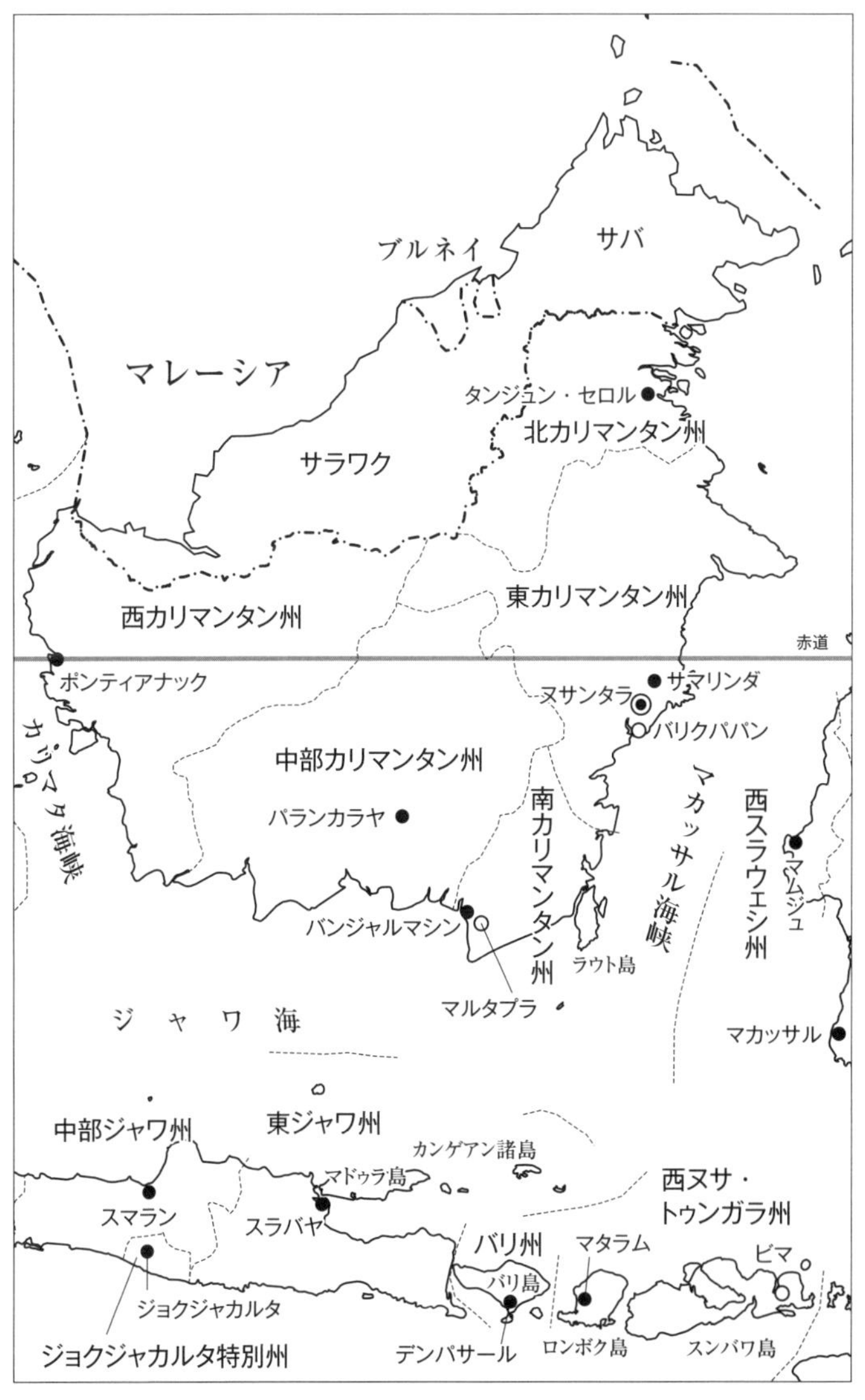
サバ
ブルネイ
マレーシア
タンジュン・セロル
北カリマンタン州
サラワク
東カリマンタン州
西カリマンタン州
赤道
ポンティアナック
サマリンダ
ヌサンタラ
バリクパパン
カリマタ海峡
中部カリマンタン州
マカッサル海峡
西スラウェシ州
南カリマンタン州
パランカラヤ
マムジュ
バンジャルマシン
ラウト島
マルタプラ
ジャワ海
マカッサル
中部ジャワ州
東ジャワ州
カンゲアン諸島
マドゥラ島
西ヌサ・トゥンガラ州
スマラン
スラバヤ
バリ州
マタラム
ビマ
バリ島
ジョクジャカルタ
ジョクジャカルタ特別州
デンパサール
ロンボク島
スンバワ島

ヌサンタラが位置する東カリマンタン州は、面積ではインドネシアで三番目に大きな州だ。そこに三七六万人が暮らしている。その八三%はジャワ人、ブギス人、バンジャール人等の州外からの移住者とその子孫によって占められている。多くは政府の移住政策によって、この地にやってきた。残り一三%が、クタイ人、ダヤク人、パセル人といった先住エスニック集団である。エスニック集団の構成では、ジャワ人二九・五%、ブギス人一八・二%、バンジャール人一三・九%、ダヤク人九・九%、クタイ人九・二%となっている。東カリマンタン州の社会構成自体が、多民族国家インドネシアの国柄を反映する複雑な多民族社会なのだ。

首都移転と言うと、日本における首都移転論議などからして、政治的調整が極めて困難なゆえにめったに起きることがない、まれな出来事と考えがちだ。しかし首都移転に詳しい都市計画コンサルタントのワディム・ロスマンは、著作*Capital Cities: Varieties and Patterns of Development and Relocation*（「首都開発と首都移転の種類とパターン」）において、世界中で首都移転が意外と多く行なわれてきたと論じている。彼の集計によれば過去一〇〇年間において主要な首都移転が三〇件発生している。

この中から代表的なものを挙げると、一九一八年ロシア（サンクトペテルブルク→モスクワ）、一九二七年オーストラリア（メルボルン→キャンベラ）、一九四九年中国（南京→北京）、一九六〇年ブラジル（リオデジャネイロ→ブラジリア）、一九六六年パキスタン（カラチ→イスラマバード）、一九九七年カザフスタン（アルマトイ→アスタナ）、一九九九年ドイツ（ボン→ベルリン）、二〇〇五年ミャンマー（ヤンゴン→ネピドー）がある。この一世紀のあいだに平均すると三・三年に一回、世界のどこかで首都が移っていたのである。さらにこれまで首都移転が議論されてきた国は、日本も含めて三七ヵ国にのぼる。首都移転は、現代世界にあっては多くの近代国家にとって共通する政策課題なのだ。

それにしても、今回のインドネシアの首都機能移転構想は、スケールが大きい。現在の首都ジャカルタは政治と経済の両面でこの国の中心だが、政治機能を切り離し、一二〇〇キロ以上も離れた地に、ゼロから新たな都市を建設し、そこに政治機能を移植しようという計画だ。ヌサンタラへ移る政治機能とは、具体的には大統領、副大統領、全省庁の行政機関、国民協議会（MPR＝Majelis Permusyawaratan Rakyat）、国民議会（DPR＝Dewan Perwakilan Rakyat）、地方代表議会（DPD＝Dewan Perwakilan Daerah）の立法機関、最高裁判所、憲法裁判所、司法委員会の司法機関、加えて国軍本部、国家警察本部、会計検査院である。

これだけ離れた場所への、これだけの規模の移転で、かつ新たな都市建設という計画は、過去一〇〇年の世界の首都移転でも例のない大構想だ。政府は新首都開発に関して総額最大四八六兆ルピア（四八六億円）の予算計画を作成した。その約二割は国家予算、残り八割は民間企業、国営企業からの投資・官民連携をあてる皮算用である。

なお政治以外の金融、ビジネス、貿易、サービスの中枢機能は首都移転後もジャカルタに残る予定である。つまりインドネシア銀行、貯金保険機構、ビジネス競争監督委員会等、経済・金融分野の政府機関は、今後もジャカルタに残って運営される。政治はヌサンタラ、経済はジャカルタと国家機能を分散すると、この国の構造は、米国のワシントンDC（政治の中心）とニューヨーク（経済の中心）のような形態となる。

首都移転の理由

世界各国の首都移転の動機となってきたのは、①植民地からの独立、革命、新体制発足などを契機とする国家アイデンティティーの強化、②国家機能防衛等の安全保障政策、③中央集権化、あるいはその逆の地方分権化、④経済発展の可能性拡充、⑤環境・エネルギー対策上の必要性等がある。今回のインドネシアの首都移転構想は、いかなる理由によるものか。この決定には、どのような国家意思が働いているのか。

そこには、ジャカルタの過密状態から生じている環境悪化、交通渋滞、地盤沈下といった問題解決への意思があるのだが、今回の移転構想は、それ以上に大局的な、この国の未来を見据えた狙いが含まれている。

これらの問いを考える上で重要な資料となるのが、前述の「新首都移転法」二〇二二年三号に添付されている首都移転に関する「基本計画」だ。この「基本計画」に沿って、インドネシアが描く首都移転のシナリオを点描してみたい。

まず移転理由はどうか。「基本計画」は、インドネシアが建国一〇〇周年の二〇四五年までに世界の五大経済大国の一角にのし上がることを目標に掲げる「インドネシア二〇四五ビジョン」に言及する。

インドネシア政府が発表したヌサンタラの新首都イメージ（Sumber：Arsip Nyoman Nuarta）

「二〇四五ビジョン」は、①人間開発および科学技術の強化、②持続可能な経済開発、③公平な開発、④国家の強靭性とガバナンスの強化、という四本柱によって構成されている。首都移転は、この「二〇四五ビジョン」を実現させるための国家戦略である。そして包括的で公平な経済開発を実現するためには、インドネシア東部の開発を加速させる必要がある。すなわち、従来から指摘されてきたインドネシア国家統合の弱点である「ジャワ島とジャワ島外の格差是正」という国家の構造改革、これが首都移転の第一の理由である。

さらに「基本計画」は移転理由の二番目として、新首都ヌサンタラの戦略的重要性に言及する。というのは、東西交易の要である広大なインドネシア列島海域のほぼ中央に、新首都予定地は位置している。ここを押さえておけば、国内的にも国際的にも重要な航路であるマカッサル海峡を制することができる軍事的重要地点である。地政学的要因が、首都移転の動機となっているのだ。

第三に、既存都市バリクパパンやサマリンダに近接することもあって、空港、港湾、道路網、エネルギー、水などの既存インフラが比較的整っており、利用しやすい。

第四に政府の取得が容易な広大な土地が存在することも大きい。

第五に環太平洋火山帯に位置するインドネシアにあって、東カリマンタンは地震、津波、火山噴火等の自然災害リスクが比較的小さいことも重要である。

新首都ヌサンタラのビジョン

ジャワ島とジャワ島外の格差是正を目指すインドネシア政府が作成した新首都基本計画は、新首都ヌサンタラを、以下のようなビジョンに基づくものとしている。

(a)ナショナル・アイデンティティー
アイデンティティー、社会の性格、統一性、民族の偉大さを体現する活動の中心地。すなわち新首都はインドネシア民族のユニークさと多様性を反映するように計画される。

(b)知性的で緑あふれる持続可能都市

資源を効率的に管理し、効果的なサービスを提供する都市。水資源とエネルギー資源の効率的な利用用、廃棄物処理、統合的交通網、健康的な環境の保全、自然環境と人工的建築の相乗効果を高めることによって達成する。

(c)国際水準の近代都市

技術、建築、都市計画、社会問題などの面で進歩的、革新的で競争力があり、世界トップクラスのインフラを備え、グローバルなレベルで世界の諸都市と結ばれた都市とする。

(d)効果的・効率的なガバナンス：中央政府機関の移転

中央政府機関を移転し、新たな働き方の実践によって、国家公務員の能力を高める。

(e)東部インドネシア経済の振興

東部インドネシアにおいてクリーンなハイテク産業を発展させ、国際競争力のある経済部門を後押しすることでジャワ島との格差を解消する。

繰り返すが、ジャワ島とそれ以外の島の格差は、インドネシア建国以来の国家統合に関する最大の課題であり続けてきた。

そこでジャワ島の人口過密状態の解決策として、ジャワ島民のジャワ島外への移住政策はスハルト政権時代に本格化し(トランスミグラシ)、一九七九年から九八年までの二〇年間に六一七万人のジャワ島民がカリマンタン、スラウェシ、パプア等へ移住して行った。ところが、こうした移住政策には、弊害もあった。二〇〇一年に西カリマンタンで発生した暴動のように、土地や利権をめぐる地元民と入植民のあいだの紛争が発生し、インドネシア国家の統一を揺さぶってきたのである。

以上、首都移転の動機とビジョンを見てきたが、カリマンタンへの首都移転には、先に触れた通りインドネシア国家の懸案解決のために国の基本構造を作り変えようという国家戦略があるのだ。

新首都の区割りと移転スケジュール

「基本計画」は、移転候補地二五・六万ヘクタールと領海域六・八万ヘクタールを、①政府中枢域（〇・六ヘクタール）、②市域（五・六ヘクタール）、③郊外開発区域（一九・九ヘクタール）の三つに区割りする。

政府中枢区域には大統領・副大統領宮殿、行政・立法・司法機関庁舎、文化公園、植物園が、市域には、公務員・軍人・警察官の官舎、教育・医療機関、大学、科学・技術パーク、ハイテク・環境産業、研究拠点、軍基地、その他住宅地に必要な施設が建設される。郊外には、国立公園、オランウータン保護施設等を設ける構想である。

移転スケジュールは、

フェーズ1：二〇二二年〜二〇二四年

フェーズ2：二〇二五年〜二〇二九年

フェーズ3：二〇三〇年〜二〇三四年

フェーズ4：二〇三五年～二〇三九年
フェーズ5：二〇四〇年～二〇四五年
の五段階を経て完遂することになっている。

フェーズ1では、基本インフラの整備が行なわれ、主要幹線道路、公共交通機関、IT、電気・水供給のための基本インフラ整備で、二〇二三年に着工する。中央政府、オフィス街、住宅の開発が進められ、公務員・警察・軍隊の移動も始まる。幹線道路の整備は二〇三五年までに完了させる。

フェーズ2では、ビジネス・産業・教育・ツーリズム等に利用される区域の開発が進められ、先端ITインフラの整備も行なわれる。ホテル、工業団地、大学等が開設され、このフェーズが終わる二〇二九年までに、公務員・学生・研究者・サービス部門従事者等一二〇万人が居住する都市が誕生していることを目指す。

フェーズ3では、公共交通機関の整備が進み、このフェーズ中の運行開始を目指す。また上下水道インフラの拡張が行なわれる。周辺地域の産業振興を加速させ、経済成長を促進する。

フェーズ4および5では、住宅地域を拡張し、人口を増加させるとともに、スマート・シティ概念を具現化させる。フェーズ4では特に教育および保健衛生セクターの強化に焦点を当てる。フェーズ5の時点では、ヌサンタラの人口は一七〇万～一九〇万人に達する計画である。

ジョコ大統領は二〇二四年八月一七日の独立記念日式典をヌサンタラの大統領府で行ないたいと宣言している。二〇二三年中に新首都建設工事を開始し、二五年までに公務員の移動開始、二九年までに一〇〇万規模の都市を建設するというのは、かなりタイトなスケジュールだ。この点から首都移転は本当に可能なのか、という懐疑の声が聞こえてくる。

新首都建設の基本原則

「基本計画」は、新首都建設にあたって基本原則を掲げているが、これらの原則の特徴は、環境保全、都市機能の強靭性確保、最新技術の活用の三点に集約できるだろう。これら三点を、「基本計画」は「フォレスト・シティ」「スポンジ・シティ」「スマート・シティ」と表現して、期待する新首都の未来像を語っている。

まず「フォレスト・シティ」に関して「基本計画」は、新首都が生物的多様性に富む熱帯雨林の丘陵地帯に建設されることから、森林を保全し回復させることに鋭意努力しなければならないと論じている。「フォレスト・シティ」のコンセプトは、単に建設された都市に樹木を植えるだけではなく、森林景観や緑地の確保を優先し森林が持つ生態系循環・維持機能を持つ都市を目指す、ということである。

「スポンジ・シティ」とは何か。「基本計画」はこれを、スポンジのような保水機能を持つ都市と定義し、水の自然な循環を取り戻し、水資源を適切にコントロールし、最大限の便益を得ることを目指すとしている。洪水に悩まされるジャカルタの現状が、スポンジ・シティ提案の背景にはあるのだろう。雨水の排水路・地下貯水槽の整備、土壌改良による地下への浸透度を高めることで雨水が直接排水路に流入しないようし、水害リスクを低減させる。

「スマート・シティ」とは、ＩＣＴの最新技術を活用し、都市の整備、管理、運営を行なうことで都市が直面する問題を解決して、環境負荷を減らした持続可能な都市を指す。「基本計画」はＩＣＴを活用する領域・テーマとして、①アクセス、モビリティ、②環境・気候、③治安・安全、④公共セクター、⑤都市システム、⑥居住性と都市活力、をあげている。

このような基本原則を基礎として行なわれる新首都建設は、現首都ジャカルタが抱える問題を踏まえて、二一世紀の首都の理想像を具現化させようという大変意欲的かつスケールの大きなプロジェクトと言えるだろう。

二〇一九年にインドネシア政府は新首都計画策定にあたってデザイン・コンテストを実施し、同年一二月、インドネシアの都市計画会社「アーバン＋」作成の「ナガラ・リンバ・ヌサ（森林列島国家）」が最優秀作品、と発表した。新進気鋭のインドネシア人若手都市計画者の提案が採用されたことからも、現在この国が発散させている若い世代のみなぎる生命力を感じる。

過去のインドネシアの首都移転

ところで首都移転は、ジョコ・ウィドド政権が突然持ち出したことではなく、過去においてもこの国の政治エリートのあいだで議論が行なわれてきた。なお一九四五年から五〇年までの独立戦争

過去のインドネシアの首都移転

時	首都	
1945年8月17日	ジャカルタ	スカルノがジャカルタで独立宣言。ジャカルタが事実上の首都へ
1946年1月4日	ジョクジャカルタ	植民地回復を目論むオランダがジャカルタを占領。インドネシア政府はジョクジャカルタに退去。
1948年12月19日	ブキティンギ	オランダがジョクジャカルタを占領、スカルノらを拘束。外の独立運動指導者がスマトラ島ブキティンギに臨時政府を樹立。
1949年7月6日	ジョクジャカルタ	拘束を解かれたスカルノがジョクジャカルタに戻り、臨時政府は解散。共和国の首都が再びジョクジャカルタへ（スカルノらに対抗してオランダは首都ジャカルタの傀儡政権インドネシア連邦共和国を発足させる）。
1950年8月17日	ジャカルタ	インドネシア連邦共和国が消滅、単一のインドネシア共和国が誕生。ジャカルタは事実上の首都。
1961年8月28日	ジャカルタ	大統領令によりジャカルタは公式に首都となる。1964年には法制化。

という非常時にあっては、前頁の表のように数回の首都変更を、この国は実際に経験している。そして、カリマンタンは過去にも、移転先として取り上げられてきた経緯がある。ここではジャカルタの都市計画史を詳述したクリストファー・シルバーの著作*Planning the Megacity: Jakarta in the 20th Century*（『巨大都市計画：二〇世紀のジャカルタ』）に拠りながら、インドネシアにおける過去の首都移転論議を振り返っておきたい。

現在のインドネシア国家の骨格が固まるのはオランダ植民地時代である。二〇世紀初頭オランダ植民地政府は首都を、高温多湿で都市拡大に伴って衛生状態が悪化していたバタヴィア（現在のジャカルタ）から冷涼な気候の高原の町バンドンへ移転することを決意し、政府施設の建築を開始したが、一九二九年の大恐慌その後の第二次世界大戦勃発によって移転計画は頓挫した。

第二次世界大戦中、バタヴィアは日本軍の支配下に置かれ、名称もジャカルタ特別市と改称された。かくして日本の降伏二日後に、スカルノ、ハッタら独立指導者たちは中央ジャカルタでインドネシア独立を宣言し、ジャカルタは新たに誕生したインドネシア共和国の首都となる。

前述の通り、独立戦争時の五年間において、共和国の首都はジャカルタ→ジョクジャカルタ→ブキティンギ→ジョクジャカルタと二転三転するのだが、最終的にスカルノらはオランダにインドネシア独立を認めさせ、国際的な承認を受けてインドネシア共和国が成立し、ジャカルタがその首都となる。

初代大統領スカルノの時代、ジャカルタはインドネシア共和国の首都として地位を固めていくのであるが、実はこの時期既に首都移転の構想がスカルノ政権下で練られていたこと、その移転先候補地がカリマンタン島であったことは注目に値する。一九五七年にスカルノ大統領は、中部カリマンタンのパランカラヤを新首都とする計画に接している。東西に延びる長大なインドネシア列島のほぼ真ん中に位置し、利用可能な土地が十分に確保できるこのプランは、なかなか魅力的なものであったが、資金不足の懸念もあり、最終的にスカルノはジャカルタの首都機能を強化する道を選択する。

一九五〇年代後半から六〇年代前半にかけて、スカルノは、独立記念塔、国会議事堂、イスティクラル・モスク、ブン・カルノ競技場等、現在のジャカルタを代表する巨大建築物の建設に着手し、また国民の愛国心高揚を図る記念碑を首都のあちこちに建てさせた。

スカルノを権力の座から引きずりおろして第二代大統領となったスハルトは、中央集権的な上からの開発政策を推進し、政治・経済・情報の中枢としてのジャカルタの機能をさらに強化した。

三〇年間に及ぶスハルトの開発政策によって、インドネシア経済は年率六・八%の高い経済成長を記録し、農村から都市への人口移動、都市部中間層の拡大、消費社会化、高学歴化等、インドネシアの近代化が進んだ。首都ジャカルタも急速に人口が増加し、都市区域が四方に拡大する中で、貧困層の居住環境悪化、交通渋滞、上下水道の不備、停電、ゴミ処理等大都市特有の問題が顕在化する。また工業用地下水のくみ上げにより地盤が沈下し、ジャカルタ北部は度々洪水や高潮に襲われるようになった。

ジャカルタの都市問題が深刻化する中で、再び首都移転が議論の俎上にのぼり始めた。前述のパランカラヤ以外にもカリマンタン島バンジャルマシン、ポンティアナック、スマトラ島パレンバンといったジャワ島外の諸都市が首都候補地として名前が挙がった。またジャカルタを依然として首都としつつも、一部の行政拠点をカラワン、バンテン等ジャカルタ郊外に移す首都機能分散案も議論された。スハルト政権下では、ジャカルタから南に四〇キロのジョンゴルに、首都機能分散候補地としての白羽の矢が立った。

今回具体化した首都移転検討の起源は、ジョコ大統領の前任であるスシロ・バンバン・ユドヨノ政権にさかのぼる。度重なる洪水、世界最悪とまで言われた交通渋滞、大地震発生のリスクを憂慮したユドヨノ大統領は、複数の専門家チームを組織し、首都移転のシナリオを作成させた。ユドヨノの腹の中にあったのは、スハルト時代に作成されたジャカルタ近郊への首都機能分散案ではなく、スカルノ時代のジャワ島外の新首都建設、移転案であったと言われている。彼は、キャンベラ、ブラジリア、アンカラのような、経済の中心都市から離れた遠隔地に政治機能に特化した小都市を首都として建設するプランに関心を寄せていた。大統領が組織したチーム「インドネシア・ビジョン二〇三三」は、ユドヨノの希望に沿うように、スカルノ時代に作成されたカリマンタン島パランカラヤへの移転を選択肢の一つとする案を作成した。

このように首都移転は、ジョコ・ウィドド大統領にとって、前任者から引き継がれた案件であり、歴代政権で引き延ばしにされてきた「宿題」とも言うべき性質のものだった。ジョコ政権下では二〇一六年から政府部内で首都移転の検討が始まり、国家開発計画庁が政治・経済・社会諸側面から詰める作業を担当した。政府部内でも様々な見解があり、調整は難航したが、水面下の作業の結果、一九年四月の「ジャワ島外への首都移転」が閣議決定として結実する。

候補地（ヌサンタラ）を視察するジョコ大統領（左）（Wikimedia Commons/BPM/President's seretariat）

この閣議決定の翌月に、ジョコ大統領は移転先候補地を視察した。一つはスカルノ時代以来の有力候補地カリマンタン島パランカラヤ、もう一つは後に「ヌサンタラ」と名付けられるカリマンタン島バリクパパンとサマリンダ間の丘陵地帯だった。こうしたプロセスを経て、ヌサンタラを移転先とする決定が行なわれ、国民に知らされることになったのである。

以上見てきた通り、首都移転は初代スカルノ時代から繰り返し交わされてきた議論であり、ジョコ政権が突然イニシャティブを発揮したものではない。またカリマンタン島への首都移転案は、ジャワ島とジャワ島外の格差是正、インドネシア東部の開発という長年の国家課題の解決を目指す観点からこれまでにも提案されてきた案であり、さらに国土のほぼ中央に位置し、広大な用地確保が容易である点等からも、むしろ最有力プランという位置付けだったのである。

これからの課題

首都移転案については計画策定段階から批判はあったし、異論は絶えない。反対派曰く、「名称がジャワ的で全国民が共有する国名として不適切」「国民レベルでの議論が行なわれず拙速で移転計画を作った」「不透明な意思決定は腐敗をもたらす」等々。反対派の指摘の通り、大規模な構想であるがゆえに直面する課題も大きく、複雑である。その課題は、政治リスク、安全保障リスク、経済リスク、環境リスク、社会リスクに分類することができるだろう。

まず政治リスクであるが、ジョコ・ウィドド政権の任期は二〇二四年までで、憲法規定により、それ以上の再任はない。大統領が交代し、次期大統領が首都移転へ異を唱える、もしくは関与を弱める場合、現在の大統領が引っ張ってきた首都移転の推進力は急速に弱まり、失速する可能性がある。首都移転に異を唱える人々が議会の主流派になった場合も同様だ。また現在のジャカルタから政治機能を分離し、一二〇〇キロも離れた地に移すことは国家機能の低下をもたらし、社会を停滞させるのではないかという懸念の声にどう応えていくかが、国民的コンセンサス形成のカギを握る。

新首都の安全保障上のリスクに関して、新首都ヌサンタラが重要な海上交通路であるマカッサル海峡に近接していることが、かえって新首都移転は国家防衛の強靭性を低下させると論じる専門家もいる。「基本計画」策定には、国軍、国家警察といった安全保障、治安担当部門も加わり、地政学的観点からも検討されたものであるが、更なる検討を加えていく必要があるだろう。

経済リスクに関しては、新型コロナウイルス危機、ウクライナでの戦争によって世界経済が減速する中、景気後退の局面にあってインドネシア政府が必要とする資金を確保できるのかという問題がある。一連の現地からの報道によれば、首都建設の資金確保は難航しており、大口の出資者は確保できていない。一時新首都計画への出資を表明していたソフトバンク・グループも二二年三月に出資見送りを発表している。外国からの投資家は模様眺めを決め込んでいる。

カリマンタン島ヌサンタラへの移転が公表されるやいなや、環境破壊を危ぶむ声もあがっている。カリマンタン島は地球の肺と呼ばれる熱帯雨林の島で、貴重な動植物が生息している。新首都は森林地帯に建設される。既に一部の土地で森林伐採が始まっている。基本計画に示された「フォレスト・シティ」の原則をいかに具体化し、環境を守っていくのか、政府の政策が注目されている。

社会リスクとして考えられるのは、腐敗、不正義の蔓延だ。これだけ巨額の資金が投入されるプロジェクトである。汚職の芽があちこちにある。既に土地買い占めや投機的な兆候がヌサンタラ建設予定地周辺に現れている。候補地周辺の土地価格は急激に上昇しているという。市民・社会参画型の新首都建設をめざすジョコ政権には、プロジェクトの立ち上がり段階において、国民の信頼を失墜させるような汚職、不法行為が入りこまないよう綱紀粛正、厳正なプロジェクト管理が求められる。

また人権団体からは、先住民の土地権利剝奪を危ぶむ声もある。開発や市場原理に基づく経済振興によって、森に生きる先住民の暮らしが存続の危機にさらされている点は、前章において、スマトラ諸州のオラン・リンバのケースを記述した通りだ。

ヌサンタラの建設によって、二万人以上の先住民が居住地を失うと指摘する市民グループの声に、市民派を標榜して大統領に就任したジョコ・ウィドドは、どう答えていくのだろうか。

第3部
コロナ禍後の世界におけるインドネシア

第13章 イスラームを外交資源とするインドネシア——タリバンへの説得

第2部ではインドネシア各地の社会・文化の変化の様相を鳥瞰してきたが、第3部では再びインドネシア全体に視野を拡げる。

インドネシア国内で発生している「イスラーム化」「デジタル化」等の社会変容は、必然的にこの国の対外姿勢をも違ったあり様に変化させている。ここでは新たなインドネシア外交の傾向として、①外交資源としてのイスラーム・ネットワークの活用、②新冷戦と言われる国際環境での非同盟外交の再活性化、③中国との新たな関係構築とこれへの華人系インドネシア人の関わり、を挙げる。

加えて二〇年以来の新型コロナウイルスのパンデミックというグローバル規模の危機は、インドネシア社会を揺さぶり、この国の存在意義再考の機会をインドネシア国民にもたらした。コロナ禍後の世界においてインドネシアはどうあるべきなのか。コロナ禍を契機とするインドネシア・ナショナリズムの原点回帰について述べたい。

想定外だった急激な体制崩壊

新型コロナウイルス危機下、宗教復興とデジタル化が加速したインドネシア社会の変容は、この国の外交にも少なからぬ影響を与えている。国民の約九割を占めるイスラーム教徒の信仰の再覚醒、この国が世界最大のイスラーム人口を擁する大国であるという自覚は、対イスラーム圏外交に関して、より積極的にインドネシアが関与していこうという変化を生んでいる。その一例としてアフガニスタン問題への関わりを見てみたい。

二〇二一年八月、タリバンによるアフガニスタン主要都市制圧の衝撃は、世界に大きな波紋を拡げた。攻勢をかけるタリバン自身でさえ想定していなかったガニ政権の急激な崩壊は、攻めるタリバン側も、守る政権側も、そして撤退していく米軍もコントロールできない混乱をアフガニスタン社会にもたらした。

元々同国には長年の内戦で五〇万人以上の国内避難民が存在したが、突然の政変により国外避難できない人々が続出し、国連難民高等弁務官事務所（UNHCR）によれば国内避難民数は、二一年一二月時点で三四〇万人まで増大した。アフガニスタンの難民・国内避難民への支援を、UNHCRやNGOは、国際社会に向かって懸命に呼びかけた。

インドネシアの対応はどうかといえば、二一年一〇月、アフガニスタンに関するG20首脳テレビ会議に出席したジョコ・ウィドド大統領が、国際社会の結束を訴え、①アフガニスタンの各集団を包含する政府（inclusive government）による安定化と秩序の維持、②アフガニスタン国民に向けた人道支援、③経済社会開発、の三点についてG20がイニシャティブを発揮すべき、と主張した。

これまでもインドネシアは、アフガニスタン戦争後の二〇〇六年から一九年までの一三年間に、五五五人の公務員などの研修を実施してきた。ガニ政権がもたらした混乱状況についても三〇〇〇万米ドルの緊急人道支援を約している。アフガニスタンは、インドネシアにとって気になる国なのである。

考えてみると、タリバンのアフガニスタン復権は、インドネシアにとって、国内治安維持上のリスクであると同時に対外的影響力を高めるチャンスという両面を持つ。インドネシアにとってのリスクとチャンスとは何か。

タリバン復権に歓喜するインドネシアのイスラーム過激組織

なぜアフガニスタンは、インドネシア政府にとって気になる国なのか。その理由の一つは、インドネシアのイスラーム過激組織がアフガニスタンの戦乱の中で戦闘能力を身に付けた、という過去があるからだ。二〇〇人以上が犠牲となった二〇〇二年のバリ島爆弾テロ事件をはじめとして、二〇〇〇年代に大規模な爆弾テロを連続して引き起こしてきたのが、「ジェマー・イスラミア（JI）」

である。これらテロ事件の首謀者たちは、八〇年代から九〇年代初頭にかけてアフガニスタンに渡り、侵略者ソ連軍に対するジハード、その後の内戦状態において軍事訓練を受け、実戦に加わる中で、爆弾製造技術を獲得していったのだ。

「テンポ」誌（二〇二一年八月三〇日）は、タリバンのアフガニスタン再制覇に活気づくインドネシアのイスラーム過激組織の情報発信、これに警戒を強める治安当局の動向を報道した。JI系「ジャマー・アンシャルシ・シャリーア（JAS）」の幹部アブドゥル・ラヒム（第5章に記したJI創設者アブ・バカル・バアシルの息子）は、首都カブール制圧を伝えるタリバン広報担当者のツイッター・アカウントを引用しつつ、タリバン勝利への祝意を表した。このコメントを、五〇〇〇人のJASメンバーが共有した。JIやJIから分派した組織のSNS上では、タリバン復活を喜び、イスラームに敵対する勢力に対する「真のイスラームの勝利」とするメッセージが流れている。

国家テロ対策庁（BNPT）長官は、前述「テンポ」誌のインタビューに答えて、アフガニスタンの政変がインドネシア国内イスラーム過激組織の活動を刺激する可能性に言及している。JIは、二〇〇一年米国同時多発テロ事件を起こした「アル・カーイダ」とネットワークを持つ。このアル・カーイダをアフガニスタンでかくまったのがタリバンであった。タリバンがアフガニスタンを制覇したことは、アル・カーイダと今も提携関係にあるJIにとって、彼らの宣伝工作上、大きなメリットとなる。メンバーや資金獲得など勢力拡大に利用する可能性が高い。BNPT長官は、情報収集を強化していることを明らかにした。「かつてのようにアフガニスタンに渡って、軍事教練を受けて戦闘力を身に付けよう」という声も過激組織のSNS上にあがっている。

ナシル・アッバース（著者撮影）

以前ＪＩの幹部であったが、市民を巻き込んだ無差別テロに疑問を感じ、今は同組織から脱退しテロ犯罪受刑者の脱過激化に取り組んでいるナシル・アッバース（写真）は、二〇二一年一〇月四日、笹川平和財団とハビビ・センター共催「アジアの脱過激化と脱暴力」研究会（第八回）において、タリバン勝利に沸くイスラーム過激組織の反応を解説した。それによれば、ＪＩがタリバンに好意を抱いているのは、タリバンがＪＩの盟友アル・カーイダに活動拠点を提供したからであって、タリバンのイデオロギー自体に共鳴しているからではない。

「ＪＩはタリバンを必要としない。彼らが必要とするのは、紛争地域である。実戦経験を積むことで、ジハード戦士は育成されるのである」

　そう語るナシル・アッバース自身、八〇年代アフガニスタン戦争当時、隣国パキスタンに設けられた軍事アカデミーで訓練を受け、戦闘の前線に赴いた経験を有している。

治安当局の徹底した取り締まりによって国内での活動を封じ込められている過激組織の目には、タリバンが支配するアフガニスタンは、力を蓄える「約束の地」と映る。二〇一〇年代にＩＳ（「イスラーム国」）が台頭した際も、数百人のインドネシア青年が戦闘に参加する意図を持って、イラクやシリアに渡った。こうした渡航を阻止するため、治安当局は警戒を強めているのである。

当面低いテロ・リスク

とはいえ、インドネシアのイスラーム過激組織がこぞってタリバン勝利に歓喜しているわけではない。彼らは一枚岩ではないのだ。冷淡な眼差しを向ける者たちもいる。ＩＳシンパの組織がそうだ。タリバン復権後のアフガニスタンでＩＳは、タリバンとアル・カーイダに敵意をむき出しにしてテロ攻撃を仕掛けているが、こうした「ＩＳ対タリバン、アル・カーイダ」の対立構図を反映して、インドネシアでも、ＩＳを支持する「ジャマー・アンシャルット・ダウラ」（ＪＡＤ）は、アル・カーイダおよびタリバンを支持するＪＩに対して否定的な態度をとっている。

そもそも「グローバル・ジハード」を標榜するアル・カーイダに対して、ＩＳは「イスラーム法に基づくイスラーム国家の樹立」を掲げており、両者の戦略には大きな隔たりがある。そしてＩＳシンパたちは、米国と撤退交渉をしたタリバンを、真の「イスラーム国家」の樹立をめざす同志ではないとして、「不信心者」とみなすのである。アフガニスタン社会に存在する土着の聖者崇拝を取り締まらないタリバンの姿勢を「偶像崇拝」「多神教徒」と論難するＩＳシンパもいる。

実戦経験者もいるＪＩが実行した大規模テロと比べて、ＪＡＤのテロは、殺傷力が低く、ミスも多いアマチュア的手口が目立つ。しかし、実戦経験のない彼らは、ネット空間で妄想的世界観を強めた分、思想的にはより過激で、非寛容である。

過激グループ間の路線対立に加えて、治安当局のＪＩ取り締まりが進んだ。すなわち一四年中部ジャワの武器製造工場が摘発されて武器調達が困難となり、一九年には最高指導者、二〇年にはその後継者が逮捕され、二〇〇名のメンバーが裁判にかけられている。この結果、ＪＩのテロ実行能力は明らかに低下した。

このような状況から、インドネシアのイスラーム過激組織動向に詳しい「紛争政治分析研究所」（ＩＰＡＣ＝Institute for Policy Analysis of Conflict）は、二一年九月、タリバン復権に伴う東南アジアでのテロ発生の可能性を、当面は低いと見ている（「ＩＰＡＣ報告」七三号）。

とはいえ、上記ＪＩ指導部逮捕によって、ＪＩメンバーがその正体を隠して、インドネシア社会の中で活動し、資金調達を行ない、メンバーを養っている実態が明らかになった。これについては、「テンポ」誌（二〇二一年一一月二九日）が「ジェマー・イスラミアの二つの顔」と題する特集を組んで報道している（次頁写真）。ＪＩシンパの数に関して、当局の見解では、二〇年末現在で六〇〇〇人を超えている。ＪＩはジャワに基盤を置き、スラウェシやパプアでもネットワーク作りに腐心しており、中・長期的には再びＪＩが勢力を拡大させる可能性もある。

正体を隠して資金調達するジェマー・イスラシア（JI）について報じる「テンポ」（2021年11月29日）

外交を活発化させるインドネシア

次にタリバンの政権復帰がインドネシア外交にとってチャンスとなっている、という点について、焦点を当てていきたい。タリバンが首都カブールを制圧した三日後の二一年八月一八日、マフッド政治・法務・治安調整大臣が、アフガニスタン情勢をめぐる政府幹部協議を主宰した。出席したのは外務大臣、国軍司令官、国家警察長官、大統領首席補佐官、国家情報庁副長官である。マフッド大臣によれば、この協議においてインドネシア政府は、三つの方針を固めた。

第一に、アフガニスタンにおける権力の交代は、彼らの内政事項であり、インドネシア政府は性急に支持あるいは不支持を表明しない。

第二に、アフガニスタンで社会的混乱が発生していることから、インドネシア市民および外交官を一時避難させる。

第三に、会議ではタリバンをテロ組織と分類するか否かは議論にならなかったものの、インドネシアにおける暴力的過激主義およびテロの撲滅に引き続き強い決意を持って臨む。

このインドネシア政府首脳の決定は、首都カブールを陥落させたタリバンに欧米諸国や日本が慌てふためいていた中では、比較的落ち着いた反応と言えよう。

タリバンの政権復帰がインドネシア過激組織に与えるインパクトを問うた私の質問に対して、前述の元JI幹部ナシル・アッバースが、「殊更にタリバンを危険視しないインドネシア政府の対応は、国内のタリバン・シンパへ刺激を与えず、アフガニスタン政変がインドネシア国内テロ発生に直結するリスクを低下させている」という興味深い見方を語ってくれた。

こうして、インドネシアは外に向かっての発信を強化していった。二一年一二月、ルトノ外務大臣は、同国を訪問した米国ブリンケン国務長官との会談において、アフガニスタン問題について意見を交わした。席上ルトノ外相は、①人道支援の強化、②イスラーム協力機構（OIC＝Organization of the Islamic Conference）のアフガニスタン対応とりまとめ、③アフガニスタン女性へのエンパワーメント重視、というインドネシアの対アフガニスタン方針を説明した。

彼女は続いて、同月一九日パキスタンで開催されたOIC大臣会議に出席し、①アフガニスタンの人道危機を乗り越えるための支援の強化（率先してインドネシアは国連と協力して食料を援助）、②国内の諸勢力を包含する政府樹立、女性と子どもの人権尊重、テロの温床を作らせないというタリバンの公約を実行させるためのロードマップの作成、③OICがドナー国の橋渡しをつとめるべきである、と主張し、インドネシアが音頭をとる用意があることを表明した。またOIC大臣会議に先立って、タリバン代表と接触し、女性の人権尊重等を求めた。

イスラーム・ネットワークを用いたパブリック・ディプロマシー

以上のようなインドネシア外相の動きから見えてくるのは、インドネシアが①米国とタリバンの仲介者、②イスラーム諸国内でのオピニオン・リーダー、③タリバンに対する直言者、という三つの役割を果たそうという積極性であり、そうしたユニークな役割をインドネシアが果たしうるという自負である。

この自負の背景にあるのは、インドネシアは世界最多のイスラーム人口を有するイスラーム大国でありつつ、民主主義体制を堅持し、二〇年以上も堅実に経済成長を続け新興国の一角に躍進した、というジョコ政権の自己認識であろう。「自分たちはアフガニスタン他イスラーム諸国の国家建設のモデルになりうる」という自信が、インドネシア外交に積極性を付与している。

世論が国際政治に大きな影響を及ぼす現代にあって、対外広報・人的交流・文化交流などを通じて海外の世論に働きかけ、人的ネットワークを強化することで、自国の存在感、影響力、好感度、理解を高めようとする「パブリック・ディプロマシー」への注目が、世界的に高まっている。パブリック・ディプロマシーでは、外交の主体を政府・外交官のみならず、多様な非国家アクターが参画し、国家間の関係に影響を及ぼす。アフガニスタン情勢をめぐるインドネシアの外交を、パブリック・ディプロマシーの視点から観察すると、「イスラーム・ネットワーク」がインドネシア外交の強みとなっている点が浮き彫りとなる。

インドネシア最大のイスラーム組織「ナフダトゥル・ウラマー」（NU）は、二〇〇六年にインドネシアとアフガニスタンが国交を樹立し相互に大使館を開設したのに合わせて、二人のNUメンバーを派遣し、アフガニスタンのイスラーム指導者ファザル・ガニ・カカルと面会させた。これがきっかけとなり、一四年に「ナフダトゥル・ウラマー・アフガニスタン」（NUアフガニスタン）が創設され、ファザルがNUアフガニスタンの議長となった。タリバンもNUアフガニスタン創設に賛意を示し、タリバン政権下で宗教大臣だったイスラーム指導者を入会させている。

NUアフガニスタンはNUの傘下組織ではない。NU本体からの独立性を保った別組織である。とはいえNUがインドネシア・イスラームの特性と主張する「穏健」「バランス」「寛容」「正義」「協働」を五原則として掲げており、NUの影響力の大きさを感じさせる。インドネシア・イスラームの内包する価値観を、対外的に発信、流布していこうというNUの意図が、NUアフガニスタン創設に結実しているのである。

タリバンが再び権力を握った二一年末、NUアフガニスタンは年次総会をカブールで開催した。インドネシアからは、長年アフガニスタンとの交流を担ってきたNU中央役員会元副議長アサド・サイド・アリが、出席した。アサドは、政府情報機関・国家情報庁（BIN）副長官を務めた異色の経歴のイスラーム指導者であり、インドネシア政府の情報・外交筋と豊富なつながりを持つ。

NUアフガニスタン2021年次総会（「NU online」2022/1/2）

彼は、タリバン政権の復活直後から、政府の公式見解を超えた次元でイスラーム指導者が忌憚なき意見交換をするパブリック・ディプロマシーの展開を主張しており、自ら率先してアフガニスタンに乗りこんだ形だ（「NUオンライン」二〇二二年一月二日）。

NUアフガニスタン会合に集まったアフガニスタン参加者に、アサドは「イスラームにおいて『穏健』が重要な価値であり、クルアーンの中核となる教え」と熱心に説いた。他方インドネシア国内や国際社会に向かって、アサドは、「タリバン最高指導者アクンザダ師側近内部には穏健派と強硬派の路線対立が存在する中、タリバンがより穏健な方向に向かう可能性もある」と示唆している。

アサドの楽観論に対して、「タリバンは以前と何も変わっていない。イスラームの評判を落とす彼らはNUにとって脅威である」という見方もNU内部に存在する。相反する意見が拮抗し部内討論が賑やかなのは、NUの組織的伝統だ。

ナフダトゥル・ウラマーがアフガニスタンに打ってきた布石

NUは、いかにしてタリバンとの人脈を構築してきたか。西スラウェシ大学研究者ムミンら国際関係研究者がアサドらNU関係者の取り組みをまとめている（「ワリソンゴ」誌二九巻二号）。これを参照しつつ、経緯を振り返ってみたい。

軍人としてボスニア・ヘルツェゴビナのPKF（＝Peace keeping Forces 国連平和維持軍）活動を指揮した経験を持つユドヨノ大統領（任期二〇〇四～二〇一四年）は、インドネシアはイスラーム大国という特性を生かしてアフガニスタンの平和構築に貢献できると考えた。就任直後の〇四年に、タリバン政権下閉鎖されていた大使館を再開させ、〇六年から大使を派遣して現地イスラーム指導者との関係強化を図ったのだが、これを実行レベルで支えたのが前述のアサドである。

国家情報庁副長官をつとめた彼は、同庁情報専門家と連携しつつ、中東留学でイスラーム法学を学んだNU関係者をアフガニスタンに派遣した。大使を補佐してアフガン各地のイスラーム要人への働きかけを行なうよう指示されたNUチームは、七つの州のイスラーム聖職者との対話チャンネルを確立し、これがその後の大きな外交資産となる。

タリバンのNUに対する信頼を示すものとして国際的に注目を集めたのが、〇七年タリバンによる韓国人キリスト教徒拉致事件である。タリバンは人質解放に向けての交渉で、人質受け取り役にインドネシア外交官およびNUを指名したのだ。事件解決後、タリバン最高指導者オマル師からNUへ感謝状が送られた。

二〇一〇年、NATOの国際治安支援部隊（ISAF＝International Security Assistance Force）がアフガニスタンからの撤退を計画する中、力の空白から内戦が勃発するのを懸念したユドヨノは、アフガニスタン各勢力の相互信頼醸成に関する提案を行なった。中立的立場にあるインドネシアのイスラーム組織が主宰者となって、アフガニスタン各勢力の代表をインドネシアに招き、落ち着いた環境で関係者が胸襟を開いて話し合ってはどうか、というのである。このユドヨノの提案を実現するため、NUのアサドが動いた。一一年六月にNU使者をアフガニスタンへ派遣し、再びイスラーム聖職者の助けを借りながら、地方に割拠する各勢力への接触を試みた。

こうした努力が実り、一一年七月、ジャカルタ市内のホテルで、NU主催「アフガニスタン平和のためのフォーラム」が開催された。ラッバーニー元大統領らが出席したフォーラムの一九名の被招待者の中には、タリバン幹部で元駐パキスタン大使であったアブドル・サラム・ザイフも含まれていたのである。

非公開会議の席上NUは、「イスラーム・ヌサンタラ」概念を丁寧に説明した。イスラームは普遍的な宗教であると同時に、各地の風土や歴史を反映した個性を有している。多民族国家インドネシアに息づくイスラームの個性「イスラーム・ヌサンタラ」は、「穏健」「バランス」「寛容」「正義」の美徳を尊ぶ。同じ多民族イスラーム国家アフガニスタンは、「イスラーム・ヌサンタラ」から学べるものがあるはずだ、と。

フォーラムは、相互受容、相互信頼、同胞愛に基づいてアフガニスタン国家再建を進める等の九項目の合意を発表した。

このフォーラムのフォローアップとして、二〇一三年六月NU聖職者一行がアフガニスタンを訪問し、インドネシアのイスラーム教育の実情を語った。続いて同年九月にはNUによって、アフガニスタン一二州の教員、地域リーダーがインドネシアに招かれ、各地のプサントレン（イスラーム寄宿舎）を視察し、「イスラーム・ヌサンタラ」がインドネシア社会においてどのように教えられているかを学んだ。プサントレンにおいて、女子に対して、男子と同等に熱心な教育が行なわれていることを見聞した視察団の中には、タリバン政権下で大臣をつとめた教育者もいた。

このような交流の成果が、一四年のNUアフガニスタン創設へとつながる。NUアフガニスタンは二二州に拠点を持ち、七〇〇〇人のイスラーム指導者とそれを上回る学生が活動に参加している。

当時中央政府に地方で抗戦していたタリバンもNUアフガニスタン創設には賛意を示し、タリバン幹部をNUアフガニスタンに入会させている。その中には、かつてオサマ・ビン・ラーディンと共闘した戦闘集団の指導者も含まれていた。こうした過激派のNUアフガニスタン加入は、タリバン内部において、「イスラーム・ヌサンタラ」の感化を受けた穏健派・現実派拡大の萌しと受けとめられた。かくしてNUアフガニスタンは、NUさらにインドネシア政府のタリバンへの意思疎通回路の一つ、となっているのである。

ユドヨノの後を継いだジョコ・ウィドド大統領も、ユドヨノ政権の対アフガニスタン関与政策を継承した。一七年四月アフガニスタンのガニ大統領がインドネシアを、翌一八年一月ジョコ大統領がアフガニスタンを相互に訪問した。アフガニスタン平和プロセスへのインドネシア関与を語ったガニ大統領の期待に応えるように、ジョコ大統領は、両国およびパキスタンのイスラーム指導者からなるアフガニスタン平和・和解促進委員会の設立を打ち上げた。この提案に基づいて同年五月、インドネシアは三ヵ国のイスラーム指導者会議をホストしている。

一九年七月には、タリバン共同創設者アブドル・ガニ・バラダル（二一年の政権復帰後は副首相）らタリバン代表団が公式にインドネシアを訪問し、ユスフ・カラー副大統領、NU中央役員会、インドネシア・ウラマー評議会（MUI）と会談している

このようにタリバンとのパイプを太くしてきたインドネシアは国際社会からも一目置かれて、ドーハで行なわれた米国・タリバンの米軍撤退協議にも参加した。二〇年二月米国・タリバンの合意調印式にはルトノ外相が出席し、合意に至るプロセスにおいてインドネシア外交はイスラーム指導者の果たす役割と女性のエンパワーメント分野で合意形成に貢献した、と述べている。

モデルとなるインドネシアのイスラーム女子教育

タリバン政権について、インドネシアのイスラーム界が懸念するのは、「イスラーム＝男尊女卑、女性抑圧」というイスラームに対する根強いマイナス・イメージが、非イスラーム世界においてさ

らに拡がることである。

インドネシアでは女性が政界や官界でも高い地位にあって活躍している。第一次ジョコ政権には女性閣僚が九名いて、列国議会連盟（IPU＝Inter-Parliamentary Union）によれば人口上位一〇位の大国においても最も女性閣僚比率が高い国である。しかも外相、財務省のような要職に女性大臣が就任した。

ちなみに世界経済フォーラムが二〇二二年に公表した「グローバル・ジェンダー・ギャップ指数二〇二二」によれば、一四六ヵ国中、インドネシアが九二位であるのに対して、日本は一一六位である。この指数は、「経済」「政治」「教育」「健康」の四つの分野のデータに基づいて作成される。日本は「教育」は世界トップであるにもかかわらず、「経済」は一二一位、「政治」は一三九位と最下位近くで低迷している。インドネシアとは対照的だ。「男尊女卑」のイメージが強い「イスラーム」の社会的影響力が増すインドネシアよりも、日本の方がジェンダー格差があるのだ。

女性の人権を蹂躙するかぎり、タリバンを正式な政府として承認する国は存在しないだろう。タリバンが国際社会から信任を得るためには、なんといっても女性に対する抑圧的な政策を改める必要がある。九〇年代タリバンの統治下にあったアフガニスタンでは女子教育は否定され、外出も制限されていた。再び権力の座に戻ったタリバンは学校を再開させたが、準備が整っていないと主張して、六年生以上の女子が公立学校に通学するのを認めなかった。二〇年一一月女子教育の必要性を認め、女子の登校を順次再開させると宣言したが、約束は果たされなかった。

二一年九月暫定政権を樹立した時点でタリバンは「イスラーム法が許す範囲で女子の通学を認め

る」と表明し、その後二二年三月二三日の再開を発表しておきながら、再開当日になって制服・徒歩通学・男女別教室の未整備、女性教員の不足等の理由から再開延期を発表した。登校してきた女子生徒たちは、学校の前で追い返された。隣国パキスタンでタリバン戦闘員から銃撃され瀕死の重傷をおいつつ、ひるむことなく女子教育の重要性を訴え続けているノーベル平和賞受賞者マララ・ユスフザイは、「アフガニスタンの女性にとって悲しい日。私たちはタリバンの本気度を疑っている。いつもの言い訳に過ぎない」とコメントしている。

インドネシア外務省やNUも、タリバンの決定に対する懸念声明を発し、タリバンに政策の再考を求めた。NUトップのヤヒア総裁は「優れた女性の力で、社会をもっと良くすることができる。娘に、あなたが与えられる最良の教育を与えなさい。なぜなら彼女たちは、次世代の未来像を描く人たちなのだから」とタリバンに呼びかけた。

このような状況でインドネシアの隣国マレーシアのマラヤ大学M・ニアズ・アサドゥラ教授は、「タリバンの課題は、女子教育の拡大。そのモデルとなるのがインドネシアのイスラーム女子教育。アフガニスタンはインドネシアから多くを学ぶことができる」と主張している。（「ザ・カンバゼーション」二〇二一年一〇月一一日）

第5章で記した通り、インドネシアの教育制度では、教育文化省傘下の世俗的な一般教育機関と宗教省傘下のイスラーム教育機関が併存している。イスラーム世界には若者が寄宿生活を送りながら、イスラームの教えを学ぶ寄宿学校制度があり、インドネシアでは「プサントレン」と呼ばれる。二二年時点でインドネシア全土に二万六九七五のプサントレンが存在し、約二六〇〇万人が学んでいる。前述のNU等巨大イスラーム組織が運営するプサントレンでは、教育文化省傘下の学校と比べて、貧困層や僻地の少年少女が学んでいるケースも多く、インドネシアの教育を下支えする重要な一翼を担っている。注目すべきは、プサントレンの寄宿生数の男女比率はほぼ同数であり、インドネシア・イスラーム教育において女子教育も男子同様に重視されている点だ。

アフガニスタンに関して、女子教育の立ち遅れは、実はタリバン復活以前の政権においても課題とされてきた。一九年ユニセフ調査によれば、アフガニスタンの中学一年時の女子就学率は五〇%以下であることも問題だが、男女格差が酷く、女子は男子に比し二七%も就学率が低かった。中学二年となると男女格差は三一%まで拡大している。タリバン登場以前から、女子が教育を受ける権利は守られていなかったのである。

M・ニアズ・アサドゥラ教授は、イスラームの価値を守りながら教育のジェンダー平等も達成できることをインドネシアのイスラーム教育制度は示しており、ここにタリバンが国家建設上学ぶべき教訓がある、と指摘する。インドネシアは、まさにこの点から、イスラーム・ネットワークを通じた人的交流、パブリック・ディプロマシーを通じて、アフガニスタンの安定化に貢献する可能性を秘めている。

女子教育の再開に向けて

二二年七月に、NU中央役員会議はタリバンに対して「女子教師が足りないというのなら、NUの女性教員をアフガニスタンに派遣する。インドネシアのNU系教育機関は女子留学生を受け入れる用意がある」と提案している。（「NUオンライン」二〇二二年七月八日）

現在の状況を最も悲しんでいるのが、これまでアフガニスタン女性の地位向上に力を貸してきたインドネシアのイスラーム女性たちであろう。そのうちの一人が第4章でも触れた、インドネシアのイスラーム女子教育の先頭走者であり続けてきたイスラーム・フェミニストの国立イスラーム大学ジャカルタ校ムスダ・ムリア教授だ。

国連人口基金の招きで二〇一二年一月アフガニスタンに乗りこみ、リプロダクティブ・ヘルス（性と生殖に関する健康と権利）に関するワークショップで講義を行ない、保守的なアフガニスタンの男性イスラーム聖職者たちに新たなイスラーム観への頭の切り替えを迫った時のことを、ムスダがメディアに語っている。（「インディペンデント・オブサーバ」紙二〇二一年九月二三日）

その回想によれば、このワークショップにはタリバンに近いイスラーム聖職者も出席しており、開始当初彼らのムスダを見る目は冷淡かつ敵意に満ちたものであった。彼らが、ムスダに心を閉ざすのは三つの理由があった。第一に女性から教えを受けるのをよしとしない男尊女卑的価値観、第二に国連組織は欧米植民地主義者の手先という警戒心、第三にインドネシアは不純な信仰が混じったイスラーム文明の辺境という認識である。しかし、三日間のワークショップにおいて、頻繁にクルアーンやハディースを引用しながらリプロダクティブ・ヘルスを語る彼女のイスラーム学識に圧倒された彼らは態度を改め、彼女の講義に耳を傾けるようになったという。

ムスダは現在のアフガニスタン情勢に深い憂慮を示しつつ、わずか三日間の対話でもタリバンのイスラーム認識に影響を与えることができたのだから、現状への絶望から対話の努力を放棄してはならない、と語っている。

以上見てきた通り、インドネシア政府は、「イスラーム主流の多民族・多宗教国家でありながら、近代化を進め経済発展に成功している」事実が重要な外交資産であることを熟知し、対アフガニスタン外交においても、NUのような宗教組織のイスラーム・ネットワークを活用して、外交的発言力を高めることにつなげている。他方、NUは政府の外交チャンネルや情報機関が持つ秘密情報を利用して、タリバンを含むアフガニスタンのイスラーム界に橋頭堡を築き、イスラーム世界での存在感拡大に成功した。

こうした動きは、近年注目を集めつつある宗教を利用したパブリック・ディプロマシーの典型的な取り組みと位置付けることもできよう。

日本では安倍元首相狙撃殺害事件以来、旧統一教会問題を契機に政治と宗教の関係がより厳しく問われるようになっているが、外に目を向けると、インドネシアの事例に見られるように政教分離の理解の仕方が異なり、宗教が国の政策へ影響を及ぼすと同時に、国家が宗教を活用する動きもあることを指摘しておきたい。

日本はインドネシアのイスラーム・ネットワークを活用したパブリック・ディプロマシーと連携することで、手詰まり感が漂う対アフガニスタン外交の打開を図ることも検討に値するのではないか。

第14章 新冷戦が刺激する新・非同盟外交

現代インドネシア外交を論じる上で、注目しておきたいもう一つの重要なテーマが、新冷戦と言われる国際環境での非同盟外交の活発化である。

インドネシアはスカルノ大統領の時代、五〇〜六〇年代ネルー首相のインドと並ぶ非同盟運動の一方の旗頭であり、一九五五年には第一回アジア・アフリカ会議（バンドン会議）をホストした。そして今、再びインドネシアは、新冷戦と呼ばれる国際政治状況で非同盟主義を強化しているように見受けられる。ロシアのウクライナ侵略に関するインドネシアの独自のアプローチから、この点について考えてみたい。

対ロシア国際世論は一致しているか？

国際社会の懸念を無視するかのように、二〇二二年二月二四日、ロシアのプーチン大統領は「ウクライナ政府によって虐待されてきた人々を保護するため」という名目でウクライナへ「平和維持軍」を送り軍事作戦を行なう旨演説した。直後からウクライナ各地で空襲、砲撃が始まり、ロシアやベラルーシから地上軍がウクライナ領内に侵入した。原発施設、報道機関、病院なども攻撃を受け、民間人の犠牲も増え続け、数百万のウクライナ国民が難民となって国外へ避難した。ロシア軍によって拉致、連行された自治体首長もいる。これほど露骨な他国の主権侵害、国際法違反はないだろう。

しかしながら、言語道断のロシアの軍事侵攻に対して、国際社会が一致団結して事に当たったかと言えば、決してそうとは言えなかった。

二二年三月二日ウクライナ情勢に関する国連総会緊急特別会合は、ロシアのウクライナ侵略を国連憲章違反と断定し、即時・完全・無条件撤退を求める非難決議を可決した。日本を含む九六ヵ国が共同提案し、加盟国一九三ヵ国中、一四一ヵ国が賛成票を投じた。反対はロシア、ベラルーシ、北朝鮮、シリア、エリトリアのみで、確かに圧倒的多数の国々がロシアを非難した。しかし棄権国が三五ヵ国、意思表示しない国も一二ヵ国あり、棄権国の中には中国、インドという国際的に影響力の大きい大国や、モンゴル、ベトナム、ラオス、バングラデシュのような日本と関係の深いアジアの国々も含まれていた。

米国とライバル関係にある中国が欧米と共同歩調を取らないのはある程度予想できたが、中国に対抗する安全保障枠組み・クアッド（日米豪印）の一角であるインドとは対ロシアでも連携できるという期待があったかもしれない。しかしそこは一筋縄にはいかないのがインドだ。インドは伝統的に独自外交にこだわり、米ソ冷戦たけなわの頃も第三世界の雄として非同盟主義を掲げた外交路線を歩んだ。クアッドに参加しながら一方では、欧米ではなくロシアからミサイル防衛システムを購入したりしている。

独自路線を行くインドネシア外交

一九五〇年代、インドと並ぶ非同盟主義のリーダーだったのが、前述の通りスカルノのインドネシアだ。今回の国連ロシア非難決議に関して言えば、インドネシアは賛成に票を投じた国ではある。しかしロシアのウクライナ侵攻への対応については、日本や米国とは温度差があるようにも見える。

国連決議に先立つ二月二五日、インドネシア外務省は以下の政府声明を発表した。

①領土保存と主権の尊重を含む国連憲章と国際法の目的と原則の尊重が不可欠である。

②したがって、ウクライナでの軍事行動は容認できない。攻撃は人々の安全を危険にさらし、地域

と世界の平和と安定を脅かす。

③インドネシアは、この状況を直ちに停止し、すべての当事者が敵対行為をやめ、外交を通じて平和的解決を優先することを要求する。

④インドネシアは国連安全保障理事会に対し、状況の悪化を防ぐための具体的な措置を講じるよう要請する。

⑤政府は外務省を通じて、インドネシア国民のウクライナからの避難計画を作成した。インドネシア国民の安全は常に政府の優先事項である。

①②は至極もっともな主張であり、⑤の自国民保護は主権国家が行なう外交の基本中の基本と言っていい。問題は③と④だ。③「すべての当事者が敵対行為をやめ」では誰が侵略者で、誰が侵略の被害者なのか明言しておらず、責任の所在を明らかにしていない。④では国連安全保障理事会に問題解決のゲタを預けているが、当事国ロシアが安全保障理事会の常任理事国であり、ロシアに不利な安保理決議は拒否権を発動して無効にするのは誰の目にも明らかなのである。実効性の薄い提案は、その真剣度に疑問符がつく。

他方、インドネシア国内の有識者にはインドネシア政府の声明に理解を示す人もおり、たとえばインドネシア大学ヒクマント・ジュワナ教授は「ウクライナに対するロシアの行動を正当化または非難する立場を取るべきではない」「自由で活動的な外交政策に害を及ぼす可能性がある」と政府声明に理解を示す。

またインドネシア第二のイスラーム組織ムハマディヤも、国連決議と同日に、政府声明と同様に侵略者は誰か名指しを避ける形で、両陣営に即時停戦、外交による平和的解決を求めている。政府のみならず民間レベルもロシア批判一辺倒ではないのだ。

対ロシア制裁に慎重姿勢を崩さないインドネシア政府

その後インドネシアを訪問した岸田文雄首相が二二年四月二九日、ジョコ・ウィドド大統領と首脳会談を行ない、政治・経済・国際情勢等について協議した。これは、焦点のロシアのウクライナ侵攻に関する対応では、日イ両国の違いがはっきりした首脳会談であった。

日本外務省の発表によれば、岸田首相は「ロシアによるウクライナ侵略は明白な国際法違反であり、アジアを含む国際秩序の根幹を揺るがすものであって、強く非難する」旨を述べた。この発言を受けて、両首脳は、

①ロシアのウクライナへの軍事攻撃は容認できない。
②武力による主権侵害、力による一方的な現状変更は認められない。
③国際人道法に反する民間人・地域への攻撃に反対する。

等を確認した。さらに日本外務省発表は、岸田首相が「G20議長国のインドネシアを最大限支援していく」と述べ、両首脳はG20の成功に向けた緊密な連携を確認した、としている。G7主導の対

ロシア制裁に慎重なインドネシアに対して、G7側に近づけようという日本側の外交努力が見える情景だ。

しかし、インドネシア側の慎重姿勢を変えるのは容易ではなかった。日イ首脳会談に関するインドネシア国家官房の四月二九日付け発表には、ロシアのウクライナ侵攻に関する具体的な記述がどこにも書かれていなかった。

そして岸田首相と会談を行なった同日、ジョコ大統領は一一月にバリ島で開催されるG20首脳会談にロシア・プーチン大統領、ウクライナ・ゼレンスキー大統領を招待すると発表した。ジョコ大統領は二七日ゼレンスキー氏、二八日プーチン氏との電話会談でG20への招待を伝え、プーチン大統領はインドネシアへの謝意を述べ、G20参加の意思を伝えたという。米国からロシアを排除するよう強い圧力がかかっていたが、それをはねのけ、インドネシアは独自の外交を貫くと内外に明言したのである（結局プーチン大統領は「ロシア国内にとどまる必要がある」ことを理由にバリG20首脳会談を欠席した）。

このインドネシア政府の発表は、国際社会に波紋を拡げ、なぜこの国がかくも対ロシア制裁に慎重なのか、様々な分析記事が流れた。そこには、もちろんその年のG20議長国として、G20を成功させたいという直近の外交ニーズがあったのは確かだ。

さらに加えれば、一九五〇年代スカルノ時代以来の非同盟主義DNAが、現在のインドネシア外交にも流れている。たとえば兵器の調達を見ると、第一生命経済研究所石附賢実マクロ環境調査グループ長によれば、インドネシアは二〇〇一～二〇二一年の期間において、ロシアからSu-30戦闘機一一機、Su-27戦闘機五機を受領している。他方米国からもF-16戦闘機二四機を購入しており、米ロのいずれかに傾斜することなくバランスをとっていることがうかがわれる。

ロシアの地政学的衝動にインドネシアの指導層が共感していることも見逃せない。ロシアが抱える地政学的衝動とは、自らの国境の外側に緩衝地帯を置きたいという要求である。ロシア史において、チュートン騎士団、ナポレオンのフランス、ナチス・ドイツと西側から強敵がロシアに侵入し、国土が戦場となって多大な犠牲が出た。西側からの脅威の護りとして、ウクライナを緩衝地帯としておきたいという願望である。ウクライナのNATO加盟は、ロシアにとって喉元に刃物をつきつけられる感覚だ。

オランダによって数百年にわたり植民地支配を受け、独立に際しても、日本軍の降伏後戻ってきたオランダ軍とのあいだで数年にわたって苦しい独立戦争を戦わなければならなかったインドネシアは、欧米の脅威に対して緩衝地帯を持ちたいというロシアの主張に、ウクライナ侵略には一〇〇％賛同できないにしても、少なからぬ共感を覚えてしまうのである。

プーチンに共感するインドネシアのネット市民

インドネシア政府の対ロシア姿勢以上に驚くべきは、この国のネット空間において、より鮮烈な親ロシア、親プーチンの言説が流れたことだ。二二年三月にインドネシアのSNS上で飛び交った昼メロ風の小話にこのようなものがある。

派手好きの妻と実直な夫が、とうとう離婚した。離婚にあたって夫は黙々と妻が抱えていた借金を弁済し、三人の子どもたちの養育権も妻に与えた。お人好しな男だ。

ところが離婚後、裕福な隣人が妻を誘惑していたことを知る。前夫は激怒し、子どもの一人を連れ帰ってしまう。さらに残された子どもたち二人も父親に、もっと毅然と母親に接するよう求める。

ステレオタイプな家族観がベースにあるこの小話のメッセージは、「ロシア！がんばれ！」だ。この小話でのロシアの役どころは、妻に裏切られる口下手で質朴な夫である。誘惑に弱い妻がウクライナ、裕福な隣人が米国、夫に連れ戻された子どもがクリミア州、残された子どもたちがドネツク、ルハンスク州であることはお察しの通りだ。生きるのに不器用な男に声援を送りたくなる、という趣である。

このたとえ話に見られる通り、日本では考えられないような親ロシア言説が、インドネシアのSNSに溢れたのである。なぜインドネシアのネット市民は、親ロシア、親プーチンなのか、メディア等で所説語られているが、主なものを以下に挙げておく。

①反米感情の裏返し

②欧米の二重基準に対する不満

③ソ連の軍事・経済支援と文化交流の遺産、ロシアのパブリック・ディプロマシーの成果
④「強い」指導者になびく政治風土
⑤ウクライナ侵攻に関する宗教原理主義的解釈

反欧米感情の裏がえしとしての親ロシア、親プーチン論

まずインドネシアには、米国の先進文明、物質的豊かさに対する強い憧憬とともに、根強い反米感情が存在している。特に二一世紀に入って、米国が米国同時多発テロ事件を契機として「テロとの戦い」と称して始めた対アフガニスタン戦争、イラク戦争は、イスラーム教徒が約九割を占めるインドネシア国民に、対米不信感を深く根付かせてしまった。対イラク戦争では、大量破壊兵器の存在を理由として、国際社会の懸念に耳を貸さず一方的にイラクを攻撃し、サダム・フセイン政権を転覆させ、その過程で民間人を含む多くのイラク人が犠牲となった。結局、米国が開戦の根拠とした大量破壊兵器は見つからなかった。親ロシアのインドネシア市民に言わせると「ロシアのウクライナ侵攻を非難する米国が、二〇〇三年のイラクでやったことは何か。戦争反対！の国際世論を無視してイラク侵略を強行した米国はロシアを非難する資格があるのか」ということになる。

「テロの戦い」をめぐる米国への不信感とともにインドネシアでよく語られるのが、米国のパレスチナ政策への憤りだ。「パレスチナ占領地域におけるイスラエル軍の数々の人権侵害を問題視し

ないばかりか、占領地域へのユダヤ人入植を強引に進めるシャロン、ネタニヤフなどのイスラエル右派政権を支えてきた米国は、イスラエルとウクライナでは異なる基準を適用しているのではないか、ダブル・スタンダードだ！」というのである。

たとえばインドネシア最大のイスラーム組織ナフダトゥル・ウラマー（NU）のウェブサイト「NUオンライン」は二二年三月「パレスチナ・イスラエルとロシア・ウクライナの紛争に対する各国の異なる対応」と題する意見投稿を掲載している。この中で投稿者は、欧米先進国はロシアのウクライナ侵攻に対して一斉に抗議・拒絶し経済制裁を科しているが、イスラエル軍によるパレスチナ人への弾圧に関して、抗議・拒絶・制裁を科そうという動きは一切見えないと主張する。この投稿は、アムネスティなど人権NGOがイスラエルのパレスチナ政策を「犯罪的なアパルトヘイト政策」と評していること、二月八日以降の一ヵ月間にヨルダン川西岸で、イスラエル軍に抗議の声をあげたパレスチナ人九人が殺害されたことなど紹介している。

この投稿を読んで、一九九一年の湾岸戦争開始直前、ジャカルタで開催された「湾岸戦争　平和の祈りを捧げるイスラーム青年の集い」に参加したインドネシア人芸術家の青年が「欧米はイスラーム諸国の人権侵害を問題視するが、パレスチナにおけるイスラエル軍の非人道的所業を看過する。不公平だ」「国際正義という大義名分の裏には、もっと生臭い政治的意図があるのではないか」と憤っていたことを思い出した（拙著『インドネシア　多民族国家の模索』）。イスラーム意識が活性化するインドネシア都市部中間層の青年のあいだで、パレスチナ問題に対する関心は日本と比べてはるかに高く、米国のパレスチナ政策に対する不満が鬱積している。この巨大な不満のマグマが、ネット市民の親ロシア言説のエネルギー源となっているのだ。

ソ連の援助・文化交流、ロシアのパブリック・ディプロマシーの成果

インドネシア人のロシア認識が好意的であることの間接的、史的背景として、かつて一九五〇年代から六〇年代前半にかけて、ソ連から対インドネシア軍事・経済支援や文化交流が盛んに行なわれていたことを踏まえておいた方がよいだろう。ソ連はインドネシアからの多くの留学生を受け入れた。一九七〇年代から八〇年代にかけて活躍した「欲望のいけにえ」を撮ったシュマンジャヤ監督や「ロロ・ムンドゥット」を撮ったアミ・プリヨノ監督も、モスクワで映画作りを学んだソ連留学組だ。私が国際交流基金ジャカルタ日本文化センターに赴任した八〇年代末、シュマンジャヤは既に世を去っていたが、アミ・プリヨノはインドネシア映画界のまとめ役的存在で、若手の育成に気を配り、映画の国際交流にも積極的で、日本・インドネシア映画交流を進める上で大変お世話になった。このような元ソ連留学組が、ソ連の優れた技術力や質の高い文化芸術をインドネシア社会に伝え、各分野の発展に貢献することによって、ソ連そして後継のロシアに対する好感情を育んだのである。

そして、現代においてはロシアのパブリック・ディプロマシーに目を向けてみたい。アイルランガ大学国際関係学部のラディトヨ・ダルマプトラ講師は、インドネシア知識人のあいだにも親ロシ

ア言説が出てきている点について、ロシアのパブリック・ディプロマシーの影を認めている（メルボルン大学インドネシア研究サイト（二〇二二年三月九日）。

ロシアのウクライナ侵略開始直後、ジャカルタの有力私立大学ナショナル大学が開催したオンライン討論会において、「ロシア・ウォッチャー」のインドネシア大学研究者の発言があまりにロシア寄りであるとして、この討論会に参加していた駐インドネシア・ウクライナ大使が「共産主義ソ連のプロパガンダを聞かされているようだ」と激怒した。

ダルマプトラによれば、一三年以来ロシア政府は政府資金を投入してインドネシア向けインターネットサイト、ツイッター・インスタグラム・フェイスブックによる情報発信を強化し、ロシア認識の改善に取り組んできた。元々アフガニスタン侵攻やチェチェン紛争によって「無神論の共産主義者」「イスラームの敵」というイメージが強かったロシアに関して、「もはや共産主義国ではない」「ロシアには多くのイスラーム教徒が平和に暮らしている」という認識に変えようというのである。元々ロシア政府はインドネシア向けパブリック・ディプロマシーの拠点として、ジャカルタにロシア科学文化センターを一九六四年に開設している。

ロシア政府によるインドネシアのロシア研究支援が、現在の局面において大きな影響を及ぼしている、とダルマプトラは指摘する。インドネシアには、二つの大学（インドネシア大学、パジャジャラン大学）にしかロシア研究のコースがない。この二つの大学にはロシアの大学に留学、研究滞在するための資金がロシア側から援助されている。ウクライナ大使を激怒させたインドネシア大学研究者もロシアの支援を得てロシアの大学を卒業した元ロシア留学組の一人だ。ごく限られた数のロシア専門家しかいない、という事実は、インドネシア社会におけるロシア認識の形成において彼らが大きな影響力を持っていることを意味する。そしてウクライナの専門家がいないことは、ウクライナの視点からの分析が欠けることになり、ロシア側のフィルターを通した見方に傾きがちだ。

ただし私自身、国際交流基金ジャカルタ日本文化センター駐在員として、インドネシアで日本研究を支援してきたかつての経験から、ダルマプトラの議論は少し割り引く必要があると考えている。研究の独立性、研究者の主体性に介入するような地域研究への資金提供は、研究者側の反発、警戒を招いてかえって逆効果であることは、中国の孔子学院が中国政府のプロパガンダ機関とみなされ、欧米の大学で閉鎖が相次いでいることからも明らかである。インドネシアの研究者も、金を出しつつ口も出すスポンサーに対してはそう従順ではない。

大衆の「強い指導者」好き

ネット市民が親プーチンである理由として、「強い指導者」になびくこの国の政治風土は見逃せない。インドネシアの選挙では、剛腕型、ポピュリスト型政治家に一定の支持が集まる。二〇一四年と二〇一九年の大統領選挙で、ジョコ・ウィドド大統領の対立候補だったプラボウォ・スビヤントが、その典型だ。元軍人の強硬なナショナリストとして知られる彼は、スハルト大統領の娘婿となって国軍内で異例の出世を果たしたが、陸軍特殊部隊を使って人権侵害に深く関与したという批判を受けており、いわば脛に傷もつ政治家である。そんな彼が、下馬評に反して善戦し本命のジョコ大統領に肉薄した。

当初泡沫候補に近い扱いさえ受けていたプラボウォが、圧倒的な人気を誇っていたジョコ候補を猛追し、接戦に持ち込んだ要因として、政党、宗教団体、組合等既存の集票マシーンが機能したことや、あざといまでの対立候補に対する中傷キャンペーンが一定の効果を発揮したことが挙げられる（第2章参照）。この点など、ロシアにおけるプーチンの選挙を彷彿させる。

「強い指導者」待望論が生じるのは、現在の民主主義体制に対する不満がたまっているからでもある。強権体制が崩れ、自由を得たものの、党派抗争に明け暮れ離合集散を繰り返し何も決まらない議会政治、相次ぐ政府高官の汚職・不正、生活必需品の値上げ・物価高、市場経済での生き残りをかけた熾烈な競争の激化に倦んだ中高年世代から、「自由はなかったが安定していて昔はよかった」という強権体制時代へのノスタルジーが生まれ、強権体制を知らない若い世代もこれになびく風潮が生まれている。これは強いロシアの復活を掲げて登場したプーチンにロシア社会が強い支持を与えるのとも類似している。

ロシアのウクライナ侵攻の宗教原理主義的解釈

ロシアのパブリック・ディプロマシーが「ロシアは親イスラーム」というメッセージを発してい

ることを前述したが、インドネシアやマレーシアの一部イスラーム教徒のあいだでは、クルアーンやハディース（宗祖ムハンマド言行録）といった聖典を引用して、ロシアのウクライナ侵攻は預言されていた、という主張が語られている。聖典に論拠を求め、世界の終末と関連づける読み方は、原典の字義通りの解釈・善悪二元論・終末観を含んだ原理主義的なアプローチである。

この主張によれば、ハディースにおいて預言者ムハンマドが世界の終末について語っており、世界の終わりが近づくと「非イスラーム教徒」が団結してイスラーム教徒と共闘して、共通の敵に対して戦いに挑む。この「非イスラーム教徒」がプーチンのロシア、というのだ。クルアーンでは第三〇章「アッ・ローム」（東ローマ）の箇所である。これは、従来のクルアーン解釈では、ムハンマドが近い将来、東ローマ帝国（非イスラームのキリスト教徒）がペルシャ軍に勝利することを預言した章と理解されている。ところがインドネシアのネット空間では、これを世界の終末を預言したものと解し、クルアーンのアラビア語「ローム」は、「（東）ローマ」ではなく「ロシア」だというのである。東ローマ帝国が奉じていた東方正教の正統を受け継ぐ「正教の国ロシア」がハディースやクルアーンに登場する「アッ・ローム」と理解すべき、というのだ。かくしてこのような解釈によって、「プーチンのロシアは、共通の敵（欧米）と戦う親イスラーム勢力」と位置付けられるのである。

ただし、このような荒唐無稽のイスラーム聖典解釈を、インドネシアのイスラーム主流が賛同しているわけではない。

現代インドネシアの非同盟主義は、①核戦争による大破局の回避・平和の希求という理想、②自国の国益追求というリアリズム、の二つの顔を持つ外交戦略である。G20をめぐるインドネシア外交を見ると、新・非同盟主義の潮流が、姿を現しつつあることに気付く。世界は二極化でなく、多極化へと向かいつつあるのだ。

国際社会に姿を現しつつある新・非同盟主義といかに接していくのか。これからの日本外交の重要課題である。国際協力や国際文化交流をも最大限活用した多角的な外交の展開が求められる。

第15章

深まる中国との関係と華人系インドネシア人

インドネシアで存在感を高める中国

前章ではインドネシアの新・非同盟外交に着目してきたが、本章では中国の対インドネシア文化外交とこれがインドネシア社会に与えている影響について考えてみたい。

私が初めてインドネシアに赴任した年の翌年である一九九〇年、中国とインドネシアは凍結していた国交を正常化した。しかし正常化後も共産主義に強い警戒感を抱くスハルト政権下では公共空間での漢字使用禁止が続いていたこともあって、インドネシア国内で中国の影響力を感じる機会はほとんどなく、文化面においては欧米諸国やバブル絶頂期の日本の方がはるかに存在感を持っていた。

ところが二度目の駐在となった二〇一〇年代には、インドネシアに対して積極的な文化外交を進めていこうという中国の強い意志が如実に感じられた。またインドネシア国内にあっては、中華文化もインドネシア国民文化の一部に位置付けられるという大きな変化が生じていた。ここでインドネシアと中国の二国関係のカギを握ると考えられるのが、華人系インドネシア人である。

スハルト政権は、国家開発のため華人の経済力を積極的に活用しつつも、社会的には政権への反感を華人に振り向けさせる狡猾なスケープゴート策をとり、結果、華人の商店や自宅への投石・放火・強奪が相次いだ。また華人の文化を国内の公共空間から排除する政策は、華人コミュニティーのアイデンティティーに変化をもたらした。

「福田ドクトリン」を研究した中国の対インドネシア外交

二〇一三年一〇月二～三日、中国の習近平国家主席が、初の東南アジア歴訪の皮切りとしてジャカルタにやってきた。同氏とインドネシアの縁は意外と深い。

習近平は一九八五年福建省アモイ市共産党委員会常務委員に就任後、一九九三年から九六年まで同省福州市党委員会書記、二〇〇〇年から二〇〇二年まで福建省長、と一七年間にわたって福建省にあって出世の階段を登っていったのだが、この福建省は、インドネシア華人たち父祖の主な出身地として知られている。

インドネシア最大の華人企業体サリム・グループの総帥スドノ・サリムがその代表格だ。今も福建省は彼らを通じてインドネシアとの経済的な結びつきが強い。一九九〇年故郷に錦を飾ったサリムは学校、工場を建設し、ふるさとの発展にひと肌脱いだ。こうした国境を越える人的ネットワークが、習近平にとって対インドネシア外交の重要な情報・ブレーン供給源となっている。中国の「ディアスポラ（在外同胞）外交」である。

「コンパス」紙（二〇一三年一〇月三日）によれば、一〇月二日に開催された首脳会談で、習主席はユドヨノ大統領に対して、両国民の交流を促進するために、「ジャカルタに中国文化センターを設置」「バリに総領事館を設置」「インドネシアのイスラーム指導者たちを中国に招聘」すること等言明した。翌三日にはインドネシア国会で「中国とアセアンはともに地域の平和と安定を維持していく責任がある」と演説し、連携強化を呼びかけた。その内容が、なかなかに興味深い。

この演説において、「中国はアセアン諸国に、より多くのボランティアを派遣し、アセアンの文化、教育、衛星、医療分野を支援すること」「二〇一四年を『中国アセアン文化交流年』とすること」「今後三〜五年の間にアセアンに対して一万五〇〇〇人の政府奨学金枠を提供すること」「今後五年間に中国インドネシア双方が毎年一〇〇名の青年を相互訪問させ、中国はインドネシアに一〇〇〇名分の奨学金を与えることについて首脳合意したこと」等の文化交流に関する具体的提案を行なっているが、これら提案に先立ち習主席は微笑みを浮かべてインドネシアの格言を口にしている。

「金銭を得るは易く、友情をはぐくむは難し」

つまり「経済的繋がりだけでは真の友人は作れない」ということだ。政治、経済面と並んで文化交流、国民間交流の重要性を説くこのくだりを述べたところでは、議員席から喝采の拍手がひときわ強くなったという。演説の最後にも「心と心の触れあい」(原文：心連心)という言葉が、中国インドネシア両国民連携を説くクライマックスの部分で効果的に配されている。

「心と心の触れあい」。真っ先に脳裏に浮かぶのが一九七七年八月一七日、ASEAN諸国歴訪の最後にフィリピン・マニラで福田赳夫首相が発表した「福田ドクトリン」である。これは単なる修辞上の類似ではないような気がしてならない。

一九七〇年代、「経済一辺倒」という批判に直面していた日本の福田首相が発表した三つの対東南アジア外交原則の一つが、経済のみならず文化交流を通じて「真の友人として心と心のふれ合う相互信頼関係を築く」ことだった。

当時経済大国として国際社会の注目を集めるようになった日本に対して、その発展に比例して、東南アジア諸国からの風当たりも強まっていた。そんな時に、より安定した国際環境を作るために強化が打ち出されたのが双方向の文化交流だった。

二〇〇五年、上海、北京で発生した反日デモの翌年、国際交流基金が開設した「日中交流センター」が始めた目玉事業「中国高校生長期招聘事業」の中核となるコンセプトも「心連心」である。政治、経済、軍事的に台頭著しい中国が、文化交流の強化に力を入れているのは、歴史的必然なのかもしれない。

中国は戦後日本の対東南アジア文化外交政策を研究し、その中から学ぶべきものを学んでいる。

たとえば一九七〇年代に確かに存在していた反日感情が和らぎインドネシアが世界有数の親日国となっている変化を、福田ドクトリンと関連付けて中国は注目し、そこから学ぼうという姿勢が見受けられる。中国がインドネシアで本格化させようとする文化交流事業のキャッチフレーズである「心連心」は、そうした研究成果と言えないだろうか。

語られなかった過去

インドネシアへの一〇〇〇名規模の奨学金供与やジャカルタ中国文化センター設置などが打ち出されたことは、インドネシア国民にアピールする習主席の華麗なパブリック・ディプロマシーであるが、ジャカルタにいて感じたのは、この政策をインドネシア国民が留保なく歓迎しているわけではない、ということだ。

習主席の国会訪問を報じた「ジャカルタ・ポスト」紙（二〇一三年一〇月四日）が、「習近平の歴史的スピーチに出席したのは、全五六〇名衆議院議員のわずか三〇％」という小見出しをわざわざ付けているのは、すっきりしないインドネシア国民感情の一端を垣間見せているようだ。

国会演説の中で習主席は交流の歴史を以下のように熱く語った。

「中国インドネシア両国民は二〇〇〇年にわたって古代から大海原を乗り越えて交流してきた」

「中国明代の著名な航海家、鄭和は七次にわたって大航海を敢行し、その度にジャワやカリマンタン等を訪問して、両国人民の友好を促進した」

「中国の古典名著『紅楼夢』にはジャワの秘宝が描写され、一方インドネシア国立博物館には大量の中国古代陶器が収蔵されていることは、両国人民の友好的な往来が行なわれてきたことの証である」

「二〇世紀の民族独立解放の闘いにおいても両国人民は相互に助け合ってきた。新中国成立において、インドネシアは最も早く新国家を承認してくれた」

「一九五五年のバンドン非同盟諸国会議を成功させ、平和共存を説くバンドン精神を発表して歴史に貢献した」

「一九九〇年国交を回復し、両国の関係は発展を続けている」

しかし、こうした歴史を語る中国側、これを聴くインドネシア側双方のいずれもが、心の中に思い浮かべながら、どちらもが触れたがらない現代史がある。「アジアを変えたクーデター」と呼ばれる一九六五年の「九月三〇日事件」と、その結果生じた一九六七年から一九九〇年までの国交凍結期間である。

「九月三〇日事件」とは何か。事件発生から既に半世紀近い時が流れているが、未だにその真相には謎の部分が多い。

一九六五年九月三〇日、スカルノ大統領親衛隊ウントゥン中佐率いる部隊が参謀長ら陸軍将官を拉致・殺害したが、一日でスハルト戦略予備軍司令官によって鎮圧された。事件は、スカルノ大統領、中国と関係深いインドネシア共産党、陸軍の三つどもえの権力闘争が続いていた時期に発生したが、その原因については諸説があって、今も九月三〇日が近づくと、インドネシアのメディアは「歴史を掘り起こす」特集を組んで、国民の関心を喚起する。この事件については倉沢愛子が『インドネシア大虐殺　二つのクーデターと史上最大級の惨劇』（中公新書）で最新の研究動向を解説している。

動かしがたい歴史事実として、この事件を契機にスカルノ大統領は失脚、インドネシア共産党幹部は一斉検挙、粛清され、共産党の解体と続き、インドネシアは中国との国交を凍結した。そしてウントゥン決起軍を粉砕したスハルトは権力を掌握し、一九六七年大統領代行、一九六八年第二代大統領に就任する。こうした権力構造の変動期において、共産党員やそのシンパ、華人系インドネシア人に対する甚大な人権侵害があり、数十万〜数百万人とも言われる大量虐殺が発生した。この虐殺には軍のみならず、イスラーム組織も加担したと言われる。以来、スハルト政権は公共空間での中国語教育や中華文化の露出を禁止した。中華文化禁圧政策が廃止されるのは、二一世紀に入ってからである。

スハルト政権の崩壊、民主化とともに、政府の中国文化禁圧政策は廃され、公共空間でも漢字の使用、祭りの開催が認められるようになった。第四代大統領アブドゥルラフマン・ワヒッド（通称：グス・ドゥル）は、中華文化も多民族・多文化国家インドネシアの文化の一部であると認定し、イムレック（春節）を華人が制限なく自由に祝うことを認めた。

そして二〇二三年になってはじめて、インドネシア政府のトップである大統領が、一九六五年から二〇〇三年に起きた一二の事件について「重大な人権侵害があった」ことを認め、「九月三〇日事件」被害者の権利回復につとめる方針を示した。

「九月三〇日事件」とその後の現代史は、インドネシアと中国の交流に突き刺さる棘となっている。それゆえに積極的な交流策が採られたとはいえ、一挙に中国への傾斜が起きることは考えにくい。

基本的価値観の違いを超える対話は可能か

さらに、より巨視的にインドネシアと中国の文化関係を展望していく時、乗り越えなければならない大きな壁が存在している

インドネシア共和国の国是をなす五原則は「パンチャシラ」と呼ばれる。独立時に制定された一九四五年憲法の前文に記載された国家の五つの存立原理の真っ先に来るのが「最高神への信仰」である。国民の圧倒的多数がイスラーム教徒である中で、少数派の他宗教への配慮がなされていてイスラーム教に特定されない表現になってはいるが、信仰を持つことはインドネシア国民たる大前提となる。

一九六五年にインドネシア国家は、イスラーム教、キリスト教カソリック、プロテスタント、ヒンドゥー、仏教、儒教の六つを公認宗教と定めた。上述したスハルト政権の中華文化禁圧政策によ

り儒教は公認宗教からはずされた時期もあるが、二〇〇〇年ワヒッド政権の時代に復活している。イスラーム教徒でなくてもよい。しかし無宗教を公言するのは、インドネシアではタブーと言ってよい。そのような国が、無神論の共産主義に拠って成立している中華人民共和国と真の意味での「心が触れあう」対話ができるのか。

このような根本的な問いかけが、習近平インドネシア訪問直後の「ジャカルタ・ポスト」紙（二〇一三年一〇月五日）に掲載されていた。問いかけの主は、ルネ・パティラジャワネというジャーナリストである。同氏は今次の中国側訪問団一行の中に行政代表ではなく中国共産党幹部が含まれており、彼らが二ヵ国間の外交交渉に加わっていたことを問題視し、「インドネシアは、中国との包括的なパートナーシップを強化する前に、自問すべき問いがある。マルクス・レーニン主義の宣伝を禁じてきた反共政策をもはや放棄したのか、はっきりさせるべきだ」というのである。

信仰を義務づけるインドネシアと無神論共産主義の中国。水と油のような関係を調整する一つのカギは、「宗教をどう定義するか」という点にある。

中国ではかつて保守反動として弾圧した儒教を、再評価する動きが強まった。改革開放による現代化で家族や社会組織が大きく変容し、道徳の荒廃が叫ばれる中、倫理規範としてその存在に注目が集まるようになったのだ。外交においても、海外における中国語、中国文化普及を担う組織に「孔子学院」の名前が冠せられている。

つまり中国政府は儒教を、「思想」「文化」とみなして、国内統治や外交に活用しようとしている。これに対して、インドネシア政府は前述した通り儒教を「公認宗教」の一つとして、国内に在住する華人の国民統合根拠となす。両政府は「儒教」の扱いに違いがあることに気づいているのだろうが、あえてこれを詰めることはしない。これも、基本的価値観が異なる二つの国が相互理解、相互信頼を醸成していくための「アジア的な知恵」なのかもしれない。

イスラームに着目して

「アジア的な知恵」をどう具体化していくかという観点から、習近平の対インドネシア文化交流強化策の中に「イスラーム指導者を中国に招聘する」という提案が含まれていることは重要である。

経済発展により拡大し社会的存在感を増すインドネシア中間層の中で「イスラーム化」現象が進行中であることは本書において再度にわたって言及してきたが、オピニオンリーダーとしてイスラーム有識者の発言力はますます高まっている。日本も外務省や国際交流基金がイスラーム有識者との関係強化に取り組んでおり、中国がそのパブリック・ディプロマシーの重点的訴求対象層にイスラーム有識者を設定するのは、自然な流れである。

こうした視点で習近平の国会演説を読むと、両国の交流の原点として、鄭和の大航海に言及していることにも、隠し味のようにインドネシアのイスラーム有識者へのメッセージが含まれていると感じる。

鄭和。一五世紀、明の最盛期に永楽帝の命により、東南アジア、インド、中近東、アフリカ東岸

（現在のソマリア付近）まで大航海した偉大な航海家は、雲南出身のイスラーム教徒なのだ。

鄭和が生きた一四世紀から一五世紀にかけては、東南アジアにおいてイスラーム化が進んだ時期でもある。近年の研究では、この時期に東南アジアのイスラーム布教において、華人も一定の役割を果たしていることが指摘されている。

「テンポ」誌（二〇一二年二月一九日）に掲載された、イスラーム系多文化主義活動家アフマッド・ファウジ氏のコラムによれば、鄭和の航海団には彼のみならず数千の中国のイスラーム教徒が含まれており、この航海は政治、経済のみならず武力によらない平和的手段でのイスラーム布教に成果をあげたという。

二〇世紀初頭、華人商人に対抗するために民族主義組織「イスラーム同盟」が結成されたことに始まり、「九月三〇日事件」後のイスラーム組織による華人虐殺加担に至るまで、イスラームと華人および中華文化の相性は良くないもの、と語られてきた。

そうした認識を変える、イスラームを触媒にした中国とインドネシアの交流史の再評価が、きらびやかな首脳外交の足元で静かに進行していたのである。

世界最大級規模の華人人口

イスラームと並んで、インドネシア・中国関係のカギを握るのが、華人系インドネシア人だ。先住エスニック集団（プリブミ）と華人との関係は複雑だ。プリブミのあいだには、「経済にしか興味のないエコノミック・アニマル」「権力に取り入る技に長けた狡猾な商人」「インドネシアの文化になじもうとせず、身内だけで閉鎖的な社会をつくる連中」というステレオタイプな華人イメージがある。しかし、政治、福祉、文化面の公共領域においても社会発展に貢献した華人も少なくない。

にもかかわらず、こうした経済分野以外の貢献は、為政者によって意図的に軽視・黙殺されることによって、反華人感情を刺激する固定的なイメージが作られてきた。

そもそも「華人」とは誰か。似た言葉として「華僑」があるが、「華僑」とは中国政府の定義によれば、「中国大陸・台湾・香港・マカオ以外の国・地域に移住しながらも、中国国籍を持つ中華民族」である。他方、「華人」は、移住先でその国の国籍を取得した中華民族を指す。また移民一世あるいは二世であっても中国語を母語とする者は「トトック」、移民の移住先である東南アジアで生まれ、移住先の言語を母語とする移民二世は「プラナカン」と呼ばれる。

植民地時代は中国政府が血統主義を、蘭領東インド政庁が属地主義を採ったために、インドネシア生まれのプラナカンは、自動的に中国とインドネシアの二重国籍を持っていた。これについて、独立後、インドネシア政府はプラナカン華人の新生国家インドネシアへの忠誠心に猜疑の目を向けてきた。ついには、一九五五年にインドネシア、中国政府は二重国籍防止条約を結び、二重国籍の解消を図って、インドネシアに居住し中国籍を持つ者に、二重国籍を放棄し、いずれかの国籍を選ぶよう求めた。「華僑」から「華人」へと移行する政策が実行されたのである。

苛烈な中華アイデンティティー抑圧政策をとったのが、スカルノを追い出して権力の座についたスハルト大統領である。姓名をインドネシア風に変えることを求め、公共空間での漢字使用・中国語の新聞雑誌発行・中国語学校・儒教等中国の祭祀を禁じた。華人の呼称も従来の「オラン・ティオンホア（中華人）」から蔑称の「オラン・チナ（チナ人）」に改められた。

スハルト政権を支える軍人たちは、経済政策において、華人を統制しつつ、華人の経済力を利用する、植民地支配者と変わらぬ狡猾な策をとった。スマトラに駐在する軍幹部は、ゴム、砂糖、ヤシなどプランテーション経営に乗り出し、それらを華人商人のネットワークを使ってシンガポールに密輸し、莫大な利益をあげ、私腹を肥やすとともに軍の資金源として活用した。中央にあってスハルト政権は、ローカルな資本を優遇し、ローカル資本と華人資本の合弁を促した。同政権は、政府の許認可をローカルな資本に与えることとして、華人や外国資本がインドネシア国内で経済活動を行なう時、ローカルな資本をパートナーとすることを義務づけた。しかしこれらの政策は、大義名分はともかく実際には、それまで以上に華人資本の経済力を強めることにつながり、スハルトはじめ権力者と結託する一部の華人ファミリーは、財閥としてインドネシアの経済を牛耳ることになった。

スハルト政権は華人系財閥の経済力を最大限利用しつつ、文化的には中国文化を排除し華人への反感・差別意識を国民に植え付け、民衆の不満を華人たちに向かわせる政策を推し進めた。それが暴発したのが、九八年五月スハルト政権崩壊直前に発生した大規模な暴動である。暴徒たちが華人系居住区を襲い、強奪、放火、レイプが横行したジャカルタ暴動（同月一二〜一四日）は、日本でも大きく報道された。

現在のインドネシアにどれくらいの規模の華人がいるかという点については、所説ある。本来ならば最も信頼性が高いはずのインドネシア政府二〇一〇年国勢調査によれば、同国の華人系インドネシア人口は二八三万二五一〇人であった。

インドネシアの国勢調査について補足しておくと、二〇〇〇年国勢調査から自らのエスニック意識を問う設問が設けられ、同調査において二四一万人が自己申告によって華人系であると回答した。それ以前は、一九三〇年のオランダ植民地時代の国勢調査において華僑華人が総人口の二%であったことから、総人口の二～五%と推定する形で華人人口規模が語られてきた。二〇〇〇年国勢統計において、インドネシア政府は、初めて華人人口を示したのだが、従来五〇〇～八〇〇万人規模と想定されてきたことからすると、意外な印象を与えた。

二八三万人という数字は、自己申告に基づく数値である点、「華僑」を含めない点から最も狭く捉えた華人統計と言えるだろう。インドネシア社会に同化した者や、両親のいずれかが非華人系でそちらのアイデンティティーを選択した者、迫害・差別を恐れ華人に識別されることを拒否する者は、二八三万人の華人人口に含まれていないからだ。

インドネシア華人研究の第一人者である貞好康志は、インドネシア政府国勢調査の華人人口統計値について「これをこのまま信じる研究者はいない」と評し、「おそらく五〇〇～六〇〇万人規模、最大限にみても七〇〇万人」という説を採っている（貞好康志『華人のインドネシア現代史』木犀社）。

いずれにせよ、インドネシア華人人口は、タイ（九三九万人）、マレーシア（六七一万人）、米国（五一四万人）と並んで世界最大級の規模と言える。華人が総人口の七四%を占めるシンガポール（二六五万人）よりも多い。

先住エスニック集団（プリブミ）と華人のあいだに存在する経済格差、華人を経済的に優遇し文化的には規制する狡猾なスハルト政権期の華人政策とその残滓、宗教・生活習慣の違い等から、結婚問題をはじめプリブミと華人の社会的隔たりは大きく、同化／統合は進んでいない。

多民族社会インドネシアの中でも特異な存在であるからこそ、中国政府は彼らに目をつけ、彼らとのネットワークを通じて、インドネシアの政策決定層に食い込もうとし、逆にインドネシア政府も中国に対するアプローチの一つとして彼らを利用する。それゆえに二ヵ国関係の改善あるいは悪化という変化は、如実に彼らのインドネシアにおける立場に影響を及ぼすのである。

インドネシア・ナショナリズムと華人

プリブミと華人の間を分かつ目に見えない壁が存在する中で、これまでともすれば、プリブミ対華人という対立構造の中で華人は位置づけられてきた。このような対立構造というフィルターを通すと、インドネシア国家の形成の歴史において、華人は「中国に帰属意識を持ちインドネシア独立運動を傍観していた人々」あるいは「植民地支配者オランダと結託して自己利益優先で、独立運動に冷淡だった人々」というステレオタイプなイメージが浮かび上がってくる。インドネシア・ナショナリズムへ華人の参画・貢献はなかったのか。

貞好康志は、労作『華人のインドネシア現代史』において、中国からインドネシアへと帰属意識を変化させ、「華僑」から「華人系インドネシア人」という自己認識を抱くようになった人々の近現代史を描いている。華人たちのあいだでインドネシア・ナショナリズムと自らの関係付けに関して実に多様な議論が存在し、また中国を含む国際状況の変化を反映してその多様な議論がそれぞれ変化してきている点を、貞好は明らかにしている。これに拠れば、インドネシア・ナショナリズム形成に参画・貢献した華人はいるのだ。同書を参照しつつ、あらためて華人のインドネシア国民意識形成の歩みへの関わりを一瞥しておきたい。

まず植民地支配からの脱却をめざすインドネシア独立運動の歴史において、次章で述べるブディ・ウトモとともに、その起源の一つとなった東インド党の結成（一九一二年）に、少なからぬ華人が参加している。そして一九三二年に創設されたインドネシア華人党（PTI＝Partai Tionghoa Indonesia）は、蘭領東インドで生まれた華人も「インドネシア人」となるべきであり、華人もインドネシア独立運動に参画すべきであると主張した。植民地支配権力によってインドネシア独立運動が抑えこまれていた一九三〇年代、インドネシア・ナショナリズムへの連帯を主張したPTIへの支持は華人たちのあいだで拡がらなかったのであるが、インドネシア・ナショナリズム試練の時期にあっても、自ら「インドネシア人」となる意思を示し、プリブミとの連携を模索した華人がいたことに留意しておきたい。

インドネシア独立が現実となった一九五〇年代当初、中国とインドネシア、二つの国籍を持つプラナカン華人のあいだで、自分のナショナリティーをどう位置付けるかについては、以下の三つに分類できただろう（これはあくまで類型であって、アイデンティティーというのは相対的・流動的なものなので、実際の個々の人々の内面をこのような三つの類型にきれいに区分けできるものではない）。

①中国（人によっては台湾）に帰属意識を持つ人
②新生国家インドネシアに帰属意識を持つ人
③国家に帰属意識を持たない、あるいは国家を信頼しない人（無国籍派）

そして、インドネシア・中国両政府の二重国籍防止協定が締結されて以降、社会の趨勢から、カテゴリー①は退潮し、カテゴリー②のインドネシア国民たる自己認識を持つ人々が優勢になっていくのであるが、今度はカテゴリー②の中で「いかにインドネシア国民たるべきか」をめぐって論争が起きる。この論争は、大きく分けると「同化論」と「統合論」の二派に分かれ、さらに「同化論」「統合論」それぞれの中で議論の立脚点が異なる様々な意見が存在する。

「同化論」は、華人であることとの文化的特性にこだわらず新たに「インドネシア国民」となることを目指すべきである、あるいはインドネシアの主流文化に進んで同化していくべきであるという主張だ。これに対して「統合論」は、華人としての特性を放棄することなく、インドネシアが持つ「多様性」の一部として、「インドネシア国民」へと統合されていく自分たちの姿を想起する。

多民族国家アメリカの理念が二〇世紀後半に「人種のるつぼ」から「人種のサラダボウル」へと変化したと言われるが、「同化派」は「人種のるつぼ」論、「統合派」は「人種のサラダボウル」論に相応すると考えてよいだろう。

「同化論」と「統合論」、時計の振り子のように時代とともにインドネシア政府の華人政策は転換し、当事者たる華人の思考も変わった。

二重国籍防止条約が発効して国籍選択が始まった一九六〇年当時、最も動員力のある華人政治団体であったインドネシア国籍住民協議会（バプルキ）の最高指導者シャウ・ギョク・チャンは、華人の文化的特性ゆえにプリブミとのあいだで差別があってはいけないと主張し、同化論者が唱えた改名・通婚・イスラームへの改宗などに反対し、バプルキは華人の教育に力を入れた。この当時は華人社会において統合論は強い影響力を持っていたのである。

状況が一変するのは、一九六五年の「九月三〇日事件」である。この事件を契機に、国軍によってインドネシア共産党（PKI＝Partai Komunis Indonesia）は壊滅状態に追い込まれ、スカルノ大統領も実権を徐々に奪われて失脚する。スカルノ、PKIとの連携に傾斜したシャウ・ギョク・チャンは逮捕され、一二年に及ぶ獄中生活を余儀なくされ、バプルキは解散した。シャウは釈放後、オランダに亡命し、かの地で一九八一年に世を去っている。

中国との関係を凍結したスハルト新体制は、「チナの宗教、文化はインドネシア国民の道徳によろしくない影響を及ぼし国民統合の妨げとなる」として華人に対する同化政策を強化し、公共空間での漢字広告の掲示・中国語新聞、書籍の出版発行・中国語学校の開校が禁止された。

各地で暴力にさらされる極めて厳しい状況に追い込まれた華人社会から統合論は消え、自らの身を守るため同化論が浮上する。インドネシア風の名前への改称が進み、イスラームに改宗する者もいた。インドネシア政府の同化政策は、スハルト政権下、三〇年続いた。

そして九八年のスハルト政権崩壊、民主化とともに、時計の振り子は再び「統合」へと戻り、アブドゥルラフマン・ワヒッド大統領が中国的な文化禁止を解き、続くメガワティ政権が春節を国民祝日と定めたことで、華人の文化もインドネシア国民文化の一つと位置付けられたのだった。呼称も再び「オラン・ティオンホア」に戻った。

シャウ・ギョク・チャンの息子シャウ・ティオン・ジンは、父の伝記「シャウ・ギョク・チャン」を一九九九年に上梓し、「共産主義者」の烙印を押されて亡命先で生を終えざるを得なかった父を、華人とプリブミの統合を目指した愛国者と位置付けて、シャウ・ギョク・チャンの統合論復権を社会に訴えた。

プラナカン新世代の新たな文化創造への期待

スハルト政権の中華文化禁圧政策は確かに、華人アイデンティティーを大きく変えた。二〇一一年に一八年ぶりに二度目のインドネシア駐在を始めた私が華人系インドネシア人と接して抱いた感慨は、「確実に世代のサイクルが一周回った」というものだった。旧世代が持っていたアクの強さ、個性の強さ、そして華人らしさのようなものが消えて、微かにシャンプーの香りがするような、都会的で無国籍風の若者が増えたという感じだ。

「プラナカン」は、東南アジアで生まれ、中国語を話せず、現地文化との混合が進んだ華人であるが、戦前から一九五〇年代のプラナカンはまだ中国文化の影響が彼らの内面に残っていた。しかしスハルト政権下の中華文化禁圧政策によって、中華文化の世代間継承が断ち切られ、中国文化の社会的存在感は急速に低下して、次の世代の「プラナカン」化がさらに進行した。そしてスハルト政権崩壊、中国文化開放から二〇年の時を経て、かつて中華文化禁圧政策がとられていたこと自体を知らない華人系の若者が増えた。「テンポ」誌（二〇一三年二月一七日）で華人系著述家デウィ・アングラエイニは、「二〇歳より下の華人系インドネシア人の中には、ほんの一四年前まで、春節の祭りは身内の家族・親族のみで祝うもので、なるべく社会的に目立たないように、目立たないようにして祝っていたのだということを知らない若者も多いだろう」と記している。

時計の振り子は「同化」から「統合」へと揺り戻しがあったわけだが、スハルト政権期の同化政策および世代交代によって、華人たちが立ち返る中華文化そのものの存在感が、若い華人たちの内面において弱まっているのだ。彼らにとって中華文化は自らの血肉の中にある特性ではなく、自分のルーツをたどる自分探しの中で再発見、発掘する対象なのである。さらに、いまだプリブミとの経済格差、心理的障壁、摩擦がある中で、自分たちは本当に「インドネシア国民なのか」という疑問を捨てきれずにいる。

デウィ・アングラエイニは、スハルト政権の時代、政治的権利、文化的権利を奪われながら生き抜かねばならなかった彼女たち世代の困難を語り、民族性ではなく、個人の能力で評価される社会を作るべきだと訴えている。

中国政府の招きで中国を初めて訪問した、スハルト時代に生まれ育ったプラナカンの大学教員アイミーダウィスは、旅先で「あなたは中国人ではないのか」と問われた際、中国語ができず、英語で自らを語る自分を見つめて「インドネシアが自分の故郷であり、そこでは自らが誰であっても勤勉、根気、強固な意志を持って頑張れば夢はかなうと確信した」とインドネシアン・ドリームを語っている。（「ジャカルタ・ポスト」紙二〇一三年二月九日）

プラナカン四世、五世世代が形成する華人文化は、中国本土のものとは違うし、プリブミ系エスニック集団の文化とも違う、しかし両者の要素も入り混じった独特の、新鮮で、コスモポリタンな要素が混じった文化だ。彼らはデジタル・アートやポップ・カルチャーの担い手でもあり、消費者でもある。

「華人＝エコノミック・アニマル」的なステレオタイプを変えていくのに重要な働きをなしうるのは、華人政治家や華人企業家以上に、文化や市民公益活動などで創造性を発揮し、インドネシア社会を活性化させているプラナカン新世代ではないだろうか。

プラナカン新世代文化人の代表格を挙げるとすれば、映画監督のエドウィンだ。「復讐は神にまかせて」（二〇二一年）はロカルノ国際映画祭で最優秀賞を獲得し、国際的に注目されている気鋭の映画人だが、プラナカン華人でスラバヤ出身。彼の長編第一作「空を飛びたい盲目のブタ」、第二作「動物園からのポストカード」は、「華人性」が大きなテーマでもある。個人と家族、個人と社会の葛藤を抱えて多民族国家インドネシアで生きる華人の内面を、独特のアーティスティックな映像で表現している。「インドネシアは過去に傷を負っているにもかかわらず、それを嘘で塗り固めるようなことをしている」「過去をきちんと清算する必要がある」として、自国の歴史と個人の感情を映像化することが自分の映画作りのテーマである、とエドウィンは公言する（国際交流基金アジアセンター・ウェブサイト「Features特集記事「オムニバスで生まれた有機的な関係『アジア三面鏡二〇一八：Journey監督シリーズ』」。

父系血族主義の華人文化を批判的に見つめ、インドネシア国家にも過剰な思い入れをしないエドウィンの姿勢は、新世代プラナカンの特徴である。

権力者と縁のない華人庶民は、時に無慈悲な暴力、理不尽な差別に晒されてきた。こうした人々の人権を守ろうという人権擁護の市民公益活動の分野においても活動する華人は多い。

市民公益活動リーダーの先駆者としてヤップ・ティアム・ヒンを挙げることができるだろう。人権ＮＧＯ法律援護協会を立ち上げ、人権侵害の被害者の救済に尽力した弁護士として知られる。「ヤップ小父さん」と親しまれた彼が一九八九年、ベルギーで開催されていた、インドネシアの開発のあり方を問うＮＧＯ会議で倒れ、客死した時、華人もプリブミもその死を悼み、スハルト政権絶頂期にもかかわらず、一〇〇〇名を超える人々がジャカルタの空港に集まって、彼の棺を出迎えた。実はヤップは、一九五〇年代バプルキの副議長であった。同化論について個人の尊厳を危うくする画一化の危険性を感じ取って、これに反対し、差別・対立をなくすための教育、相互信頼醸成の重要性を説いた。また次第に左傾化、政治闘争に傾斜していくバプルキの指導者シャウ・ギョク・チャンに異論を唱え、やがて袂を分かつこととなった。

「利にさとい抜け目ない政商」というイメージとは対極のところで、ヤップ・ティアム・ヒンや彼の志を受け継ぐ華人新生代が、インドネシア社会の公共空間を支えている。

スハルト政権の中国文化禁止政策の三〇年間を経て、総じてプラナカンのインドネシア社会への帰属意識は強化された。しかしプリブミと華人のあいだに横たわる経済格差や文化・価値観の相違は、依然として大きい。この壁を乗り越えるのは容易ではなく、二〇一六年の反アホック・デモに見られるように、共生の逆戻りとも言うべき事態も発生し、先の見通しがきかない厳しい現状がある。プラナカン知識青年層の潜在的な「怖れ」の感情は、なかなか消えない。

であるからこそ政治、経済のみならず、文化や社会公益活動においても壁を乗り越えていく営為が必要だ。新世代プラナカン華人、新世代プリブミの創造力と感性、そしてそれを受容するプリブミの寛容に期待したい。

第16章　近代医学とナショナリズム――インドネシアの原点回帰

パンデミック下の国家アイデンティティーの問い直し

二〇二〇年、新型コロナウイルス危機に直面したインドネシアにおいて、国家アイデンティティーの問い直しが始まった。

その鼓動を、「テンポ」誌が丹念に伝えている。同誌（二〇二〇年五月一九日）は、約一〇〇年前の二〇世紀初頭にこの地を襲ったパンデミックに医師たちがいかに立ち向かったか、振り返る特集記事を掲載した。パンデミックと格闘中のインドネシアにあって、歴史から教訓を学び自らの原点を見つめ直そうという意図を感じる。

考えてみると、一〇〇年前、「インドネシア」という国や「インドネシア国民」を自認する人々は、未だ地上には存在していなかった。「インドネシア共和国」、それを構成する「インドネシア国民」という新たな国民国家の誕生にパンデミックは大きな影響を及ぼし、感染症と戦った青年医師たちが初期独立運動の旗手となった歴史を、「テンポ」記事は再確認している。そして、戦時中蘭領東インドを軍政支配した日本も、いろいろな意味でインドネシア独立に深く関わっている。この時代においても、医師たちが体制変革あるいは体制批判の担い手として登場する。この点についても、「テンポ」誌は、新型コロナウイルスとの闘いという危機の時代を生きるインドネシア国民の原点として、ある医師に焦点を当てている。

「テンポ」の特集が参照しているのは、二〇一八年に刊行されたシドニー大学研究者ハンス・ポルスの *Nuturing Indonesia*（『インドネシア培養』）である。同書はオランダ植民地時代から日本軍政期、独立に至るまでのインドネシア・ナショナリズム形成に医療関係者が果たした役割を叙述したもので、インドネシアで少なからぬ反響があった。

このような歴史研究を下敷きに「テンポ」誌二〇二〇年八月一八日号は、一〇〇年前の感染症との戦いと初期独立運動の関係に焦点を当てた五月一九日号に続いて、インドネシア共和国独立と医療保健分野での国づくりに活躍した七人の英雄的医師を振り返る特集を組んだ。

同誌が発行された前日の八月一七日は、インドネシア独立記念日である。インドネシア国民にとって、自分たちの原点を振り返り、未来に思いをいたす一年で最も重要な祭日だ。スカルノら独立運動指導者たちは、三年数ヵ月この地を占領した日本軍降伏の二日後、世界に向かって新しい共和国の独立を宣言したが、旧宗主国のオランダはこれを認めようとせず、一九四九年一二月まで苦し

「テンポ」誌（2020年8月18日）

い戦いが続いた。

こうした歴史を思い起こし、二〇二〇年ウイルス危機においても命を顧みず危険な業務に従事している医療関係者と七人の医療先駆者の奮闘を重ね合わせて、彼らから勇気とヒュマーニズムを学び現在直面するパンデミックに立ち向かおう、と同誌は訴えるのである。

本章はインドネシアのこれからを考える一助として、上記「テンポ」誌およびポルスの『インドネシア培養』を主に参照しつつ、近代医学とナショナリズムの関わりの観点から、新型コロナウイルス危機によって生じた、インドネシアにおける国家アイデンティティー問い直しを取り上げる。

ナショナリズムの起源となった医学校

インドネシア・ナショナリズム研究の第一人者であった土屋健治は、その起源を次のように叙述している。

　インドネシアのナショナリズムはいつどこで誰とともに始まったのか、という問いは実はいまだ十分に答えられていないと思う。ただ、近代的な意味での誕生ということになれば、それは一九〇八年に、バタヴィアの医師養成学校（STOVIA）の学生たちを中心に結成されたブディ・ウトモから始まる。（土屋健治『インドネシア　思想の系譜』勁草書房）

東インド医師養成学校（STOVIA＝The School tot Opleiding van Inlandsche Artsen）は、現在のインドネシア大学医学部の前身である。オランダ領東インド（現在のインドネシア）において、一九世紀の植民地支配者たちは現地社会の福祉や教育を放置してきた。二〇世紀初頭、そうした植民地政策が見直されて、現地住民の「成長と発展」を促す啓蒙主義的な政策が導入された。「倫理政策」と呼ばれる新政策において、原住民の子弟に対する教育の普及、道路等のインフラ整備、保健衛生状態の向上等に優先順位が高くつけられた。

この「倫理政策」によってSTOVIAが設立されたのだが、植民地政府が「倫理政策」を採用したのは、「進んだ近代文明を未開の原住民社会に伝える」という、上から目線の啓蒙精神のみならず、植民地経営上の必要性を認識していたからでもあった。

そもそも一九世紀後半までオランダ植民地当局は、支配地域住民の保健衛生に注意を払おうとはしなかった。一九世紀はじめ植民地経営に関わるオランダの役人・軍人・貿易商にとって、蘭領東インドはマラリア、デング熱、赤痢、腸チフス、コレラ、結核などの風土病、疫病が蔓延する世界で最も不健康な土地、「ヨーロッパ人の墓場」と恐れられていた。ハンス・ポルスの前述書によれば、本国から植民地に進駐した連隊兵士全員が三年以内に病に斃れた時期もあり、在住西洋人の三分の一が病死するという年もあった。当時の西洋人医師たちは、欧州人植民者たちの死亡率の高さに気をとられた。そして西洋人の死亡率の高さは、冷涼な気候で育った欧米人の体質が熱帯風土に合わないからと考え、いかにして西洋人を現地順応させるかという観点から、植民地政府による医学研究が進められた。ここでは人種的体質が、疫病発生の重要ファクターと認識され、現地住民の健康衛生は考慮されなかったのである。

ペストと戦う青年インドネシア人医師たち

こうした植民地政府の医療認識を変えたのが、一九世紀後半パスツールとコッホによる「多くの病気が細菌などの微生物感染が原因」という発見だった。病気の伝染を防ぐには殺菌が重要と認識され、不衛生な環境が疫病を招くことから、社会的には上下水道の整備や食品の衛生的な管理、個人の取るべき行動としては手洗いうがいの励行、調理時の十分な加熱への心がけが重要と医師たちは植民地政府に助言した。寄生虫による発病メカニズムも解明されてきた。

人種体質が問題ではなく、衛生環境が問題であるならば、オランダ植民地政府は西洋人のみならず現地住民の衛生環境まで改善する必要がある。そうしないと、現地住民社会の感染症蔓延は西洋植民者の感染リスクをも高めるからだ。かくして「倫理政策」において、原住民の保健衛生向上が重点分野として取り上げられたのである。

「倫理政策」によって原住民の教育に力を入れ始めたオランダ植民地政府は、まずジャワの貴族（プリヤイ）子弟にオランダ語を身につけさせ、その上で医療、法律、工学などの専門的教育を施した。この専門教育を施す学校が、バタヴィアの医師養成学校（ＳＴＯＶＩＡ）、行政官養成学校（ＯＳＶＩＡ＝Opleiding School voor Inlandsche Ambtenaren）であり、さらにバンドンの高等工芸学校、ボゴールの薬学・農学専門学校である。ＳＴＯＶＩＡは一八五一年開設のジャワ医学校を前身として、一九〇二年に正式に設立された。

二〇世紀初頭に蘭領東インドに設立されたこれら教育機関の本質は、オランダの植民地支配体制を支えるための現地人中間テクノクラート養成なのであるが、こうした現地人の青年エリートの中に、新たな国民国家の形成、ナショナリズムの種子がまかれ、やがてそれは独立を求める民族運動として芽を出してゆくこととなる。

STOVIA創立メンバー（Kementerian Pendidikan dan Kebudayaan）

前述土屋の言及の通り、インドネシア・ナショナリズムの起源とされるのが、STOVIA内で一九〇八年に結成された団体「ブディ・ウトモ」である。「ブディ・ウトモ」とは、「高貴なる徳」を意味する。

ブディ・ウトモ結成のきっかけを作ったのは、ワヒディン・スディロフソド医師である。ブディ・ウトモの精神を体現するような高潔な人柄であった。医師として植民地体制下の劣悪な状況に置かれている庶民の窮状を見つめてきた彼は教育の重要性を確信し、貧しい子弟のための奨学金を集めるために各地を行脚する旅を続けていた。旅の途中、STOVIAを訪問したワヒディン医師の演説に感銘を受けたストモら学生たちが、教育、産業振興を通じた原住民社会の発展をめざす団体設立という行動に出たのである。

一九〇八年一〇月にジョクジャカルタで第一

回の結成大会が開かれ、彼らは貧困家庭子弟向け奨学制度や初等学校設立などの活動に取り組んだ。その後、この団体は高い理想を掲げる学生から保守的な植民官僚層に指導権が移り、その輝きを失って衰退していくことになる。しかしSTOVIA、ブディ・ウトモで新しい時代の精神に触れた卒業生たちは、その精神を受け継いで、植民地社会の現場で格闘を始める。

その一人が、独立の父スカルノにも大きな影響を及ぼした、初期インドネシア民族運動の重要指導者チプト・マングンクスモである。権力におもねらない一言居士として知られた彼は、一九〇五年にSTOVIAを卒業し医療活動に従事する傍ら、「東インド人のための東インド」をスローガンに掲げ、一九一二年「東インド党」を結党した。オランダ植民地支配下にある現地諸民族の独立を要求する最初の政党である。

「テンポ」誌（二〇二〇年五月一九日）は、一九一一年東ジャワの都市マランで発生したペスト流行と格闘するチプトの姿を描いている。一九一〇年から三九年までジャワ島において数次にわたるペスト流行で、命を落とした人の数は一九万人にのぼる。マランの危機では、「ペスト＝黒死病」の記憶から感染に怯えて、封鎖された現場で医療活動を行なうことを嫌がるオランダ人医師に代わって、一九一二年に動員されたのが、チプトらSTOVIA出身の現地人医師だった。

彼らは待遇面でもオランダ人医師と比べて不当な扱いを受けた。チプトらはマスクなど感染防止の十分な装備がないまま悪戦苦闘せざるを得なかった。村の巡回診療でマラリアやデング熱に罹患する医学生もいた。多くの犠牲者が出た村を訪問したチプトが、両親が病死したのか、あばら家に放置されたままの乳飲み子を発見し、その子を養女としたエピソードを、テンポ誌は紹介している。

流行がおさまり現地住民から英雄としてあがめられたチプトに対して、オランダ政府は勲章を贈ろうとしたのだが、彼は敢然と拒否し、東インド党での政治活動にエネルギーを傾注することになる。

感染症危機があぶりだした植民地政府の「倫理政策」の偽善性、背後にある人種差別意識が、チプト・マングンクスモに「植民地体制からの脱却、独立」という方向へと向かわしめる。新型コロナウイルス危機も、各国社会の亀裂、脆弱性を表面化させたが、一〇〇年前のジャワ島におけるペスト流行も植民地支配の矛盾を浮き彫りにし、それが新たな変革、インドネシア・ナショナリズムの形成へとつながっていったのだった。

「スペイン風邪」被害を拡大させた植民地当局の怠慢

新型コロナウイルス危機と関連でよく言及される一〇〇年前の一九一八年～二一年のインフルエンザ・パンデミック、いわゆる「スペイン風邪」は、蘭領東インドでも猛威をふるった。この危機においても、被支配民の健康衛生を軽視する植民地体制の体質が被害を甚大なものとした。

一九一八年三月欧米諸国で感染が拡大する状況にあって、同年四月にシンガポール駐在オランダ領事は蘭領東インドへの感染拡大を懸念して、バタヴィアの港湾における香港航路船舶の接岸、乗客の上陸をストップするよう警告を発していたのである。しかしオランダにとって大切なビジネスである貿易業務の停滞を懸念して植民地政府は具体的な措置を取らなかった。その結果、欧州、インド、東南アジア、中国、日本、米国までつながる貿易ネットワークの要であった蘭領東インドの主要港湾都市から「スペイン風邪」感染は列島各地にみるみる拡大、大量の感染者が発生することとなった。

「スペイン風邪」の蘭印上陸を伝える初期の記事として、一八年七月一七日「スマトラ・ポスト」紙が、東ジャワ・スラバヤで村人、海軍関係者、さらにスラバヤ刑務所内での受刑者感染の発生を報じた。それから感染は東ジャワ、スマトラ島沿岸部、中部ジャワ、バタヴィア、カリマンタンへと拡大していった。植民地政府が対策本部を立ち上げたのは一一月になってからである。その時点では、七月の第一波に続いてより大規模な感染第二波が一〇月からこの地域に襲来していたのだった。後世の研究によれば、一九一八年から一九年にかけて「スペイン風邪」の蘭領東インド犠牲者数は少なくとも一五〇〇万人以上とされ、四二六万から四三七万人に達したという説もある。

「スペイン風邪」は、近代教育を受けていないために感染対策の知識が乏しく、かつ医療サービスの恩恵が受けられない最下層から多くの犠牲者を出した。当時の医師たちは報酬が得られない原住民患者を診察するのを嫌がり、実入りのいい欧米系あるいは華人系患者を優先したという。

膨大な感染者の出現による医療崩壊状態の中、植民地政府が頼ったのはSTOVIA出身の現地人医師と学生たちだ。STOVIA最上級生の卒業は繰り上げられ、医学生たちは感染症との戦いの最前線に送り込まれたのだった。

「スペイン風邪」危機に直面して、医療現場を支えたのは、現地人医師たちの奮起だ。これを植民地政府当局も認めざるを得ず、彼らの社会的発言力は増大した。しかし、後にインドネシア医学界の指導者となったバーダー・ジョハン医師は、往時を振り返って「インドネシア人医師たちは植民地社会と正面から向き合わねばならなかった。医療現場にあっても、社会一般においてもインドネシア人は［オランダ植民地支配者から］二級市民と見下され、彼らの軽蔑と戦わねばならなかった」と述べている。近代医学を修めた現地人医師は社会的な地位を上昇させるにつれて、植民地権力の人種主義的差別を意識するようになっていった。胸中に高まる自信と植民地社会に存在する不平等に対する不満は、民族独立による世直しの希求へと化学反応を遂げていった。

医療ナショナリズムの形成

一九二〇年代になると、財政赤字を抱えたオランダ植民地政府に保守的な政治家ディルク・フォックが総督として就任し、啓蒙主義的な「倫理政策」を後退させて、緊縮財政とともに現地住民の権利要求に対する取り締まりを強化していく。「倫理政策」は「先進文明の西洋、遅れた文明の東洋」という認識に立ち、教師たる西洋が、生徒たる東洋を啓蒙し、いずれ東洋を立派な大人に仕立てあげるという理想像を抱いていた。上から目線とはいえ同じ人間という認識があった。しかし一九二〇年代のオランダ植民地支配層では、「現地住民は知的理解の欠けた、劣等な、自分たちとは異なる人種」という認識が強まった。英国詩人キップリングの言葉「東は東、西は西」の通り、両者は交わらないというのである。

支配者側の人種差別的、分断主義的認識に反発して、被支配者側の要求も、自分たちの権利の拡大から、自治権要求、そして植民支配からの解放、独立要求へと変化していく。その中で、オランダの植民地支配を受けている様々なエスニック集団が団結して「インドネシア民族」という新たな民族を形成するのだというインドネシア・ナショナリズムが形成されていく。このインドネシア・ナショナリズム形成に、STOVIA出身者ら医療関係者も少なからぬ役割を果たしている。

「東インド協会（Indische Vereeniging）」は一九〇八年オランダで、当初植民地政府に協力的なインドネシア留学生たちの親睦団体として設立されたが、一九一三年STOVIA出身のチプト・マングンクスモらが参加して政治性を高め、さらに一九二一年同じくSTOVIA出身のストモ医師が会長に就任し、一九二三年にはオランダ留学中のモハマド・ハッタら独立運動家が参加し、さらに急進化した。一九二四年に名称にインドネシア語を用い「インドネシア協会（Perhimpunan Indonesia）」と改称し、会報の名称も「インドネシア独立（Indonesia Merdeka）」を掲げ、インドネシア独立運動の基調を決める重要な歴史的役割を担った。

オランダ植民地政府への非協力を唱えるハッタ（後のインドネシア共和国初代副大統領）は、一九二七年非合法活動を行なったという嫌疑で逮捕され、獄中で「インドネシアに自由を」という弁明文を書き、無罪・釈放となった後、この声明を出版し、インドネシア民族主義者に大きな影響を与えた。ハッタはこの中で、インドネシアで植民地支配への異議申し立てが低調なのは、植民地支配の中で植えつけられた白人に対する劣等意識ゆえとして、科学という権威を装った白人優越意識を打破し、精神の自立が必要である、と説いている。ポルスは、ハッタのこの主張には、アンボン出身の精神科医ラトムテンらの言説が影響を与えている、と指摘している。ラトムテンは、一九一〇年代から、オランダ植民地政府の医療行政の中にインドネシア人医療関係者に対する差別的扱いが存在することに抗議の声をあげてきた医師である。

一九三〇年代に入って、民族主義と医療を結びつける医療ナショナリズムを主導したのが、スマトラ島バタック人の医師アブドゥル・ラシードである。STOVIAを一九一四年に卒業し、スマトラ島でマラリア撲滅運動に関わって実績をあげたアブドゥル・ラシードは、東インド医師協会会長、植民地議会議員に就任し、医療と政治の両面で活発なリーダーシップを発揮した。彼は公衆衛生の非中央集権化、脱植民地化を説いた。

この時代、公衆衛生の専門家のあいだで、地域に根付いた慣習(adat)、地元で採れる薬草を用いた伝統医療への再評価が高まりつつあった。従来、西洋医学の立場からは、非西洋の伝統医療は、非科学的、迷信、薬効なし、と見下されてきたが、風向きが変わったのである。アブドゥル・ラシードは、医療の観点から、公衆衛生行政の非中央集権化を説いた。列島各地域の伝統社会共同体のリーダーこそが各エスニック集団の文化的感受性、地域事情を知り、それぞれの地域に適した公衆衛生のイニシャティブを発揮できる、と彼は説いた。近代医学を修めた蘭領東インドの医師たちは、伝統医療を下に見る植民地主義的認識から脱し、西洋近代医学をことさらに持ち上げることを止めて、伝統医療と西洋近代医療をつなぐ触媒者の役割を果たすべきである、というのである。

一九三九年の「フォルクスラート(植民地議会)」演説において、アブドゥル・ラシードは「インドネシア民族主義者」として、インドネシア各地の文化伝統を再評価し、地域医療を担ってきた伝統医療関係者に敬意を持ち、地域の公衆衛生を彼らのイニシャティブに任せるべきである、と述べるともに、公衆衛生公共政策を作るのはインドネシア人医師たちであらねばならず、彼らは人種の違い、貧富の違いを超えてすべての人々に奉仕すべきだ、と述べている。

現在国際社会が共有する医療原則「プライマリー・ヘルスケア」は、健康を基本的人権として「すべての人に健康を」を説き、地域住民の自己決定権、主体的参加を求めている。伝統医療を再評価し、万人への奉仕を説くアブドゥル・ラシードの医療ナショナリズムは、「プライマリー・ヘルスケア」の先駆けとして評価されてもよいものであろう。しかしアブドゥル・ラシードは、その後の日本軍政時代、オランダに代わる支配者となった日本への協力姿勢が、インドネシア独立後に批判を受け、インドネシア医学史において中心から片隅に追いやられることとなる。

日本軍政期の医療ナショナリズム

医療とインドネシア・ナショナリズム形成の歴史に関し、日本も、第二次世界大戦時の軍事占領を通じて、少なからぬ関わりがある。

日本軍政がインドネシア・ナショナリズムに与えた影響については、インドネシア・欧米・日本でも様々な研究が行なわれており、日本語文献では倉沢愛子『日本占領下のジャワ農村の変容』（草思社）という大著もあるが、医療・保健分野はそれほど注目されてこなかった。倉沢は松村高夫と共著で、南方軍防疫給水部傘下の陸軍防疫研究所による秘密ワクチン開発、これに関連しワクチンを不正に投与した罪でエイクマン研究所モホタル所長を処刑した事案（インドネシア医療関係者は冤罪を主張）に光をあてた『ワクチン開発と戦争犯罪』（岩波書店）を発表し、日本軍のワクチン戦略がもたらした悲劇を掘り起こしている。

小林和夫は翼賛組織として設立された「ジャワ医事奉公会」の設立過程に焦点をあてた論考「日本占領期ジャワにおける大政翼賛運動の嚆矢——ジャワ医事奉公会の設立過程」（創価人間学論集11）を発表している。この分野での更なる研究の進展に期待しつつ、ここでは倉沢、小林、ポルスの研究を参照しながら、日本軍政期における医療とインドネシア・ナショナリズムの関係を一瞥しておきたい。

一九四二年三月日本軍はジャワ島に上陸し、オランダ植民地政府を降伏させ、三年五ヵ月に及ぶ軍政支配を開始した。蘭領東インドは三地域に分割され、ジャワは陸軍第十六軍の支配下に入った。長年この地を支配してきたオランダを駆逐した日本軍が掲げる大東亜共栄の理念に、当初多くの蘭領東インド医師たちは歓迎の意を示した。

軍政当局はオランダ時代の諸組織を解散させた後、新たな体制作りに着手し、一九四三年四月二九日ジャカルタ医科大学を設立している。その教授には、日本軍政支配前に存在していたスラバヤ医学校とバタヴィア医学校の教員の中から任命された。同大学の学長には九州帝国大学医学教授であった生理学者の板垣政参（まさみつ）が就任した。満州事変を主導した関東軍の板垣征四郎の兄である。

小林は、東インド医師協会に代わって作られたジャワ医事奉公会に注目する。日本軍政当局はインドネシア医師たちの社会的地位の高さ、影響力に着目した。総力戦遂行に必要な民心獲得のために彼らを動員することを考えてジャワ医事奉公会を一九四三年八月に結成させている。これが大政翼賛運動の嚆矢となり、後の「ジャワ奉公会」設立につながったことを、小林は論じた。

アブドゥル・ラシードの医療ナショナリズムは、植民地主義を否定し、共同体への奉仕、東洋が有する精神主義の西洋物質主義超越を説く。つまり、ラシードの主張には大東亜共栄イデオロギーに共鳴する要素があった。ということもあって、アブドゥル・ラシードはジャワ医事奉公会の会長に就任し、同胞に対して大東亜共栄建設への協力を呼びかけている。

しかし軍人による暴力、現地住民に対する差別的言動、食糧や医薬品不足、労務者徴用などの新たな支配者の苛政によって、大東亜共栄の理想への期待は失望に変わっていった。

ジャワの医師たちの反応は、日本軍政に積極的に協力する者、中立的立場をとる者、反発する者の三つに分かれた。アブドゥル・ラシードのように日本軍政に積極的に協力する者もいたが、シニア世代の医師は、公衆衛生行政の要職にあったオランダ人医師の放逐によって空席となったポストに自らが就けたこと自体は歓迎しつつも、政治から距離を置いて状況を静観する者も多かった。医学生や若手医師は次第に反発、抵抗する姿勢を示した。一九八〇年から八七年まで国連大学学長で、インドネシアを代表する国際派知識人として知られたスジャトモコも、ジャカルタ医科大学の医学生時代に、日本軍政に反対する運動に関わり、放校処分を受けている。

一九四三年一〇月、ジャカルタ医科大学内でストライキが発生した。軍人による強制的な坊主刈り、教師による学生ビンタに反発するものだった。エリート予備軍を自認する誇り高い医学生にとって、坊主刈りやビンタは耐えがたい屈辱的な経験だった。

日本軍政への反発から、抵抗運動に参加した若い医学生、医師たちは、独立後医療分野のみならず、行政や軍の重要ポストにつき、新しく誕生した共和国の国家建設を主導していくこととなる。インドネシア赤十字の創設者にして、初代保健大臣をつとめたブンタラン・マルトアトモジョが、その一例だ。

独立後に政府が編集した公式の「インドネシア保健医療史」は、インドネシアの保健衛生にとって、日本軍政期をみるべき成果のなかった時代と位置付けている。この時代を経験した医療関係者の多くが「インフラの欠如と食糧不足から公衆衛生状態が悪化し、医療サービスが低下した」と証言したという。

「親日国インドネシア」をめぐる誤認

ところで日本社会に流れるインドネシア独立をめぐる俗説に「インドネシアが親日的なのは、日本がインドネシア独立戦争をともに戦い、独立を助けたからだ」というものがある。これをうのみにして、インドネシア人と接すると危うい。いくつかの重要な事実誤認がある。

第一に、確かに現在のインドネシアは、世界有数の親日国であり、漫画・アニメから食文化、古典芸能に至るまで日本文化が大好きで、日本人に親近感を抱いていることは間違いない。しかし独立以来ずっとこの国が親日的だったわけではなく、私が初めて足を踏み入れた八〇年代には少なからず反日感情も存在していた。その理由の一つは、第二次世界大戦期日本のインドネシア軍政支配が苛政であったと記憶する占領体験世代がまだ存命であったことだ。

第二の誤認は、インドネシア独立戦争時の日本の立場をめぐるものである。国としての日本はインドネシア独立戦争を支援していたわけではない。というのは、降伏した日本に対し、連合国側は、インドネシアの現状を維持したまま、連合国軍に引き渡すことを命令した。日本降伏直後、連合国側がまだインドネシアにやってきていない権力の空白状態の中で、独立を宣言したインドネシア共和国軍は、残留する日本軍に武器の引き渡しを要求してきた。しかし「現状のまま引き渡し」という連合国からの指示があるため、日本側はこれを拒否せざるを得なかった。つまり連合軍に無条件降伏した時点で、日本は、アジアを植民地から解放するという錦の御旗を降ろしているのだ。様々な理由からインドネシア共和国軍に身を投じてインドネシア独立戦争を戦った日本兵たちはいたが、それはあくまで個人の立場のもので、日本の公式の立場ではない。逆に軍当局から、彼らは「逃亡兵」の汚名を着せられ、名誉回復まで長い時間がかかった。

上記の通り、日本はインドネシア独立戦争をインドネシアの人々とともに戦ったわけではない。事実が俗説の正反対であることを統計が示している。すなわち一九四五年八月一五日の終戦から四七年五月の日本人引き揚げまでの二年間日本軍（第十六軍）の死没者は一〇五七人で、うち戦死者数は五四四人である（宮元静雄『ジャワ終戦処理記』ジャワ終戦処理記刊行会）。日本軍がインドネシアに侵攻した時の戦死者（八四五人）の六〇％を上回る戦死者が出たのである。戦死者が出たのは、日本軍が保持していた武器の引き渡しをめぐって、日本軍とインドネシア独立急進派との間で発生した紛争の結果である。日本がインドネシアとともに戦ったゆえの戦死者ではなく、日本とインドネシアとのあいだの戦闘の結果、生じた戦死者なのだ。

なお歴史家後藤乾一が『火の海の墓標』（時事通信社、めこんより復刻）でその生涯を余すことなく描いた市来龍夫＝アブドゥル・ラフマン、吉住留五郎＝アリフ・ヨシズミのように、インドネシアの人々との交流を通じて、彼らの独立への志に共鳴し、国家・軍の方針に抗し、最後は「インドネシア兵士」としてかの地で斃れた日本人もいたことを忘れないでいたい。インドネシアとともに独立戦争を戦い、独立後もインドネシアに残り、そこで人生をまっとうした人々「元残留日本兵」の子孫たちの組織「福祉友の会」によって、「元残留日本兵たちの資料を保存する「残留日本兵資料館」が二〇二三年にジャカルタに開設されている。

保健医療の先駆者の死

この混乱の中で命を落とした一人に、生きていれば独立インドネシアの医学界の屋台骨を背負っていたかもしれない、有能で志の高い医者がいた。カリアディ医師である。前述「テンポ」誌（二〇二〇年八月一八日）他を参照しながら、彼の生きた道をたどってみたい。

一九〇五年東ジャワ州マランで生まれたカリアディは、スラバヤの蘭領医学校（NIAS＝Nederlandsch Indische Artsen School）を一九三一年に卒業し、スラバヤにある病院で前述のブディ・ウトモ創始者ストモ医師の助手として働き始める。三ヵ月の短い期間ではあったが、民族主義運動の指導者でもあるストモ医師とともに働いたことは、カリアディの生き方に大きな影響を与えた。

その後、蘭領東インド政府は、新米医師をパプア島マノクワリに派遣する。そこは、マラリア、ジフテリア、フィラリアが猛威をふるう地であった。そこで彼は広大な熱帯雨林の大地を歩きながら巡回医療に従事し、同時にマラリア蚊の研究を始める。僻地の医療現場でも植民地体制の矛盾を感じることがあったようだ。マラリア蚊の新種を発見したにもかかわらず、オランダ人上司の手柄にされてしまったと、カリアディは家族に嘆きの手紙を送っている。

三年間のマノクワリ勤務の後、中部ジャワ・クロヤ、カリマンタン島マルタプラの政府病院で、カリアディはキャリアを重ねていった。貧しき民には自分の負担で薬を処方するなど、誠実で徳の高い医師は、赴任した先々の地域社会に溶け込み、民衆から慕われていた。マルタプラでの医療業務の傍ら、マラリアやフィラリアの研究に取り組み、蘭領東インドの医学ジャーナルに論文を数回にわたり投稿し、マラリア対策の専門家として評価を確立している。

マルタプラ勤務の最後の年、一九四二年日本軍が蘭領東インドに侵攻し、オランダ勢力を駆逐し、日本軍による軍政支配が始まった。マルタプラでオランダから日本への権力移譲を見届け一九四二年五月にカリアディは家族の待つスラバヤに戻った。

日本の軍政支配は、保健医療という本来非政治的な分野に政治性を帯びさせることとなった。欧

診療するカリアディ医師（「テンポ」誌2020年8月18日）

米の植民地支配体制を打破するには強い精神と肉体が必要とされ、日本軍政は医療関係者に、質実剛健な「東亜の民」作りへの貢献を求めた。学校教育と結びついて「体操」や「教練」が奨励された。軍政下の国民学校唱歌としてジャワ全土で教えられた「東亜のよい子供」の歌詞の一番には「励む体操、元気よく／強い体にこの郷土／護る力を蓄える／我らは東亜のよい子供」とある。日本軍政開始とともにスラバヤ医学校やバタヴィア医学校など高等教育機関は閉鎖されていたが、現地の医療を担う医師育成を目的にジャカルタ医科大学が創設されたのは前述の通りである。

カリアディ医師は、スラバヤに戻った後、マルタプラでのマラリア研究・対策の実績が買われ、一九四二年七月に要請を受けて、中部ジャワ・スマランの中央人民病院マラリア研究所長に就任する。ここでの彼の功績は、戦局の悪化により医薬物資が不足する中で、感染症治療に不可欠な顕微鏡用イマージョン・オイルを現地調達可能な植物からの製造したことである。

一九四五年八月に日本は連合軍に無条件降伏する。敗戦後の混乱の中、スマランで一〇月一五日から一九日まで発生したのが「スマラン事件」あるいは「五日間戦争」と呼ばれる事態である。この戦闘で、日本軍側は死者二八名、行方不明者一五人、インドネシア側は数千人の犠牲者が出たと推定される。さらにブル刑務所に監禁されていた日本人一四九人が虐殺され、行方不明三〇人が出て、カリウンでも日本人民間人五〇人が虐殺されるという悲劇もあった（宮元『ジャワ終戦処理記』）。

この悲劇に先立って、独立を宣言したインドネシア政府は人民保安団を各地に結成し、一〇月一〇日スマランの人民保安団は日本軍守備隊（城戸大隊）に武器の引き渡しを要求、連合軍の指示に従い現状維持を図る城戸隊はこれを拒否したことから、両者のあいだで緊張が高まった。

一〇月一四日夜、人民保安軍指揮下の警察に拘束された日本人軍人・民間人が大量脱走する中、スマラン郊外にある飲用貯水池に日本軍が毒を入れたという噂が拡がった。この報に接し、真偽を確かめに現地に向かったカリアディ医師は戦闘に巻き込まれ銃撃を受けて死亡した。スマラン事件の最初の犠牲者となったのである。

インドネシアで最高の医療技術を誇るジャカルタの総合病院に「チプト・マングンクスモ」の名が冠せられているのと同様に、一九六四年カリアディの功績をたたえ、スマランの中央人民病院は「ドクター・カリアディ病院」と名称を変えた。新型コロナウイルス危機では中部ジャワ地域の拠点病院として、感染症との戦いに挑み、多くの命を救った。

医者と世直し

歴史を振り返ってみると、一九世紀から二〇世紀にかけてアジアの民族運動指導者には医師出身が多いことに気づく。

中国革命の父、孫文は二〇代の頃、香港西医書院（香港大学の前身）で西洋医学を学び、マカオで医院を開業していた。医学校で学んだ頃、封建社会が抱える問題を解決するためには革命が必要と考えるようになり、医療から政治へと転身していった。

フィリピンの国民的英雄とされるホセ・リサールも同様だ。スペイン植民地体制下のフィリピン、セント・トーマス大学医学部を卒業した彼は、スペイン、ドイツで近代医学と哲学を修め、フィリピン帰国後、医者として診療活動に従事するとともに、フィリピン独立運動に力を入れるようになっていく。現代の強烈なアジア民族主義者、マレーシアのマハティール元首相も同国独立前、医者をしながら、政治活動を始めた。

日本の近代化の夜明け、幕末から明治初期の指導層にも医師出身の者は少なくない。日本近代医学の祖、緒方洪庵の適塾で学んだ俊英には、東京大学初代医学綜理池田謙斎、アドレナリン発見者高峰譲吉、慶應義塾の創始者福沢諭吉のような医学者、教育者以外に、志士の橋本左内、日本近代陸軍の創設者大村益次郎、清国駐箚公使として外交で活躍した大鳥圭介など、医学を超えた幅広い分野で日本近代化の礎を築いた人々が含まれている。

彼ら若き医師たちは、西洋の先進近代文明を消化し、それを自分たちが属する非西洋社会に伝える伝道者の役割を担っていた。幕末に西洋近代医学を日本に教授するために長崎にやってきたオランダ軍医ポンペは、「貧富・上下の差別なく医者は患者に向き合わねばならない」という近代医学の医療倫理の神髄を日本人の弟子たちに教えた。西洋近代医学を修めた感受性の鋭敏なアジアの若者たちは、この「誰にも公平な医療を」という近代医療倫理と植民地社会・封建社会の現実とのギャップに呻吟する。そして病気を治すということは、単に医療行為だけで完結する問題ではなく、生活環境・衛生・保険制度・教育等社会体制の改善に関わることと認識する。こうして医師が政治、社会改革運動に踏み出していったのである。

医療は医療だけに終わらない、というのは今日も同じだ。国際社会の共通目標SDGs「持続可能な発展目標」中の第三目標は、「すべての人に健康と福祉を」である。貧困国における乳幼児死亡の直接原因の四〇%は、肺炎・マラリア・下痢といった感染症によるものと言われている。その背景にあるのは、乳幼児の栄養不良、親の教育不足、劣悪な衛生環境だ。つまり乳幼児死亡率の高さは貧困と結びついている。二〇一九年にアフガニスタンで凶弾に斃れた中村哲医師が、人生の後半において医者でありながら土木知識を学び、戦乱と旱魃で荒んだ野原に運河を掘り始めたのは、「安全な水の供給が貧困・飢餓・不衛生な環境改善に不可欠である。それがこの国に安定と平和をもたらす」という信念からだった。

新型コロナウイルスは途上国のみならず、アメリカのような先進国でも貧困層を直撃し、医療崩壊が起きた現場ではトリアージという命の選択を、医師たちに迫った。

「貧富貴賤に関わらず、国民は皆、法の下に平等であり、同じ義務と権利を有す」。これが国民国家の基本原理である。国際社会の共通目標でもある「誰一人取り残さない」という医療倫理が踏みにじられる時、その社会体制の統治正統性は失われていく。一〇〇年前のパンデミックは、不平等なオランダ植民地社会を揺るがし、インドネシア・ナショナリズムを芽生えさせ、平等な「インドネシア国民」によって構成される「インドネシア共和国」という新しい国民国家を誕生させた。

本章では、差別的医療への疑問から始まった、若い医学生のオランダ植民地当局への異議申し立てが、インドネシア・ナショナリズムの源流となった歴史をふりかえった。インドネシア共和国がパンデミックに直面して、社会的階層、地域に関係なく公平な医療サービスを提供できないとなると、体制変革を求める声が高まる。新型コロナウイルス危機は、国民国家としての真価を問うたのである。

終章　日本・インドネシア関係の未来に向けて

「グローバリゼーション」と連動する「イスラーム化」「デジタル化」

　序章で述べたように、本書の狙いとするところは、国際的にも、日本にとっても、重要性が増しつつある現代インドネシアに関し、この国で起きている変化に焦点を当てることで、この国とその社会の今後を展望したい、ということであった。

　二〇年を超える経済成長は、インドネシア社会を様々な面において大きく変えた。その中で特に注目したのが「イスラーム化」（第1章）と「デジタル化」（第2章）である。

「イスラーム化」と「デジタル化」のいずれも、二一世紀初頭の世界で勢いを増した「グローバリゼーション」と連動する変化とも言える。

インドネシア社会の「イスラーム化」については、その是非をめぐって様々な議論がある。本書では、インドネシア・イスラームが従来有しているとされてきた、異なる宗教や価値観に対して対立を避け、中庸を重んじる寛容性の美風が失われつつある状況に注目した。このイスラームの「非寛容化」現象は、アチェにおいて顕著であるが、そこにはその地方特有の政治・経済状況も絡んでいる（第7章）。「非寛容化」の極致とも言える、イスラーム法に基づく国家樹立のためには暴力も辞せずというイスラーム過激組織の主張が、アチェに限らず、各地の若者のあいだで静かに支持層を拡げつつある。「宗教紛争」やその際の治安当局の横暴な対応を経験した中部スラウェシ・ポソでは、少なからぬ住民が隠れたイスラーム過激組織シンパなのである（第8章）。

しかし「非寛容化」のベクトルが強まると、それに抗する動きもインドネシア・イスラーム内部で活発化してくる。西洋のリベラルな価値観とイスラームの共生は可能、あるいはイスラームそのものがリベラルな価値観を包含していると主張する人々の存在も軽視できない。その代表格として、「イスラームは男尊女卑の宗教」というステレオタイプなイメージを拒否し、イスラーム流フェミニズムを育んでいこうとするイスラーム女性組織の言説を紹介した（第4章）。

「イスラーム化」の衝撃は、イスラーム社会のみに限らない。ジャワ島の「イスラーム化」が刺激となって、東隣のバリ島ではバリ・ヒンドゥー文化の復興運動「アジュグ・バリ」が活性化している（第6章）。またバリで受容されてきた昔ながらのヒンドゥー信仰は、本場インドのヒンドゥーとはかなり異なる信仰形態だったのだが、グローバリゼーションの副産物として二〇世紀後半インドで力を増した排外的なヒンドゥー・ナショナリズムがバリに持ち込まれている。インドネシアの国家建設の一環として行なわれている国際観光開発が、バリ人の自己認識を変えつつある（ヒンドゥー宗派意識の強化）という側面もある。バリの変化は複雑だ。

「日本よりも技術導入が一歩遅れた途上国」という手垢のついたイメージにとらわれていると見落としがちなのが、インドネシア社会のデジタル化だ。スハルト政権の半ばまで、情報通信技術は国家が管理し、制御していたが、この政権の後期に、衛星放送の受信によって海外情報がインドネシア国内に流入し、テレビ放送の国家独占政策が見直されて民間放送局の開設が続いた。これを端緒として、民主化時代に一気に情報流通の自由化が加速した。折しもインターネット技術がこの国に持ち込まれ、あっという間にインドネシアはネット利用者規模が世界一〇位以内にランクされるICT利用大国となったのである。

世界各地でICTの光と影をめぐる議論が交わされているが、インドネシアも例外ではない。ジョコ政権は、デジタル経済にインドネシア発展の牽引車の役割を担わせようと期待するとともに、民主主義の強化に活用しようと目論んだ。しかし皮肉なことに、同政権において、フェイクニュースやプライベートの侵害等インターネットをめぐる負の側面が目立つようになった。そして政権自体が権威主義的な情報政策へ傾斜しているように見える。政府の権威主義化の流れに対して、本来民主主義の番人たるべきメディアでは、産業としてコングロマリット化と寡占化が進行しており、ジャーナリズムの衰退現象が起きている。

こうした政府、メディアの動向は、この国の民主主義を不安定化させているが、他方民主主義の成熟を感じさせる変化もある。デジタル市民運動の盛り上がりである。ICTを駆使して権力の恣意的運用をチェックする市民運動が様々な工夫をこらし、アーティストたちは自由な発想で民主主義の言論空間を押し広げている。こうしたデジタル化とアートの力を活用して、過密都市が抱える様々な問題を解決し、魅力的な社会を作ろうという模索を続けて、変貌を遂げつつあるのが西ジャワの大都市バンドンだ（第3章）。

そして「イスラーム化」と「デジタル化」というインドネシア国内の社会変化は、インドネシア外交にも影響を及ぼしている。スハルト政権崩壊後の国内の混乱をおさめることに精一杯だった時期を脱し、安定を取り戻したインドネシアは、より積極的に国際社会に関わっていこうとしている。そうした姿勢の中で、本書ではインドネシア外交の傾向としてイスラーム外交（第13章）新・非同盟外交（第14章）を取り上げる一方、国際的に存在感を高めるインドネシアに対する中国の文化外交、それに絡むインドネシア華人のアイデンティティーについて述べた（第15章）。

アフガニスタンで女子教育を抑圧するタリバンへの、イスラーム民間組織チャンネルを用いた働きかけが、イスラームを外交資源として活用するインドネシア外交の一例である。その背景には、経済成長・民主化とイスラーム化を両立させているという自信がある。

またウクライナを侵略したロシアを非難する欧米日とは一定の距離を置き、独自のスタンスを貫くインドネシア外交には、スカルノ初代大統領が展開した非同盟主義のＤＮＡが流れている。グローバル・サウスの一翼を担う新興国として自信を深めるインドネシアの新しい非同盟主義は、世界が米中二極化ではなく、多極化に向かいつつあることを告げている。

以上述べた通り「イスラーム化」と「デジタル化」という社会変容は、究極的にはインドネシア国家のアイデンティティーのあり様にも影響を及ぼすだろう。

「歴史」となったインドネシア独立

二〇一五年八月一七日、インドネシア独立七〇周年の日、私はジャカルタにいた。その日、街に出てみると七〇年という節目の年であるにもかかわらず、思ったよりも淡々とその日を迎えているような印象を受けた。

この印象はジャカルタ市民も同様だったようで、「ジャカルタ・ポスト」紙のベテラン記者エンディ・バユミは近年の独立記念日が今ひとつ盛り上がりに欠ける現状を「多くの人々にとって独立記念日は、他の国民祝日と変わらない、単に仕事がない日と考えられている」と書いていた（「ジャカルタ・ポスト」紙二〇一五年八月一六日）。

エンディは一九五七年生まれで、私とほぼ同世代。インドネシア独立は彼が生まれる一〇年以上前の話で、自身は実体験としての「独立」を知らない。とはいえ、彼が大人になるまでの一九六〇年代から八〇年代には、自分たちの両親や周囲の身近な年上の人々から、独立前、日本軍政支配、そして独立について生々しい話を聞く機会がいくらでもあった。毎年めぐってくる独立記念日には、村々や都市部の隣組（この組織自体が日本軍政期の「遺産」）でも様々な地域コミュニティーの催しがあって、そういう場で人々は盛んに愛国歌を歌った。皆が共に歌うという共同作業は、新しく誕生した国民国家が人々に「国民」意識を抱かせ、普及する上で重要な役割を担っていた。

しかし、そうした愛国歌を歌う機会はめっきり減ってしまった。政府がTVやその他メディアを通じて国民に独立精神を鼓舞する試みを行なっているが、上からの押し付けでは国民感情は盛り上がらない。ショッピング・モールの独立記念日セールスは愛国心というよりも商売の都合から組まれたものだ。国家に対して市場の力が強くなっているのは、グローバリゼーション時代において世界各地で見られる現象でもある。

エンディは、「愛国歌が独立精神を反映するものならば、今我々は新たな愛国歌を必要としているのかも知れない」と呟く。

インドネシア独立は、身近な「過去」から、生乾きの「歴史」となり、さらにそれが正真正銘の「歴史」となりつつある。インドネシアの若い世代は、そんな時代を生きている。別の角度から見れば、かつての青年にとって「想像の共同体」であり、目指すべきものであった「インドネシア国家」は、現在の青年にとっては所与の現実となっている、とも言える。

国難とも言うべき新型コロナウイルス危機は、現代インドネシア国民にあらためて国家とは何か、社会とは何かを問う機会となった。インドネシア国家の起源において、貧富貴賤に関係なく生命はみな平等という近代医学倫理を学んだ植民地被支配民族の若者たちが、植民地体制の差別に怒り、変革を求めて行動を始めたことが独立の萌芽となったという歴史を振り返る原点回帰は、インドネシア・ナショナリズムに再びエネルギーを注入する、新たな愛国歌を紡ぐ作業と言えるのかもしれない（第16章）。

対等なパートナーシップのための提言

インドネシアが建国一〇〇周年を迎える二〇四五年ごろ、インドネシアは日本を凌ぐ経済大国となっているかもしれない。かつて日本は「支援する側」、インドネシアは「支援を受ける側」であったが、もはやそのような図式で日本とインドネシアの関係を捉えるのは正しくない。「支援する」「支援を受ける」という関係によって日本とインドネシアが目指した「豊か」という概念そのものが今では自明のものではなくなりつつある。

第11章「北スマトラ諸州」に記した、スマトラ島の熱帯雨林の喪失・煙害の主因とされるアブラヤシ農園開発、生存を脅かされる先住民族の苦境といった地球規模にまで深刻度を増す課題を鑑みるに、九〇年代に開発のあり方に異議を唱えた人々の声（プロジェクト計画での情報公開。透明性・民主的手続きの担保、多面的な環境アセスメント、決定プロセスの住民の参加等）は、いずれも「開発とは何か」という問題提起であった。

さらにその先には、「豊かさとは何か」「貧しさとは何か」という古代から人類が考え続けてきた根源的、哲学的な問いが控えている。「世界で最も貧しい大統領」、前ウルグアイ大統領ホセ・ムヒカは、国連環境開発会議（リオ＋二〇）に出席して、新自由主義経済を突き進む世界を痛烈に批判し、貧者とは「無限の欲があって、いくらあっても満足しない人のことだ」と断じた。「本当の豊かさとは何か」、「持続可能な世界を作るために日本とインドネシアはいかなる協働の道を歩むべきか」、その問いへの答えは未だ見つかっていない。「本当の豊かさ」とは何か、その答えを求めて、ますます両国は「対等のパートナーシップ」を磨いていく必要がある。

「対等のパートナーシップ」に不可欠なのは、お互いの相互理解だ。相互理解という観点に立った時、日本の文化交流は、質量ともに絶頂期だった九〇年代と比べて、筋力が落ちて退歩しているのではないかと思うことがある。短期的に成果が出る交流事業に傾斜して、未来への投資が先細っているのではないだろうか。一九九〇年一月に東京、渋谷に開設されていた国際交流基金アセアン文化センターは、アセアン諸国の現代文化を日本社会に紹介することを目的に、アセアン諸国の最新の新聞、雑誌を閲覧できるライブラリーを有していた。インターネット情報では感じることのできないアセアン現地の活字文化の熱気を感じる貴重な場であったが、こうした情報拠点が今はなくなってしまった。

国際交流基金と並んで、本書でも取り上げた秀作インドネシア映画を日本で見る数少ない機会を提供してくれていた福岡市のアジアフォーカス・福岡国際映画祭も二〇二〇年の第三〇回をもって終了した。地方自治体が取り組む志の高い映画祭として、東南アジアの映画人たちから高い評価を受け、FUKUOKAの名をアジアに知らしめていた催しだけに残念だ。同映画祭を手塩にかけて育てあげた佐藤忠男日本映画大学学長が二二年三月に世を去り、日本がアジアに開いていた窓が一つ閉じられたような気がする。

また九〇年代は、民間レベルでも大局的な見地に立った意義深い事業が行なわれていた。その代表例が、一九七八年から二〇〇三年までトヨタ財団が実施した「隣人をよく知ろう」プログラム翻訳出版促進助成（通称「隣プロ」）である。文学や人文・社会科学書の翻訳出版を通して対等な立場でアジアの相互理解を図ろうというもので、①アジアから日本向け、②日本からアジア向け、③アジア相互間の翻訳出版が行なわれ、のべ六六〇点の書籍が刊行されている。

「隣プロ」を通じて、日本で翻訳出版されたインドネシアの文学として、たとえばグナワン・モハマッド、イグナス・クレデン編（佐々木重次監訳）『インドネシア短編小説集』（井村文化事業社）、モフタル・ルビス（押川典昭訳）『果てしなき道』（めこん）、プラムディヤ・アナンタ・トゥール（押川典昭訳）『ゲリラの家族』、『ガラスの家』（めこん）、タクディル・アリシャバナ（後藤乾一訳）『戦争と愛』（井村文化事業社）がある。

グナワン・モハマッドが「知の巨人」と呼ぶにふさわしい深い教養と社会批評精神にあふれた文化人であることは第1章で触れた通り。モフタル・ルビスやプラムディヤ・アナンタ・トゥールは、スハルト時代に弾圧にめげず自由な声を上げ続けた文学者だ。「隣プロ」のおかげで彼らの作品を通じて、強権体制下においても民主化を希求する動きがあることを、日本の読者は知った。アリシャバナの小説から、日本軍政下で後に国語となるインドネシア語整備に関わった若きインドネシア知識人の希望と苦渋をしのぶことができた。

また同財団は東南アジア諸語の辞書編纂出版に対する助成を行なった。これなどは、地道な労力と熱意によって達成される文化交流のインフラ整備事業と言える。すぐには成果の出ない、商業ベースに乗らない、しかし将来の世代に益することが大きい、まさに未来への投資だ。

日本とインドネシアの人の往来も増え、商業ベースに乗る文化は紹介され、以前と比べて交流は盛んになったように見えるが、九〇年代に行なわれていた未来への投資が、今は先細ってしまっている。

九〇年代どころか、部分的には戦時中と比べても退歩しているように思えることがある。最近知った意外なことだが、戦時中にはマレー語（インドネシア語）は選択科目として学校の外国語教育に組み入れられていた。一九四三年三月の文部省令第二号「中学校〔現在の高校〕規定第八条に、「外国語は外国語の理解力および発表力を養い外国事情に関する正しき認識を得しめ国民的自覚に資するを以て要旨とす」「外国語は英語、独語、仏語、支那語、マライ語又はその他の外国語を課す」とあり、文部省訓令第二号「中学校教科教授および修練指導要目」に「マラッカ地方やジャワ島を中心とする地域で話されているマレー語（インドネシア語）に重点を置いて、「正確かつ気品のある『マライ』語に習熟せしむべし」と具体的な教え方を明記している。戦争中であっても、アジアを知るためにアジアの言葉を学ぶ必要がある、語学のみならずその言葉が話されている社会事情を学ぶ必要がある、という認識は存在していたのである。

以上のような退行状況が出ていることを念頭に、かつて国際交流基金で、日本とインドネシアの相互理解事業に現場（ジャカルタ日本文化センター）で関わってきた立場から、最後に相互理解を促進していくための若干の提言を述べておきたい。

まず、未来志向の関係を築くためにこそ、逆説的であるが歴史を保存・記録し、継承していくことの重要性を強調したい。記憶の風化に抵抗する、ささやかな試みがインドネシアで行なわれ、日本でも紹介された。

二〇一八年八月、ジャカルタでインドネシア教育文化省文化総局が「日本軍政期インドネシア史料展――銃と桜の間で――」を日本インドネシア国交樹立六〇周年記念事業として開催した。インドネシア国立図書館、国立公文書館、アンタラ通信社所蔵の、日本軍が文化工作に使ったポスター、出版物、漫画、写真などを集めて展示したものである。

大きな反響があったことから、これを日本でも展示したいと、インドネシア文化総局は考えた。この求めに応じて、歴史家の倉沢愛子氏らが実行委員会を組織し、同委員会の主催で一九年六月二一日から二九日まで立教大学図書館で「日本軍政期インドネシア史料展」が開催された。

日本での展示には、インドネシア政府関係機関所蔵の史料に加えて、日本国内に眠っていた、占領期インドネシアにいた日本人個人が作成した絵、写真、手紙などもあわせて展示された。

先の戦争では、かつてない規模の日本人がインドネシアに足を踏み入れ、その中にはメモや日記、家族への手紙という形でその経験を綴った人もいる。彼らが遺した史料は、日本インドネシア交流史にとって、貴重な歴史証言、歴史記録として価値あるものであろう。倉沢愛子氏は、ワークショップにおいて、自宅などに眠っている史料があったら提供してほしい、と呼びかけた。

ともすれば歴史は一面的なイメージで語られ固定化されがちであるが、実はもっと複雑で、様々な解釈が可能な多面性を持つものだ。こうした歴史の多面性を雄弁に語ってくれるのが、一つ一つの史料なのだ。公文書の廃棄・改竄が社会問題となり、記憶の風化が進む時代だからこそ、史料を収集し、保存し、公開することの大切さを嚙みしめたい。

教科書が果たす役割も重要だ。初等・中等教育レベルの歴史・社会教科書、特に日本の教科書において、日本・インドネシア関係の記述の充実を望みたい。インドネシアの高校歴史教科書では、数十ページにわたって日本軍政期に関する記述が掲載されているのに対して、日本の教科書はこの時代のことを数行の記述で終わらせている。このため、インドネシアの高校生は、一九四二年から四五年の時代について、日本の高校生よりはるかに多くの知識を持っている。日本とインドネシアの歴史研究者が共同研究を行なって、相互理解のための共通の副読本を作るなどから着手してはどうだろうか。日本とインドネシアが未来志向の関係を築くためにこそ、若い世代が過去から学ぶ共通体験を共有することが大切なのだ。

日本とインドネシア関係の歴史を保存・記録・継承することの次には、互いの「確証バイアス」を乗り越えていこう、と言いたい。人間の脳機能には、信じたことを裏付けようという機能(確証バイアス)がある。日本とインドネシア、それぞれが相手方に対してステレオ・タイプなイメージを抱いており、そうしたイメージに合致する情報に満足する傾向がある。「日本人は勤勉だが、エコノミック・アニマル」(インドネシア人が日本人に抱くイメージ)、「インドネシア人は楽天的だが、いいかげん」(日本人がインドネシア人に抱くイメージ)といったたぐいだ。世にある国際相互理解事業の中には、こうした固定観念を強化するのみで、国際理解というよりも国際誤解を押し広げるようなものもある。相互理解をめざすなら、先入観、固定観念が常に入り込んでくることを自覚し、それを乗り越えるべく不断の努力を積み重ねていく意思を持たねばならない。

先入観を越えて「対等のパートナーシップ」を築いていく有効な手段の一つが「協働」である。日本とインドネシアは、共通に抱える問題を協働しながら解決の道を模索していく中で、お互いをより深く理解できることができる。

建国一〇〇周年を迎える二〇四五年に向けてインドネシアが直面する課題、たとえば持続可能な経済成長と社会格差の解消、クリーン・エネルギー、気候変動と自然災害の多発への対応は、日本にとっても共通の課題だ。専門家のみならず市民も参画して、様々な共通課題に関して、お互いの経験を交換し、共有する協働作業、そこから相互理解は深まる。阪神・淡路大震災で最も被害が大きかった地域の一つにして、在住外国人が多数暮していた神戸長田の多文化・多言語コミュニティー放送局「FMわいわい」が、JICAの支援を得て、インドネシア・コミュニティーラジオ協会と取り組む「官民協働によるコミュニティーラジオを活用した防災力強化事業」は、このような協働の一例だ。

インドネシアで現在進行中のイスラーム化という巨大な変化は、相互理解という観点から日本側の努力が必要な分野であろう。日本社会に存在する宗教忌避感情およびイスラーム嫌悪感情は、信仰心を強めるインドネシア・イスラームとの相互理解において障壁となるだろう。

まずは身近なイスラーム、すなわち日本国内に在住するインドネシア・イスラーム教徒との対話を重ねることから始めたい。在日インドネシアムスリム協会（KMII = Keluarga Masyarakat Islam Indonesia Jepang）は、日本国内に住む同胞の相互扶助のみならず、日本社会との交流も近年強化している。イスラーム文化交流フェスティバルや日本人向けイスラーム勉強会、日本とインドネシア双方の自然災害被災者への支援活動を行なっている。こうした活動への参与を通じて、隣人としてのイスラーム教徒を理解することが肝要だ。

そして、より多くの、多様な立場の市民が交流し、多重多層のネットワークが形成されていくことが、日本とインドネシアの国家間関係をより強固なものとして、「対等のパートナーシップ」が具現化する。こうした観点から市民交流、青少年交流の量的・質的拡大を望む。

市民交流、青少年交流で特に強化したいのは、お互いの言語の学び合いだ。

国際交流基金が実施している「日本語パートナーズ派遣事業」を紹介したい。私は同基金ジャカルタ日本文化センター勤務中にこの事業の立ち上げに関わった。同基金は、東南アジアを中心にアジアの中学・高校などで日本語事業のサポートを行なうボランティア「日本語パートナーズ」を派遣している。二〇一四年から一九年までの五年間に一五〇六名の日本語パートナーズが派遣されたが、そのうちインドネシアへの派遣人数が六一〇名であり、同国は日本語パートナーズ最大の受け入れ国なのである。というのは、二〇一五年時点で、インドネシアの中学・高校で日本語を学ぶ人の数は約七〇万人、中等教育レベルでは世界最大の日本語学習人口を擁しているのだ。

この制度は派遣要件として日本語教育の専門性を求めていないがゆえに、大学生の若者からキャリアアップをめざす中堅世代、会社勤め・子育てを終えたシニア世代まで幅広い年齢と背景を持った市民、青年が参加している。

彼ら日本語パートナーズは、派遣先で日本語教育をサポートするだけでなく、自身もインドネシア社会に溶け込み（時に日本人が全くいない地方の小都市へも派遣）、その土地の言語と文化を学ぶ。帰国後は自身の体験を日本社会に還元していくことが奨励され、双方向理解を意識した制度設計がなされている。日本語パートナーズ事業は、インドネシアにおける日本語学習支援のみならず、日本におけるインドネシア語学習普及、インドネシア理解の促進にも貢献している。

これ以外にも、日本では筑波大学附属坂戸高校がグローバル教育に力を入れており、第二外国語としてインドネシア語教育が行なわれている。日本とインドネシアの相互理解の基盤を強固なものとするために、こうした取り組みがさらに拡がることを期待したい。

本書の冒頭で、「三〇年前の絵空事は、三〇年後には現実のものとなっているかもしれない」と書いた。

三〇年後の世界において、日本とインドネシアは、どのような関係をとり結んでいるだろうか。経済的には相互互恵のパートナーシップを創造し、より多くの国民が往来するようになる結果、日本在住インドネシア人、インドネシア在住日本人の数も増えて、より身近な隣人と感じられるようになっているだろうか。文化面では三〇年後もインドネシアは日本語学習大国であり続ける一方、日本の高校・大学でインドネシア語を学ぶ若者が増えて、言語学習を通じて両国民間の相互理解は深まっているだろうか。

より多くの価値を共有するようになった未来の両国民が、共に手を取り合って世界の平和と安寧に貢献する関係を築いていることが現実となっていたら、こんなに嬉しいことはない。

あとがき

インドネシアとは、いつの間にか四〇年近いつき合いとなる。その包含する多様性の意味を感じれば感じるほど、興味をかきたてられる国で、まったく飽きることがない。おかげで筆者の世界を見る目も大きく変わった。

それにしてもインドネシアの変貌ぶりは凄まじい。四〇年という時は、これほどまでに社会や人の心を変えるのか。この驚きをどう読者に伝えたらいいのか。本書執筆にあたり、常に頭の中にあったのは、この一点だった。

そこで執筆にあたっては、これからインドネシアに留学、あるいは駐在するだろう若い人を第一の読者と想定してみることとした。インドネシア社会に第一歩を踏みいれようとする人びとに、政治・経済のみならず文化・社会という視点から、多様性と変化に満ちたこの国の「今」を伝え、関心をもってもらうことを狙いとして、テーマ選びに腐心した。

多様性については、本書を編集してくれた「めこん」代表の桑原晨さんから「各州の視点に立ってインドネシアを論じてほしい。全州をカバーするつもりで」と注文をいただいた。筆者の力量不足から全州を扱うことはできなかったが、幾つかの州をピックアップし並べて論じてみると、改めてこの国の多様性の奥深さを、筆者自身が実感する機会となった。半世紀近く、日本のアジア理解を増進する数々の名著を出し続けてきた「めこん」から拙著を上梓できるのは、まことに光栄なことだ。

これからインドネシアがどう変わっていくのか、を考える際、重要になるのは、その起点となる「今」が、どのようにして形成されてきたかを踏まえておくことだ。つまり歴史を学ぶと「今」がもっとよく見えてくる。「未来」を予測する判断材料ともなる。その点から、東南アジア近現代史の大家である後藤乾一先生が、草稿に目を通し、随所で歴史を深堀りするコメントを下さったのは、ありがたかった。初めての単著『インドネシア　多民族国家の模索』（岩波新書）を一九九三年に上梓した時から、後藤先生は励ましの言葉をかけ続けて下さっている。その学恩に感謝申し上げる。

もとより筆者一人で、様々な専門領域を越えて、この巨大な国の全体像を叙述するのは不可能だ。参考文献に挙げた、日本・インドネシア・その他海外の研究者によるインドネシア研究論考や報道記事が無ければ本書の執筆は難しかった。また筆者の古巣である国際交流基金、国際交流基金ジャカルタ日本文化センターからもたらされるインドネシア社会や文化の最新情報には重要なものが多かった。特に最終局面での高橋裕一所長、アディ君、フィフィさんのサポートはありがたかった。さらに笹川平和財団平和構築支援グループの「アジアの脱過激化と脱暴力」研究会に参加し、そこで得た人脈からの情報も貴重だった。

一人一人の名前を挙げることはできないが、日本とインドネシアの相互理解に尽力されている皆さんに敬意と感謝の気持ちを伝えたい。

序章に記した通り、本書のベースになっているのは、毎日新聞社・毎日アジアビジネス研究所が発行していたウェブマガジンへの連載寄稿である。二〇一八年四月から始まった連載は、定時観測的にこの国に向きあい、情報を収集し、分析する動機となった。残念ながら二〇二三年三月をもって毎日アジアビジネス研究所が無くなり連載も終了したが、貴重な執筆機会を与えて下さった毎日新聞社の春日孝之さん（当時）、西尾英之さんにあらためてお礼申し上げる。

そして常に筆者の傍らにあって、研究教育活動・国際交流活動に集中できるよう応援してくれている妻・智美には、今回は校正作業も手伝ってもらい大助かりだった。感謝、感謝である。

本書の初稿を提出し、ゲラがあがってくるのを待っていた二三年八月三日、母が逝った。筆者は、神戸の高校時代、「日本を飛び出して、世界を駆けめぐる」未来を思い描くようになっていた。息子の茫洋とした夢を理解し、東京の大学に送り出し、父を説得し米国留学の許可を取り付けてくれたのが母だった。今の自分があるのは母のおかげだ。彼女と、高知で晩年の母と暮らし見守ってくれた妹夫婦へ「これまで本当にありがとう」と伝えたい。

万感の思いを込めて、本書を母・小川寿和に捧げる。

二〇二三年八月末日　小川　忠

385頁　STOVIA創立メンバー

出典：Kementerian Pendidikan dan Kebudayaan

https://www.google.co.jp/search?q=STOVIA+kemdikbud.go.id++&tbm=isch&ved=2ahUKEwjdrrDdm4CBAxVp1DQHHf_9BIMQ2-cCegQIABAA&oq=STOVIA+kemdikbud.go.id++&gs_lcp=CgNpbWcQAzoGCAAQCBAeOgQIABAeOgcIABATEIAEOggIABAFEB4QE1CVCVirxwFgk84BaABwAHgAgAF2iAHhPpIBBTUyLjMwmAEAoAEBqgELZ3dzLXdpei1pbWfAAQE&sclient=img&ei=tgbtZN37Femo0-kP__uTmAg&bih=601&biw=1280#imgrc=6_wNi_YHAfUQhM

写真出典

222頁　HANDs! プロジェクト。アチェでの交流
出典：HANDs Project for Disaster Education facebook
https://www.facebook.com/HANDsProjectforDisasterEducation/photos/pb.100069511232057.-2207520000/977245695631842/?type=3

247頁　独特の文化を持つパプアの人びと
出典：村井吉敬『パプア』(めこん、2013年) 31頁

273頁　映画「ティモール島アタンブア39℃」の撮影シーン
出典：milesfilms
https://milesfilms.net/project/atambua-39-celcius/

287頁　映画「ソコラ・リンバ」の１シーン。オラン・リンバの子供たちへの識字教育
出典：milesfilms
https://milesfilms.net/project/sokola-rimba/

299頁　インドネシア政府が発表した新首都ヌサンタラのイメージ
出典：Sumber：Arsip Nyoman Nuarta
https://theaseanpost.com/article/nusantara-become-indonesias-new-capital

310頁　候補地 (ヌサンタラ) を視察するジョコ大統領 (左)
出典：(Wikimedia Commons/BPM/President's seretariat)
https://en.wikipedia.org/wiki/Nusantara_(planned_city)#/media/File:Nusantara,_Indonesia_-_President_visiting_the_new_capital.jpg

330頁　NUアフガニスタン2021年次総会
出典：NU online　2022/1/2
https://www.nu.or.id/national/nu-afghanistan-strengthens-moderate-islamic-understanding-jRy4j

152-153頁　MNU＝ムスリマート・ナフダトゥル・ウラマー
出典：Home - Muslimat NU

156頁　スルタン・ハメンクブウォノ10世
出典：wikipedia
https://nl.wikipedia.org/wiki/Hamengkubuwono_X#/media/Bestand:Hamengkubuwono_x.jpg

182頁　バリの自警団「プチャラン」
出典：merahputih.com
https://merahputih.com/post/read/pecalang-gagah-amankan-nyepi

210頁　ダウド・ブレエ
出典：KOMPAS.com
https://www.kompas.com/stori/read/2021/11/19/110000579/daud-beureueh-pemimpin-pemberontakan-di-tii-di-aceh?page=all

212頁　独立アチェ運動
出典：(Wikimedia Commons/Departemen Pertahanan dan Keamanan Republik Indonesia)
https://en.wikipedia.org/wiki/File:Free_Aceh_Movement_women_soldiers.jpg

218頁　バンダ・アチェで行なわれた公開むち打ち刑
出典：VOA/Wikimedia Commons
https://www.google.co.jp/search?sca_esv=560427330&q=wikimedia+commons++Aceh+flogging&tbm=isch&source=lnms&sa=X&ved=2ahUKEwjF5dOPjvyAAxU9r1YBHdEjCM8Q0pQJegQIDRAB&biw=1280&bih=601&dpr=1.5#imgrc=6mI1jxt72S0cuM

写真出典

125頁　バンドン・クリエティブ・ハブ（BCH）

出典：Bagian Administrasi Pembangunan, Sekretariat Daerah, Kota Bandung
https://adbang.bandung.go.id/2021/11/28/bandung-creative-hub/

126頁　ダゴ・ポジョックの「創造カンポン運動」

出典：Kampung Wisata Kreatif Dago Pojok- Info Sejarah & Alamat
https://tempatwisatadibandung.info/kampung-wisata-kreatif-dago-pojok-bandung/

130頁　2015年、ブリティッシュ・カウンシル本部を訪問したリドワン・カミル市長（右）

出典：Repbulika
https://news.republika.co.id/berita/nqg8qs/british-council-dan-pemkot-bandung-tingkatkan-kerja-sama-seni

135頁　リドワン・カミルのインスタグラムに発表された「日曜敬老プログラム」

出典：ANTARA
https://www.antaranews.com/berita/635577/setiap-minggu-lansia-sebatang-kara-di-bandung-akan-ditemani-anak-muda

147頁　インドネシア女性ウラマー会議（KUPI）第2回総会

出典：KUPI
https://kupi.or.id/#

150頁　1928年のアイシャ

出典：Yayasan K.H. Ahmad Dahlan
https://upload.wikimedia.org/wikipedia/commons/1/1f/Para_Wanita_Penggerak_Aisyiyah_Tahun_1928.png

写真出典

筆者撮影以外の写真出典は以下の通り

95頁　SNS上の「プリタを救え」募金の呼びかけ
出典：COCONUTS　Jakarta
https://coconuts.co/jakarta/features/silencing-critics-5-most-outrageous-and-ridiculous-cases-uu-ite-violations/

104頁　話題となったストリート・アート「404：not found」
出典：Detik.com
https://inet.detik.com/cyberlife/d-5682680/apa-arti-404-not-found-yang-ada-di-mural-wajah-mirip-jokowi

107頁　「アートジョグ2020」に展示されたムラカビ・ムーブメント作品
出典：Gudeg.net
https://gudeg.net/jogja-dalam-gambar/174/murakabi-artjog-resilience-2020.html

111頁　ルアンルパが主催するビデオ・アートの国際フェスティバル「OK.Video」2015
出典：ruangrupa
https://ruangrupa.id/2015/06/15/ok-video2015/

113頁　HONF「ミクロ国家？マクロ国家：食とエネルギーの民主化プロジェクト」
出典：HONF Foundation
https://universes.art/en/nafas/articles/2014/honf/img/06

終章

瀬戸義章『雑草ラジオ　狭くて自由なメディアで地域を変える、アマチュアたちの物語』英治出版、2023年

文部科学省「中学校規程（抄）（昭和十八年三月二日文部省令第二号）」（https://www.mext.go.jp/b_menu/hakusho/html/others/detail/1318046.htm）（2023年5月6日閲覧）

1993年
貞好康志『華人のインドネシア現代史　はるかな国民統合への道』木犀社、2016年
ディディ・クワルタナダ（工藤尚子訳）「体制移行期における華人社会：その進展と潮流」後藤乾一編『インドネシア　【揺らぐ群島国家】』早稲田大学出版部、2000年

国際交流基金アジアセンター「オムニバスで生まれた有機的な関係―『アジア三面鏡2018：Journey』監督シンポジウム」（https://asiawa.jpf.go.jp/culture/features/f-ah-asian-three-fold-mirror-2-sympo/）（2023年4月28日閲覧）

第16章

倉沢愛子・松村高夫『ワクチン開発と戦争犯罪：インドネシア破傷風事件の真相』岩波書店、2023年
倉沢愛子「それは日本軍の人体実験だったのか？―インドネシア破傷風ワクチン“謀略”事件の謎」『世界』、2021年8月
後藤乾一『火の海の墓標　あるアジア主義者の流転と帰結』時事通信社、1977年
後藤、前掲『日本占領期インドネシア研究』
小林和夫「日本占領期ジャワにおける大政翼賛運動の嚆矢―ジャワ医事奉公会の設立過程」『創価人間学論集』11号、2018年3月（https://core.ac.uk/download/pdf/230429235.pdf）（2023年4月28日閲覧）
土屋健治『インドネシア―思想の系譜』勁草書房、1994年
中野聡『東南アジア占領と日本人　帝国・日本の解体』岩波書店、2012年
宮元静雄『ジャワ終戦処理記』ジャワ終戦処理記刊行会、1973年
Pols, Hans, *Nuturing Indonesia: Medicine and Declonisation in the Dutch East Indies*, Cambridge University Press, 2018

to-strengthening-bilateral-cooperation/)（2023年４月28日閲覧）

Dharmaputra, Radityo, "Why do so many Indonesians back Russia's invasion of Ukraine," Indonesia at Melbourne, the University of Melbourne, March 9, 2022（https://indonesiaatmelbourne.unimelb.edu.au/why-do-so-many-indonesians-back-russias-invasion-of-ukraine/)（2023年４月30日閲覧）

Fridaus, Arie & Dianti , Tria, "Support for Russia in Indonesia linked to anti-Western views, analllyst says," Radio Free Asia, March 18, 2022（https://www.rfa.org/english/news/cambodia/ukraine-indonesia-03182022204730.html)（2023年４月30日閲覧）

Kemlu RI, "Indonesian Government Statement on Military Offensive in Ukraine," February 25, 2021（https://kemlu.go.id/vancouver/en/news/17861/indonesian-government-statement-regarding-the-military-attack-in-ukraine)（2023年４月28日閲覧）

Llewellyn Aisyah, "'Not G19': Why Indonesia won't bar Russia from the G20," Al Jazeera, April 22, 2022（https://www.aljazeera.com/news/2022/4/22/not-g19-why-indonesia-wont-bar-russia-from-the-g20）（2023年４月30日閲覧）

"In Indonesia, a surprising Muslim crazy for Vladimir Putin," Teller Report, March 10, 2022（https://www.tellerreport.com/news/2022-03-10-in-indonesia--a-surprising-muslim-craze-for-vladimir-putin.rk4ABLIwW9.html)（2023年４月30日閲覧）

第15章

相沢伸広『華人と国家　インドネシアの「チナ問題」』書籍工房早山、2010年

倉沢、前掲『インドネシア大虐殺』

後藤乾一『日本占領期インドネシア研究』龍溪書舎、1989年

後藤「第２章　バペルキの形成・発展・崩壊」日本貿易振興機構アジア経済研究所『東南アジア華僑と中国：中国帰属意識から華人意識へ』、

January 2 2022（https://www.nu.or.id/national/nu-afghanistan-strengthens-moderate-islamic-understanding-jRy4j）（2023年４月30日閲覧）
UNHCR Operational Data Portal, "Afghanistan situation,"（https://data.unhcr.org/en/situations/afghanistan/location/7535）（2023年４月28日閲覧）

第14章

小川、前掲『インドネシア　多民族国家の模索』

石附賢実「ASEAN・インドへの武器移転でロシアが存在感　～米中露との距離感を経済・武器・価値観で概観～」第一生命経済研究所2022年６月10日（https://www.dlri.co.jp/report/ld/190208.html）（2023年４月30日閲覧）
外務省「インドネシア共和国　日・インドネシア首脳会談」2022年４月29日（https://www.mofa.go.jp/mofaj/s_sa/sea2/id/page4_005578.html）（2023年４月30日閲覧）
「インドネシア政府声明、ウクライナ問題でロシア名指し避けつつ『容認』できず」『ジェトロ・ビジネス短信』2022年３月２日（https://www.jetro.go.jp/biznews/2022/03/a8f8b781439d912c.html）（2023年４月30日閲覧）
Ahmad, Fathoni, "Beda Sikap Negara-negara terhadap Konflik Palestina-Israel dan Russia-Ukraine," NU online, March 22, 2022（https://www.nu.or.id/internasional/beda-sikap-negara-negara-terhadap-konflik-palestina-israel-dan-rusia-ukraina-oiki5）（2023年４月30日閲覧）
"Why are Indonesians on social media so supportive of Russia?" Al Jazeera, March 19, 2022（https://www.aljazeera.com/news/2022/3/19/why-are-indonesians-on-social-media-so-supportive-of-russia）（2023年４月30日閲覧）
Cabinet Secretariat RI, "President Jokowi Welcomes Japanese PM's Commitment to strengthening Bilateral Cooperation," April 29, 2021（https://setkab.go.id/en/president-jokowi-welcomes-japanese-pms-commitment-

sation, October 11, 2021（https://theconversation.com/fostering-girls-education-will-be-challenging-under-a-taliban-regime-but-afghanistan-can-learn-a-lot-from-indonesia-168511）（2023年4月28日閲覧）

Mumin, Yulianti, Dina & Sulaeman, Otong, "Islam Nusantara and Religious Peacemaking Nahdlatul Ulama's Ideas in Creating Peace in Afghanistan," Walisongo: Jurnal Penelitian Sosial Keagamaan Vol.29 No.2, 2021, （https://journal.walisongo.ac.id/index.php/walisongo/article/view/8945/0）（2023年4月28日閲覧）

Cabinet Secretariat of the Republic of Indonesia, "President attends G20 Extraordinary Leaders' Summit on Afghanistan," October 13, 2021 （https://setkab.go.id/en/president-jokowi-attends-g20-extraordinary-leaers-summit-on-afghanistan/）（2023年4月28日閲覧）

"Musdah Mulia, an Indonesian Muslim woman scholar who spoke to the Taliban（Part I）," Independent Observer, September 23, 2021（https://observerid.com/musdah-mulia-indonesian-woman-muslim-scholar-spoke-to-the-taliban-part-i/）（2023年4月28日閲覧）

"The Impact of the Taliban victory on Indonesia's Jemaah Islamiyah," Institute for Policy analysis of Conflict, IPAC Report No.73, September 7 2021 （cdn.understandingconflict.org/file/2021/09/IPAC_Report_73_JI.pdf）（2023年4月30日閲覧）

"Cerita Jusuf Kalla Undang Taliban ke Indonesia, Sempat Minta Cabut Label Teroris di PBB," Kompas.com, August 21, 2021（https://nasional.kompas.com/read/2021/08/21/18093541/cerita-jusuf-kalla-undang-taliban-ke-indonesia-sempat-minta-cabut-label）（2023年4月28日閲覧）

"Menlu RI dan AS Bertemu, Bahas Bantuan Kemanusiaan untuk Afghanistan," Kompas.com, December 14, 2021（https://nasional.kompas.com/read/2021/12/14/16284011/menlu-ri-dan-as-bertemu-bahas-bantuan-kemanusiaan-untuk-afghanistan）（2023年4月28日閲覧）

"NU Afghanistan strengthens moderate Islamic understanding," NU Online,

「東カリマンタンへの首都移転、2024年中に開始（インドネシア）」『ジェトロ・ビジネス短信』2019年９月３日（https://www.jetro.go.jp/biznews/2019/09/d42dc4eb114afa9d.html）（2023年４月27日閲覧）
「新首都ヌサンタラに関する法律施行（インドネシア）」『ジェトロ・ビジネス短信』2022年２月28日（https://www.jetro.go.jp/biznews/2022/02/610cbd0fd40d1432.html）（2023年４月27日閲覧）
「新首都ヌサンタラ隣接地で地場企業が環境保護と事業拡大の両立にチャレンジ（インドネシア）」『ジェトロ・ビジネス短信』2022年７月11日（https://www.jetro.go.jp/biznews/2022/07/4ad5c7a72d41d639.html?_previewDate_=null&revision=0&viewForce=1&_tmpCssPreview_=0%2F%2Fbiznews%2F%2Fevents%2F.html）（2023年４月27日閲覧）
Anjani, Anatasia, “Mengtahui Akar Nama Nusantara, Ibu Kota Negara Baru Indonesia,” detikEdu, January 18, 2022（https://www.detik.com/edu/detikpedia/d-5903765/mengetahui-akar-nama-nusantara-ibu-kota-negara-baru-indonesia）（2023年４月27日閲覧）
Maulia, Erwida, “Indonesia’s new capital, Nusantara, sparks controversy: critics call out ‘Java-centric’ name, rushed passage of law, corruption concerns,” Nikkei Asia, January 25, 2022（https://asia.nikkei.com/Politics/Indonesia-s-new-capital-Nusantara-sparks-controversy）
Maulia, Erwida, “Jokowi formally proposes moving Indonesia’s capital to Borneo,” Nikkei Asia, Augutst 16, 2019（https://asia.nikkei.com/Politics/Jokowi-formally-proposes-moving-Indonesia-s-capital-to-Borneo）（2023年４月27日閲覧）
Presiden Republik Indonesia, “Undang-Undang Republic Indonesia Nomor 3 Tahun 2022 tentang Ibu Kota Negara,”（https://www.jetro.go.jp/view_interface.php?blockId=33215489）（2023年４月27日閲覧）

第13章

Asadullah, M Niaz, “Fostering girls’ education will be challenging under a Taliban regime, but Afghanistan can learn a lot from Indonesia,” the Conver-

5-5.pdf）（2023年４月27日閲覧）
米倉等「地域と開発援助　北スマトラにおけるアサハンプロジェクトの事例」『東洋文化研究所紀要』103巻、1987年３月（https://repository.dl.itc.u-tokyo.ac.jp/records/27228）（2023年４月27日閲覧）
中島成久『アブラヤシ農園開発と土地紛争　インドネシア、スマトラ島のフィールドワークから』法政大学出版局、2021年

アジアフォーカス・福岡国際映画祭カタログ、「ジャングル・スクール」2014年（https://toshokan.city.fukuoka.lg.jp/files/TheaterWork/TheaterWork_998_file.pdf）（2023年４月27日閲覧）
国立環境問題研究所・気象庁気象研究所「東南アジアの泥炭・森林火災が日本の年間放出量に匹敵するCO2をわずか２カ月間で放出」2021年７月（https://www.nies.go.jp/whatsnew/20210715/20210715.html）（2023年４月27日閲覧）
「インドネシアに対する日本の協力の足跡」独立行政法人国際協力機構、2018年４月（https://www.jica.go.jp/indonesia/office/others/ku57pq0000338if4-att/201804.pdf）（2023年４月27日閲覧）
WWFジャパン「インドネシアの煙害（ヘイズ）問題、乾季に多発する泥炭火災について」2018年11月（https://www.wwf.or.jp/activities/basicinfo/3801.html）（2023年４月27日閲覧）
Manurung, Butet, "Indigenous Peoples and Culture: Orang Rimba's Education," Human Rights Education in Asia-Pacific Vol.9, 2019 (https://www.hurights.or.jp/archives/asia-pacific/section1/hreap_v9_sectoral_education1.pdf)（2023年５月２日閲覧）

第12章

Rossman, Vadim, *Capital Cities: Varieties and Patterns of Development and Relocation*, Routledge, 2017
Silver, Christopher, *Planning the Megacity: Jakarta in the twentieth century*, Routledge, 2008

福武慎太郎「科学研究費助成事業　研究成果報告書　東ティモールの国民文化に関する歴史人類学的研究」2013年（https://kaken.nii.ac.jp/ja/file/KAKENHI-PROJECT-23720429/23720429seika.pdf）（2023年5月5日閲覧）

横山裕一「いんどねしあ風土記（39）東ティモール独立20年（後編）：望郷と逡巡の元民兵たち」『よりどりインドネシア』第127号2022年10月8日（https://yoridori-indonesia.publishers.fm/article/26503/）（2023年4月30日閲覧）

Badan Pusat Statistik, "Kewarganegaraan, Suku Bangsa, Agama, dan Bahasa Sehari-hari Penduduk Indonesia HASIL SENSUS PENDUDUK 2010," October 2011（https://www.scribd.com/doc/260212157/BPS-Kewarganegaraan-Sukubangsa-Agama-Bahasa-2010#）（2023年4月30日閲覧）

Kementerian Agama, "Indeks Kerukunan Umat Beragama Tahun 2021 Masuk Kategori Baik," December 20, 2021（https://balitbangdiklat.kemenag.go.id/berita/indeks-kerukunan-umat-beragama-tahun-2021-masuk-kategori-baik）（2023年4月30日閲覧）

Segara, I Nyoman Yoga, "The Cultural Strategy of the East Nus Tenggara Ccommunity in Maintaining Harmony," November 2020,（https://www.semanticscholar.org/paper/The-Cultural-Strategy-of-the-East-Nusa-Tenggara-in-Segara/76aed4f2d702acb792a60016f34e1d8171b8b8d2）（2023年4月30日閲覧）

UNICEF, "SDGs for Children in Indonesia Provincial snapshot: East Nusa Tenggara,"（https://www.unicef.org/indonesia/sites/unicef.org.indonesia/files/2019-05/NTT_ProvincialBrief.pdf）（2023年4月30日閲覧）

第11章

岡本幸江「ルヌン水力発電所及び関連送電線建設計画」JBICガイドライン策定に向けたNGO・市民連絡会『「経済協力」による被害を繰り返さないために―国際協力銀行の環境ガイドラインへ　NGOと現地からの提言　資料集』2000年12月（https://www.gef.or.jp/jbic/minutes/HO

第９章

公安調査庁『国際テロリズム要覧　2021』公安調査庁、2021年

村井吉敬『パプア　森と海と人びと』めこん、2013年

Baldes, Johnny, "Vaccine resistance in West Papua as Covid-19 rages," RNZ, July 30, 2021（https://www.rnz.co.nz/international/pacific-news/448101/vaccine-resistance-in-west-papua-as-covid-19-rages）（2023年５月５日閲覧）

"Escalating Armed Conflict and a New Security Approach in Papua," Institute for Policy analysis of Conflict, IPAC Report No.77, July 13 2022（https://understandingconflict.org/en/publications/escalating-armed-conflict-and-a-new-security-approach-in-papua）（2023年４月27日閲覧）

第10章

高橋茂人「東ティモール問題　民主化に貢献した「靴の中の小石」」間瀬朋子・佐伯奈津子・村井吉敬編『現代インドネシアを知るための60章』明石書店、2013年

森田良成「受け継がれた罪と責務一西ティモールにおけるキリスト教と祖先崇拝」鏡味治也編著『民族大国インドネシア　文化継承とアイデンティティ』木犀社、2012年

インドネシア総合研究所「【コラム】インドネシアにおける子どもの発育と食育」2022年12月26日（https://www.indonesiasoken.com/news/child-development-and-nutritional-education-in-indonesia/）（2023年５月５日閲覧）

国際協力銀行開発金融研究所『インドネシアの宗教・民族・社会問題と国家再統合の展望』2003年11月（https://www.jica.go.jp/jica-ri/IFIC_and_JBICI-Studies/jica-ri/publication/archives/jbic/report/paper/pdf/rp25_j.pdf）（2023年５月５日閲覧）

25TIFF 東京国際映画祭「ティモール島アタンブア39℃」2012年10月（2012.tiff-jp.net/ja/lineup/works.php?id=5）（2023年５月５日閲覧）

月５日閲覧）
Birchok, Daniel, “Imaging a nation divided,” Inside Indonesia No.124, April-June, 2016（https://www.insideindonesia.org/witnessing-shame-and-punishment）（2023年５月５日閲覧）
Lariat, Joni, “Witnessing shame and punishment,” Inside Indonesia No.139, January-Marhc 2020（https://www.insideindonesia.org/witnessing-shame-and-punishment）（2023年５月５日閲覧）

第８章

Aprilla, Kelsyah, “How a Christian-Muslim Conflict in Eastern Indonesia Birthed the MIT Militant Group,” Benar News, December 3, 2020（https://www.benarnews.org/english/news/special-reports/id-mit-terrorism-pt2-12032020134008.html）（2023年５月５日閲覧）
Damayanti, Angel, “Inter Religious Conflict and Christian Radical Movement in Poso and Ambon,” Technical report, Universitas Kristen Indonesia, 2011（repository.uki.ac.id/434/1/Inter%20Religions%20Conflict%20and%20Radical%20Movement%20in%20Poso%20and%20Ambon.pdf）（2023年５月５日閲覧）
Human Rights Watch, “Indonesia Breakdown: four Years of Communal Violence in Central Sulawesi,” Human Rights Watch Vol.14 No.9, December 2002（https://www.hrw.org/report/2002/12/04/breakdown/four-years-communal-violence-central-sulawesi）（2023年５月５日閲覧）
Moento, Paul Adryani, Wuniyu, Fransisku & Purnama, Edwin Nugraha, “Policy of District Governement of Poso in the Prevention of Terrorism,” Advance in Social Science, Education and Humanities Research, Vol.603, 2021（https://www.semanticscholar.org/paper/Policy-of-District-Government-of-Poso-in-the-of-Moento-Wuniyu/c0f779a577984f78e10eee8e9680eace208f64e3）（2023年５月５日閲覧）

第７章

佐伯奈津子「アチェ　永続的な平和は実現するのか」間瀬朋子・佐伯奈津子・村井吉敬編『現代インドネシアを知るための60章』明石書店、2013年

島田弦「インドネシアにおけるシャリア適用の変化：アチェ州における事例を中心に」『社会体制と法』第14号、2014年３月、(https://cir.nii.ac.jp/crid/1520290882861935616)（2023年５月５日閲覧）

特定非営利活動法人地球対話ラボ『報告書Report 2017　日本とインドネシア・アチェの被災地間協働によるコミュニティアート事業』2018年６月30日（taiwa.or.jp/aceh-japan/report2017.pdf）（2023年５月５日閲覧）

Bertrand, Jacques, *Nationalism and Ethnic Conflict in Indonesia*, Cambridge University Press, 2004

Manan, Abdul, "Acceptance of the Implementation of Islamic Sharia Laws in West Aceh, Indonesia," International Conference on Humanities, Education and Social Sciences Vol.2020, (https://knepublishing.com/index.php/KnE-Social/article/view/7919)（2023年５月５日閲覧）

Salva, Ana, "Aceh, Indonesia: When Dating Meets Sharia Lawa," the Diplomat, July 24, 2019 (https://thediplomat.com/2019/07/aceh-indonesia-when-dating-meets-sharia-law/)（2023年５月５日閲覧）

井上治「アチェ和平合意までの道程」笹川平和財団Asia Peacebuilding Initiatives, 2014年１月15日、(https://www.spf.org/apbi/news/i_140115.html)（2023年５月５日閲覧）

国際交流基金アジアセンター「HANDs！プロジェクト」2022年６月(https://asiawa.jpf.go.jp/culture/projects/hands/)（2023年５月５日閲覧）

佐伯奈津子「インドネシア・アチェ州におけるイスラーム刑法と女性・性的少数者」日本平和学会2019年度秋季研究集会（C:/Users/egeya/Desktop/執筆/めこん/アチェ/佐伯（ジェンダーと平和).pdf）（2023年５

倉沢愛子『インドネシア大虐殺　二つのクーデターと史上最大級の惨劇』中公新書、2020年

吉原直樹「アジェグ・バリと自閉するまちづくり」西山八重子編『分断社会と都市ガバナンス』日本経済評論社、2011年

Badan Pusat Statistik, "Kewarganegaraan, Suku Bangsa, Agama, dan Bahasa Sehari-hari Penduduk Indonesia HASIL SENSUS PENDUDUK 2010," October 2011

Buvelot, Eric (translated by Darling, Diana), *Bali, 50 Years of Changes: A Conversation with Jean Couteau*, Glass House Books, 2022

"G20 Indonesia: National Police thank Bali citizens for supporting G20 Summit," Antara Indonesia News Agency, November 17, 2022, (https://en.antaranews.com/news/260925/national-police-thank-bali-citizens-for-supporting-g20-summit)（2023年5月5日閲覧）

Canonica-Walangitang, Resy, "AJEG BALI or how to drive away evil spirits," This Century Review, February 2006, (history.thiscenturysreview.com/ajeg-bali.html)（2023年5月5日閲覧）

Ramdhani, Fajri Zulia, Busro, Busro & Wasik, Addul, "The Hindu-Muslim Interdependence: a Study of Balinese Local Wisdom," Walisongo: Jurnal Penelitian Sosial Keagamaan Vol.28 No.2, 2020 (https://www.researchgate.net/publication/350701555_The_Hindu-Muslim_Interdependence_A_Study_of_Balinese_Local_Wisdom)（2023年5月5日閲覧）

Reuter, Thomas, "Global Trends in Religion and the Reaffirmation of Hindu Identity in Bali," January, 2008, (https://research.monash.edu/en/publications/global-trends-in-religion-and-the-reaffirmation-of-hindu-identity)（2023年5月5日閲覧）

Wisarja, I Ketut & Suastini, Ni Nyoman, "Hindu-Islam Relationship in Bali," Journal of Positive School Psychology Vol.6 No.3, 2022 (https://journalppw.com/index.php/jpsp/article/view/5073)（2023年5月5日閲覧）

van Bruinessen, Martin, "Divergent Paths from Gontor: Muslim Education Reform and the Travails of Pluralism in Indonesia," January 2006 (https://www.researchgate.net/publication/46679873_Divergent_paths_from_Gontor_Muslim_educational_reform_and_the_travails_of_pluralism_in_Indonesia) (2023年5月5日閲覧)

DataIndonesia.id, "Indonesia Miliki 26,975 Pesantren, Ini Sebaran wilayahnya," May 5, 2022 (https://dataindonesia.id/ragam/detail/indonesia-miliki-26975-pesantren-ini-sebaran-wilayahnya) (2023年5月5日閲覧)

Fasa, Muhammad Iqbal, "Gontor as the learning contemporary Islamic Institution Transformation toward the Modernity," HUNAFA Jurnal Studia Islamika Vol.14 No.1, June 30, 2017 (https://www.jurnalhunafa.org/index.php/hunafa/issue/view/44) (2023年5月5日閲覧)

Home Bilqis Haura Consultant, "Ini Jumlah Sekolah, Madrasah dan Pesantren Tahun 2022," September 10, 2022 (https://bangimam-berbagi.blogspot.com/2022/09/ini-jumlah-sekolah-madrasah-dan.html) (2023年5月5日閲覧)

Kementerian Agama, "Jumlah Siswa RA, MI, MTs dan MA," (https://satudata.kemenag.go.id/dataset/detail/jumlah-siswa-ra,-mi,-mts-dan-ma) (2023年8月30日閲覧)

Kementerian Agama, "Jumlah Satuan Pendidikan RA, MI, MTs dan MA," (https://satudata.kemenag.go.id/dataset/detail/jumlah-satuan-pendidikan-ra,-mi,-mts-dan-ma) (2023年8月30日閲覧)

Makruf, Jamhari, "Hard times for Pesantren facing Covid-19," August 20, 2020 (https://indonesiaatmelbourne.unimelb.edu.au/hard-times-for-pesantren-facing-covid-19/) (2023年5月5日閲覧)

第6章

井澤友美「ポスト・スハルト期におけるインドネシア・バリ州の観光開発とその影響」『観光学評論』Vol.2-2、2014年、(https://researchmap.jp/7000010366/published_papers/19284460) (2023年5月5日閲覧)

年 11 月 (https://www.jstage.jst.go.jp/article/wiapstokyu/40/0/40_121/_article/-char/ja) (2023年 4 月27日閲覧)

Jenkins, David, *Young Soeharto: The Making of a Soldier, 1921-1945*, Institute of Southeast Asian Studies, 2021.

Qibtityah, Alimantul, "Gender Contention and Social Recognition," in Hefner, Robert & Bagir, Zainal Abidin (eds.), *Indonesian Pluralities*, Institute of Southeast Asian Studies, 2021.

Machrusah, Safira, "Muslimat and Nahdlatul Ulama: Negotiating Gender Relations within a Traditional Muslim Organization in Indonesia," Open Research Library Australia National University, 2005 (https://openresearch-repository.anu.edu.au/handle/1885/146561) (2023年 4 月27日閲覧)

Pomerantz, Rebecca, "The Aisyiyah Women's movement in Indonesia," The Borgen Project, April 30, 2021, (https://borgenproject.org/womens-movement-in-indonesia/) (2023年 5 月 2 日閲覧)

Syakir, Muhammad, "Rekomendasi Kongres Ulama Perempuan Indonesia (KUPI)," NU online, November 28, 2022, (https://www.nu.or.id/nasional/rekomendasi-kongres- ulama-perempuan-indonesia-kupi-ii-brsiz) (2023年 5 月 2 日閲覧)

Wajiran, "Polygamy and Muslim Women in Contemporary Indonesian Literature," Humaniora, Vol.30 No.3, Octber 2018 (https://jurnal.ugm.ac.id/jurnal-humaniora/article/view/34821) (2023年 5 月 2 日閲覧)

第５章

Madjid, Nurcholish, "The Necessity of renewing Islamic Thought and Reinvigorating Religious Understanding," in Kurzman, Charles (ed.), in *Liberal Islam: A sourcebook*, Oxford University Press, 1998

Badan Pusat Statistik/ BPS-Statistics Indonesia, "Statistik Indonesia 2020," 2020

Social Science, Education and Humanities Research Vol.150, November, 2017（2023年５月２日閲覧）

Prayudi et al., “Analysis of the Development of Bandung as Creative City,” International Journal of Scientific & Engineering Research vol.8, Issue9, September, 2017,（https://www.ijser.org/researchpaper/Analysis-of-the-Development-of-Bandung-as-Creative-City.pdf）（2023年５月２日閲覧）

Nur, Mohamad Ichsana, “Interferences of Bandung Creative City in Developing the Creative Economy of Bandung City,” November 2019（https://journal.iapa.or.id/proceedings/article/view/259）（2023年５月２日閲覧）

Widiati, Sari, “Bandung’s Creative Sites,” Jakrta Now !, August 12, 2020（hhttps://www.nowjakarta.co.id/bandung-s-creative-sites/）（2023年５月２日閲覧）

Zaenudin, H N ＆Suwatno, S, “Ridwan Kamil’s Digital Public Sphere and Public Policy,” IOP Conf. Series: Earth and Environmental Science Vol. 145, August 8, 2017（https://iopscience.iop.org/article/10.1088/1755-1315/145/1/012007/pdf）（2023年５月２日閲覧）

第４章

大形里美「インドネシアにおけるイスラーム家族法とジェンダー」『九州国際大学国際商学論集』第14巻２号、2003年３月

大形里美「インドネシアにおけるLGBT運動を取り巻く状況：LGBT運動の展開と近年の対立の構図」、『九州国際大学国際・経済論集』３号、2019年３月

利光正文「インドネシアにおけるムスリム女性のイスラーム改革運動に関する覚書―アイシヤーを事例として」『史学論叢』史学論叢34、2004年３月（https://cir.nii.ac.jp/crid/1050845762774931456?lang=en）（2023年５月２日閲覧）

見市建「インドネシア女性ウラマー会議（KUPI）『公式資料：過程と結果―解題と抄訳』」『アジア太平洋討究』アジア太平洋討究No.40、2020

gital-2018-indonesia) February 1, 2018 (2023年5月2日閲覧)
We are social, "Digital 2020: Indonesia," (https://datareportal.com/reports/digital-2020-indonesia) February 18, 2020 (2023年5月2日閲覧)
We are social, "Digital 2021: Indonesia," (https://datareportal.com/reports/digital-2021-indonesia) February 11, 2021 (2023年5月2日閲覧)

第3章

金悠進『ポピュラー音楽と現代政治　インドネシア　自立と依存の文化実践』京都大学学術出版会、2023年
金悠進「『創造都市』の創造　バンドンにおける若者の文化実践とアウトサイダーの台頭」『東南アジア研究』55巻1号、2017年7月
(https://repository.kulib.kyoto-u.ac.jp/dspace/bitstream/2433/226734/1/jjsas_55%281%29_44.pdf) (2023年4月27日閲覧)
佐々木雅幸「文化による創造都市づくりにむけて」国際交流基金編『国際シンポジウム報告書　クリエイティブ・シティ　都市の再生を巡る提案』2003年

Alam, Fanny Syariful, "Bandung, city of human rights?," Inside Indonesia, December 1, 2019, (https://www.insideindonesia.org/bandung-city-of-human-rights) (2023年5月2日閲覧)
Aritenang, Adiwan, "Transfer Policy on Creative City: The Case of Bandung, Indonesia," Procedia: Social and Behavioral Sciences Vol.184, May 25, 2015 (https://www.sciencedirect.com/science/article/pii/S1877042815032930) (2023年5月2日閲覧)
"Creative Cities Network," UNESCO, (https://en.unesco.org/creative-cities/bandung) (2023年4月27日閲覧)
Imran, Ayub Ilfandy & Atman, Nur, "The Impact of Mayor of Bandung's Leadership Style and Communication Strategy on Civil Servants' Motivation and Job Performance in Bandung," Proceedings of the 3rd International Conference on Transformation in Communication, Advances in

and the state," in *ibid.*

Jurrioens, Edwin, "Digital art; hacktivism and social engagement," in *ibid.*

Nuguroho, Yanuar & Hikmat, Agung, "An insider's view of e-governance under Jokowi: political promise or technocratic vision?" in *ibid.*

Postill, John & Saputro, Kurniawan "Digital activism in contemporary Indonesia: victims, volunteers and voices," in *ibid.*

Tapsell, Ross, "The political economy of digital media," in *ibid.*

Dewi, Ida Ayu Prasasti, "Indonesia, digital literacy and elections ," Strategic Review Vol.34, October 7, 2019.（sr.sgpp.ac.id/post/indonesia-digital-literacy-and-elections）（2023年５月２日閲覧）

Sen, Krishna & Hill, David, *Media, Culture, and Politics in Indonesia,* Equinox Publishing, 2007

西村薫「インドネシア最新IT事情」国際情報化協力センター　アジア情報化レポート2022年10月（https://cicc.or.jp/japanese/wp-content/uploads/20221220-03id.pdf）（2023年５月４日閲覧）

Google, "e-Conomy SEA 2019,"（https://www.blog.google/documents/47/SEA_Internet_Economy_Report_2019.pdf/）October 3, 2019（2023年５月２日閲覧）

Google, "e-Conomy SEA 2020,"（https://nextbn.ggvc.com/wp-content/uploads/2020/11/e-Conomy_SEA_2020_Report.pdf）, November 10, 2020（2023年５月２日閲覧）

Nadzir, Ibnu, "Hoax and Misinformation in Indonesia: Insights from a Nationwide Survey," ISEAS Perspective No.92, November 5, 2019.（https://www.iseas.edu.sg/images/pdf/ISEAS_Perspective_2019_92.pdf）（2023年５月２日閲覧）

PR Newswire, "2020 Asia-Pacific Media Landscape Highlights; Indonesia,"（https://en.prnasia.com/blog/2021/03/2020-indonesia-media-landscape-highlights/）, March 12, 2021（2023年５月２日閲覧）

We are social, "Digital 2018: Indonesia,"（https://datareportal.com/reports/di

"After Ahok, the Islamist Agenda in Indonesia," Institute for Policy Analysis of Conflict, IPAC Report No.44, April 6 2018 (https://understandingconflict.org/en/publications/After-Ahok-The-Islamist-Agenda-in-Indonesia)（2023年4月27日閲覧）

Ismail, Noor Huda, "Jihd Selfie: listening to 'the other side' in documentary film," The Conversation, August 3, 2016 (https://theconversation.com/jihad-selfie-listening-to-the-other-side-in-documentary-film-62998)（2023年5月2日閲覧）

Laskowska, Natalia, "The Radicalization of students and how to deal with them," Strategic Review Vol.32, April-June 2019. (https://sr.sgpp.ac.id/post/the-radicalization-of-students-and-how-to-deal-with-them)（2023年5月2日閲覧）

"Gen Z: Kegalutan Identitas Keagamaan," PPIM-UIN Jakarta. 2018, (https://ppim.uinjkt.ac.id/wp-content/uploads/2020/11/1.1-Gen-Z-Kegalauan-Identitas-Keagamaan.pdf)（2023年4月27日閲覧）

"Indonesian Islamist leader says ethnic Chinese wealth is next target," Reuters, May 13, 2017 (https://jp.reuters.com/article/uk-indonesia-politics-cleric-exclusive/exclusive-indonesian-islamist-leader-says-ethnic-chinese-wealth-is-next-target-idUSKBN18817N)（2023年4月27日閲覧）

第2章

伊藤亜聖『デジタル化する新興国』中公新書、2020年

川村晃一編『2019年インドネシアの選挙　深まる社会の分断とジョコウィの再選』独立行政法人日本貿易振興機構　アジア経済研究所、2020年

廣田緑『協働と共生のネットワーク　インドネシア現代美術の民族誌』grambooks、2022年

Baulch, Emma, "Mobile phones: advertising, consumerism and class," in Edwin Jurrioens & Tapsell, Ross (eds.), *Digital Indonesia: Connectivity and Divergence*, Institute of Southeast Asian Studies, 2017.

Hamid, Usman, "Laws, crackdowns and control mechanisms: digital platforms

ロ・ビジネス短信』2021年２月26日（https://www.jetro.go.jp/biznews/2021/02/24fb8314b3fe5e9f.html）（2023年４月27日閲覧）

「令和４年６月末現在における在留外国人数について」出入国在留管理庁、2022年10月14日（https://www.moj.go.jp/isa/publications/press/13_00028.html）（2023年４月27日閲覧）

山本茂「インドネシア・ジャカルタの家庭の実態調査」栄養改善事業推進プラットフォーム、2017年５月17日（njppp.jp/wp/wp-content/uploads/80802a5fae1605c492d5d2c958473ed8.pdf）（2023年４月27日閲覧）

"Sebanyak 86.88% Penduduk Indonesia Beragama Islam," databoks, June 2021（https://databoks.katadata.co.id/datapublish/2021/09/30/sebanyak-8688-penduduk-indonesia-beragama-islam#:~:text=Berdasarkan%20data%20Direktorat%20Jenderal%20Kependudukan,86%2C88%25)%20beragama%20Islam.）（2023年４月27日閲覧）

"The World in 2050," PwC, February 2017,（https://www.pwc.com/gx/en/world-2050/assets/pwc-the-world-in-2050-full-report-feb-2017.pdf）（2023年４月27日閲覧）

"Indonesian People Living in Poverty Reach 26.36 million," Tempo.com, January 17, 2023,（https://en.tempo.co/read/1680317/indonesian-people-living-in-poverty-reach-26-36-million）（2023年４月27日閲覧）

"GDP（current US$）Indonesia," The World Bank,（https://data.worldbank.org/indicator/NY.GDP.MKTP.CD?locations=ID）（2023年４月27日閲覧）

"GNI per capita, Atlas method（current US$）Indonesia," The World Bank,（https://data.worldbank.org/indicator/NY.GNP.PCAP.CD?locations=ID）（2023年４月27日閲覧）

第１章

小川忠『インドネシア　多民族国家の模索』岩波新書、1993年

サミュエル・ハンチントン（鈴木主税訳）『文明の衝突と21世紀の日本』集英社新書、2000年

参考文献

『日亜対訳・注釈　聖クルアーン　7刷』樋口美作他編、日本ムスリム協会、2002年

【辞典・事典】

『岩波　イスラーム辞典』大塚和夫他編、岩波書店、2002年

『広辞苑　第7版』新村出編、岩波書店、2018年

『宗教の事典』山折哲雄監修、朝倉書店、2012年

『精選版　日本国語大辞典』小学館編、2006年

【日本で発行されている新聞・雑誌等メディア】

『朝日新聞』『毎日新聞』『読売新聞』『共同通信』『時事通信』

【インドネシアで発行されている新聞・雑誌等メディア】

Antara Indonesia News Agency, The Jakarta Post, Kompas, Strategic Review by SGPP Indonesia, Tempo, じゃかるた新聞

序章

小野俊太郎『モスラの精神史』講談社現代新書、2007年

倉沢愛子「序」倉沢愛子編著『消費するインドネシア』慶應義塾大学出版会、2013年

後藤乾一『東南アジアから見た近現代日本　「南進」・占領・脱植民地化をめぐる歴史認識』岩波書店、2012年

佐藤百合『経済大国インドネシア　21世紀の成長条件』中公新書、2011年

Reid, Anthony, "Indonesia's New Prominence in the World," in Reid, Anthony (ed.), in *Indonesia Rising: The Repositioning of Asia's Third Giant*, Institute of Southeast Asian Studies, 2012

「2020年9月の貧困率、新型コロナの影響で3年ぶり10%超に」『ジェト

【わ行】

【や行】

【ら行】

【ま行】

【は行】

【な行】

【た行】

【さ行】

【か行】

索引

【あ行】

マー・アフガニスタン
OIC＝Organization of the Islamic Cooperation：イスラーム協力機構（2011年名称変更）
OPM＝Organisasi Papua Merdeka：自由パプア運動
OSVIA＝Opleiding School voor Inlandsche Ambtenaren：行政官養成学校
PKI＝Partai Komunis Indonesia：インドネシア共産党
PKF＝Peacekeeping Forces：国連平和維持軍
PKS＝Partai Keadilan Sejahtera：福祉正義党
PPIM＝Pusat Pengkajian Islam dan Masyarakat：インドネシア国立イスラーム大学ジャカルタ校社会・イスラーム研究センター
PTI＝Partai Tionghoa Indonesia：インドネシア華人党
PUSA＝Persatuan Ulama Seluruh Aceh：全アチェ・ウラマー同盟
RCTI＝Rajawali Citra Televisi Indonesia：ラジャワリ・チトラ・テレビ（民間テレビ局）
PwC＝PricewaterhouseCoopers：プライスウォーターハウスクーパース（国際コンサルティング）
SPS＝Serikat Perusahaan Pers：インドネシア報道機関連合
SAFENET＝Southeast Asia Freedom of Expression Network：東南アジア表現の自由ネットワーク
STOVIA＝The School tot Opleiding van Inlandsche Artsen：東インド医師養成学校
TPNPB＝Tentara Pembebasan Nasional Papua Barat：西パプア民族解放軍
UNTAET＝United Nations Transitional Administration in East Timor：国連東ティモール暫定行政機構
WH＝Wilayatul Hisbah：宗教警察
WWF＝World Wide Fund for Nature：世界自然保護基金

大学ジョクジャカルタ校

ITB＝Institut Teknologi Bandung：バンドン工科大学

ITE法＝Law No.11/2008 on Information and Electronic Transaction：電子情報・商取引法

JAD＝Jamaah Ansharut Daulah：ジャマー・アンシャルット・ダウラ

JAS＝Jamaah Ansharusy Syariah：ジャマー・アンシャルシ・シャリーア

JAT＝Jamaah Ansharut Tauhid：ジャマー・アンシャルット・タウヒード

JI＝Jemah Islamiya：ジェマー・イスラミア

KAMMI＝Kesatuan Aksi Mahasiswa Muslim Indonesia：インドネシア・ムスリム学生行動連盟

KEKASIH＝Kendaraan Konseling Silih Asih：市民向け移動式お悩み相談所

KMII-Jepang＝Keluarga Masyarakat Islam Indonesia Jepang：在日インドネシアムスリム協会

KPI＝Komisi Penyiaran Indonesia：インドネシア放送委員会

KTP＝Kartu Tanda Penduduk：住民証

KUPI＝Kongres Ulama Perempuan Indonesia：インドネシア女性ウラマー会議

LBH＝Lembaga Bantuan Hukum：法支援協会

MHTI＝Muslimah Hizbut Tahrir Indonesia：ムスリマー・ヒズブ・タフリール・インドネシア

MIT＝Mujahidin Indonesia Timur：東インドネシアのムジャヒディン

MNU＝Muslimat Nahdlatul Ulama：ムスリマート・ナフダトゥル・ウラマー

MPR＝Majelis Permusyawaratan Rakyat：国民協議会

MRT＝Mass Rapid Transit：大量高速鉄道

MUI＝Majelis Ulama Indonesia：インドネシア・ウラマー評議会

NIAS＝Nederlandsch Indische Artsen School：蘭領医学校

NII＝Negara Islam Indonesia：インドネシア・イスラーム国家

NU＝Nahdlatul Ulama：ナフダトゥル・ウラマー

NUアフガニスタン＝Nahdlatul Ulama Afghanistan：ナフダトゥル・ウラ

略語

AQL＝Al Quran Learning Centre of Ar-Rahman：ラーマン・クルアーン学習センター

BCCF＝Bandung Creative City Forum：バンドン・クリエイティブ・シティ・フォーラム

BCH＝Bandung Creative Hub：バンドン・クリエイティブ・ハブ

BIN＝Badan Intelijen Negara：国家情報庁

BNPT＝Badan Nasional Penanggulangan Terorisme：国家テロ対策庁

BPS＝Badan Pusat Statistik：インドネシア中央統計局

BRICS：主要新興国（ブラジル、ロシア、インド、中国、南アフリカ）

CSIS＝Centre for Strategic and International Studies：戦略国際問題研究所

DPD＝Dewan Perwakilan Daerah：地方代表議会

DPR＝Dewan Perwakilan Rakyat：国民議会

FGM＝Female Genital Mutilation：女性器切除

FKPT＝Forum Koordinasi Pencegahan Terorisme：地域テロ予防調整フォーラム

EPA＝Economic Partnership Agreement：経済連携協定

FPI＝Front Pembela Islam：イスラーム防衛戦線

GAM＝Gerakan Aceh Merdeka：独立アチェ運動

GNI＝Gross National Income：国民総所得

HONF＝House of Natural Fiber：ナチュラル・ファイバー・ハウス

HTI＝Hizbut Tahrir Indonesia：ヒズブ・タフリール・インドネシア

INALUM＝PT Indonesia Asahan Aluminium：PT インドネシア・アサハン・アルミニウム

IPAC＝Institute for Policy Analysis of Conflict：紛争政治分析研究所

IPU＝Inter-Parliamentary Union：列国議会連盟

IS＝Islamic State：イスラーム国

ISAF＝International Security Assistance Force：国際治安支援部隊

ISI Yogyakarta＝Institut Seni Indonesia Yogyakarta：インドネシア国立芸術

小川忠（おがわ・ただし）
跡見学園女子大学文学部教授。早稲田大学アジア研究所招聘研究員。
1959年神戸市生まれ。
1980～81年米国カンザス大学留学。1982年早稲田大学教育学部卒、
2012年早稲田大学大学院アジア太平洋研究科博士課程修了。博士（学術）。
1982年～2017年国際交流基金に勤務。1989～93年同基金ジャカルタ日本文化センター駐在員、
2011～16年同基金東南アジア総局長（在ジャカルタ）。2017年より現職。
専門：国際交流政策、東南・南アジア研究。
著書：『インドネシア　多民族国家の模索』（岩波新書、1993年）
『ヒンドゥー・ナショナリズムの台頭』
（NTT出版、2000年。毎日新聞・アジア調査会　アジア・太平洋賞特別賞受賞）
『インド　多様性大国の最新事情』（角川選書、2001年）
『原理主義とは何か：アメリカ、中東から日本まで』（講談社現代新書、2003年）
『テロと救済の原理主義』（新潮選書、2007年）
『戦後米国の沖縄文化戦略』（岩波書店、2012年）
『インドネシア　イスラーム大国の変貌：躍進がもたらす新たな危機』（新潮選書、2016年）
『自分探しするアジアの国々　揺らぐ国民意識をネット動画から見る』（明石書店、2021年）
『逆襲する宗教：パンデミックと原理主義』（講談社選書メチエ、2023年）

変容するインドネシア

初版第1刷発行　2023年12月10日
定価　3,200円＋税

著　者……小川忠©
装　幀……臼井新太郎
発行者……桑原晨

発　行……株式会社 めこん
〒113-0033 東京都文京区本郷3-7-1
電話……03-3815-1688　FAX……03-3815-1810
ホームページ……http://www.mekong-publishing.com

印刷・製本……株式会社太平印刷社

ISBN978-4-8396-0336-6　C0030　Y3200E
0030-2304336-8347

インドネシアの基礎知識

加納啓良
定価 2,000円＋税

インドネシアは大きい国だ。国土面積は一九一万平方キロメートルで日本の約五倍、これは世界に現存する一九六ヵ国（二〇一五年四月現在）のうち、一四番目に大きい。だが、そのうち五大陸に国土を持たない島国（四三ヵ国、独立国ではないグリーンランドなどを含まず）だけを取り出すと、国土面積で見ても人口で見ても、インドネシアが断然世界一である。

スハルト「帝国」の崩壊

吉村文成
定価 2,000円＋税

スハルト氏の統治するインドネシアは、政治や経済、思想など、いわば国家のすべてが「たった一人による支配」に向けて構築されていた。いってみれば、「スハルト氏の帝国」である。それは、見事なほど堅固で緻密なシステムであった。どうして二十世紀後半という時代に、このような帝国の建設が可能だったのか。

インドネシア領パプアの苦闘
――分離独立運動の背景

井上治
定価 2,800円＋税

インドネシアが抱えるパプアの分離独立問題とは何なのか。ジャカルタに中央政府を置くインドネシアとその国の東端で絶えることなく民族自決権を要求し続けているパプアとの間では、パプア人が置かれてきた状況とその歴史への認識に著しい歪みが見られる。

ワヤンを楽しむ

松本亮
定価 3,200円＋税

ワヤンを楽しむことはもしかするとこの世に充満する毒にじょじょに当てられていくことであるかもしれぬ。甘露とも思えるその毒はどこまでも口あたりがよい。私たちはワヤンの毒に当てられてどこかへ連れ去られる。複雑この上ないが一見単調な波濤のくりかえしとみえるガムランの音、ワヤンの舞い姿にいつしれず、ほだされ、魅せられて。

性を超えるダンサー ディディ・ニニ・トウォ

福岡まどか
古屋均（写真）
定価 4,000円＋税（DVD 付）

ディディ・ニニ・トウォの上演の魅力は、女性性の多様なイメージが彼の身体によって巧みに表現されることにあるだろう。優雅な美しさ、敏捷なしなやかさ、ダイナミックな強さ、滑稽な切なさ、激しい魔性などを次々と表現していく彼の身体には尽きることのない可能性が秘められている。

ハッタ回想録

モハマッド・ハッタ　大谷正彦：訳
定価4,500円＋税

一九〇二年八月一二日、私はブキティンギで生まれた。ブキティンギはアガム高地の中央部にある小さな町だ。ムラピ山とシンガラン山の麓の突端にある町で、北側を取り囲んでいるブキット・バリサン山脈の支脈が見える。ブキティンギとシンガラン山の間には、素晴らしい景観の深い峡谷が広がっている。

マックス・ハーフェラール

——もしくはオランダ商事会社のコーヒー競売

ムルタトゥーリ
佐藤弘幸：訳
定価5,500円＋税

私はコーヒーの仲買人で、ラウリール運河三七番地に住んでいる。小説とかその類いのものを書くのは普段からやりつけていないので、数連のまとまった用紙を特別に注文して、この作品を書き始めるまでには結構時間がかかった。そう、親愛なる読者諸君がいま手にしている作品がそれだ。読者がコーヒーの仲買人であろうと、何であろうと、これはぜひ読んでほしい作品だ。

人間の大地（上）（下）

プラムディヤ・アナンタ・トゥール
押川典昭：訳
（各）定価1,800円＋税

ひとびとは私をミンケと呼んでいた。私のほんとうの名は……当分それは言う必要がない。本名を伏せておくのは、べつに私がミステリー狂いだというわけではない。よく考えたうえで、私が誰であるのか、人前に明らかにするのは時期尚早であると判断したのだ。もともとこの短いノートは、私が悲しみの喪に服しているあいだ、つまり、一時的にか永久にか彼女が私のもとを去ったあと、書いたものである。

果てしなき道

モフタル・ルビス　押川典昭：訳
定価1,500円＋税

霧雨が夕闇の訪れをいっそうはやめていた。天の果てでは雷鳴が叩きつけるように轟き、閃光が空を切った。一瞬、稲妻が夕暮れの闇を照らしたかと思うと、それはすぐさまより深い漆黒の闇にとってかわった。道は深閑として、ただ静寂だけが支配していた。その中に、雨を避けて走っていく人影がいくつかあった。

香料諸島綺談

——鮫や鰹や小鰯たちの海

Y・B・マングンウイジャヤ　舟知恵：訳
定価2,000円＋税

カウ湾の東岸にあるドインゴジョ村は立派な大型船ジュルジュルやサンパンを造る船大工たちがいるので知られていた（そのほか、この海域一帯の恐いもの知らずの島嶼民の常で、代々心が入れかわる筈もなく外洋で海賊を働いていることでも）が、その村のキエマドゥドゥ、称号付きだとキメラハ（村長）キエマドゥドゥはくさっていた。